Marielle

MUSIQUE

Danielle Steel

MUSIQUE

Roman

Traduit de l'anglais (États-Unis)
par Catherine Berthet

PRESSES
DE LA CITÉ

Titre original : *Country*
Published in the United States by Delacorte Press, an imprint of Random House,
a division of Penguin Random House LLC, New York.

© Danielle Steel, 2015
© Presses de la Cité, 2016 pour la traduction française
ISBN 978-2-258-13495-9

Presses
de │ un département **place des éditeurs**
la Cité

place
des
éditeurs

Pour mes enfants adorés,
Beatrix, Trevor, Todd, Nick, Sam,
Victoria, Vanessa, Maxx, et Zara.
Puissiez-vous cueillir l'instant,
que la vie vous soit douce,
que les opportunités soient abondantes,
vos joies immenses,
et que vos rêves se réalisent !

Je vous aime de tout mon cœur,
Maman / DS

1

L'aube claire apparut, annonçant une journée enso-
leillée. La lumière vive se réfléchissait sur la neige
fraîche, tombée la veille dans Squaw Valley. Les conditions pour skier étaient parfaites. Meilleures qu'elles
ne l'avaient jamais été pour Bill, Stephanie et leurs
deux couples d'amis, les Freeman et les Dawson, avec
qui ils passaient chaque année en février le week-end
des Présidents. C'était une tradition depuis dix ans, un
rituel qu'aucun d'entre eux n'aurait osé briser.

Deux ans plus tôt, Alyson Freeman était venue alors
même qu'elle était presque au terme de sa grossesse.
Elle attendait son troisième enfant. Comme son mari
était médecin, elle n'éprouvait pas d'inquiétude. De
plus, ils n'étaient qu'à quatre heures de route de chez
eux. Brad n'était pas obstétricien, mais chirurgien
orthopédiste, néanmoins elle savait qu'elle bénéficierait
des meilleurs soins si par hasard elle accouchait pendant leur long week-end à Tahoe. Ils n'avaient jamais
annulé leur rendez-vous pour le Jour des Présidents,
et cette année encore ils se retrouvaient entre adultes,
sans enfants ni responsabilités.

Cela ne posait plus de problème à Bill et Stephanie,
dont les deux aînés avaient quitté la maison pour faire
leurs premiers pas professionnels à Atlanta et à New
York, tandis que leur plus jeune fille passait une année

scolaire à Rome. Les filles de Fred et Jean Dawson, qui avaient épousé deux frères, habitaient toutes les deux à Chicago. Mais même Brad et Alyson, dont les enfants étaient plus jeunes, trouvaient plus agréable de les laisser à la maison avec la jeune fille au pair.

Fred et Jean, un peu plus vieux que leurs amis, étaient ceux qui comptaient le plus d'années de mariage. En dehors du cercle de leurs intimes, ils semblaient former le couple idéal. Le logiciel que Fred avait inventé, et qui était à l'origine de sa fortune, l'avait propulsé au sommet dès le début de sa carrière. Leur somptueuse demeure de Hillsborough était la preuve de son succès, ainsi que son avion privé, sa Ferrari, son Aston Martin et l'écurie de pur-sang pour laquelle Jean se passionnait. L'argent leur brûlait les doigts, et les origines modestes de Fred n'étaient plus qu'un lointain souvenir.

Quand ils s'étaient connus, Jean était serveuse à Modesto. Sa famille avait sombré dans la misère après la mort de son père dans un accident et la perte de leur ferme qui avait suivi ce décès. L'homme avait laissé derrière lui cinq enfants affamés et une veuve qui paraissait vingt ans de plus que son âge réel. Jean ne voyait presque plus ses frères et sœurs, elle n'avait rien de commun avec eux. À cinquante et un ans, elle était mariée à Fred depuis trente ans. Un chirurgien esthétique de New York lui avait fait un excellent lifting, elle prenait extrêmement soin d'elle, avait une ligne magnifique grâce à une pratique du sport assidue, et se faisait faire des injections de Botox trois fois par an. C'était réellement une très belle femme, et le manque d'expression de son visage ne la gênait pas. Ce qu'elle voulait par-dessus tout, c'était ne plus jamais connaître la pauvreté. Or tant qu'elle serait mariée à Fred, cela ne lui arriverait pas.

Fred l'avait toujours trompée, elle le savait, et elle n'en

souffrait plus. Cela faisait des années qu'elle n'était plus amoureuse de lui. Elle aurait pu demander le divorce et lui soutirer une fortune, mais elle aimait le style de vie et les avantages que lui offrait leur vie de couple. Elle aimait aussi le statut social dont elle bénéficiait en tant que Mme Fred Dawson. Elle expliquait en riant à ses amies qu'elle avait fait un pacte avec le diable ; pour elle, le diable était Fred. Elle était sans illusions et ne désirait pas changer quoi que ce soit à sa façon de vivre. Elle avait ses chevaux, ses amis, et pouvait aller voir ses filles à Chicago quand elle en avait envie. Fred et elle avaient conclu un accord tacite. Bien sûr, la vie l'avait rendue un peu caustique et elle n'avait pas une très haute opinion de son mari, ni des hommes en général. Elle était persuadée qu'ils trompaient tous leur femme. Depuis des années, son mari couchait avec ses secrétaires, ses assistantes, des femmes qu'il rencontrait dans des soirées, dans des réunions d'affaires, dans l'ascenseur, dans l'avion... Les seules avec lesquelles il ne couchait pas étaient ses amies proches. Avec elles, il avait quand même le bon goût de s'abstenir. De toute façon, il les trouvait trop vieilles pour lui. Il avait un faible pour les filles de vingt-cinq ans.

Les rapports entre les deux époux étaient courtois, mais dénués de chaleur. Jean avait oublié ce que c'était que d'être aimée par un homme, et d'ailleurs elle n'y pensait plus. Elle avait tout ce qu'elle désirait sur le plan matériel, ce qui lui paraissait beaucoup plus important. Pour rien au monde, elle n'aurait renoncé à ce confort. Ils avaient récemment acheté un Picasso, que Fred avait payé près de dix millions de dollars. Leur collection de tableaux était l'une des plus importantes de toute la côte Ouest.

Jean avait une faiblesse, et c'était son attachement pour Alyson et Stephanie. Elle adorait les week-ends qu'elles passaient ensemble et leur parlait chaque jour au téléphone. Ses amies n'étaient pas jalouses du luxe dans lequel elle vivait. Et, bien sûr, elles ne lui enviaient pas son mariage et l'état de sa relation avec Fred. Elles trouvaient la sincérité et l'honnêteté de Jean attendrissantes. En dépit de ses choix de vie, celle-ci était profondément humaine. Il n'y avait aucune dissimulation chez elle. Jean adorait être riche et adorait s'appeler Mme Fred Dawson. Elle aurait fait n'importe quoi pour que cela ne change jamais. C'était un peu comme le choix d'une carrière. Épouse d'un multimillionnaire, en passe de devenir milliardaire dans l'univers du high-tech. Tel le roi Midas, Fred Dawson changeait en or tout ce qu'il touchait. Les hommes l'admiraient et lui enviaient ce don. Il émanait de lui une impression de pouvoir qui agissait sur les femmes comme un aphrodisiaque. Quant à Jean, elle achetait des pur-sang et de fabuleux tableaux impressionnistes, et possédait plus d'articles Hermès et Vuitton et de bijoux Graff que n'importe quelle femme dans le monde. Et pourtant, elle était encore capable d'apprécier un simple week-end à Squaw Valley, avec leurs deux couples d'amis. Elle avait surnommé leur petit groupe « Les Six » : elle ne parlait jamais d'eux autrement.

Fred avait déjà réussi quand ils s'étaient connus, même si sa fortune n'était pas comparable alors à celle qu'il possédait à présent. Jean elle-même reconnaissait qu'il avait gagné des sommes astronomiques ces dernières années. Cela lui convenait très bien. Elle avait l'impression d'être une reine, et dans son petit univers elle en était bel et bien une. Mais son esprit affûté, sa vivacité et son honnêteté envers elle-même et envers les autres l'empêchaient de devenir odieuse. Si elle se montrait dure parfois, c'était probablement la conséquence de son mariage décevant. Toutefois, ses amis l'aimaient telle qu'elle était. Fred, en revanche, n'était attiré que par les jeunes femmes. Jean avait beau être superbe, cela faisait des années qu'elle ne l'intéressait plus. À cinquante-cinq ans, il avait une préférence pour les moins de trente ans, lesquelles flattaient son ego. Jean en avait parfaitement conscience. Elle pouvait abuser de la chirurgie esthétique et du Botox, s'entraîner consciencieusement avec son moniteur de sport, Fred ne la regardait plus depuis belle lurette. Elle ne se faisait aucune illusion à ce sujet. Elle avait un ego très fort qui lui permettait de ne pas s'en faire, et le fait de pouvoir utiliser ses cartes de crédit autant qu'elle le voulait l'aidait à garder le moral. Pour elle, tout allait bien.

Le couple formé par Brad et Alyson était à l'opposé de celui de Fred et Jean. Après douze ans de mariage, ils étaient toujours follement amoureux. Alyson avait une admiration sans bornes pour son mari. À trente-cinq ans, alors qu'elle se voyait déjà rester célibataire toute sa vie, elle avait vécu une histoire digne de celle de Cendrillon. Elle était à l'époque représentante d'une société de produits pharmaceutiques. Elle déposait des échantillons de médicaments au bureau de Brad quand ce dernier l'avait remarquée. Il avait alors quarante et un ans, profitait des multiples avantages de sa vie de célibataire, et était au cœur des fantasmes des infirmières et des femmes en général, qui toutes rêvaient de conquérir ce beau chirurgien orthopédiste. Mais c'est d'Alyson qu'il tomba raide dingue amoureux. Huit mois après leur premier rendez-vous, ils se marièrent. Et la vie d'Alyson changea du tout au tout. À sa première grossesse, elle s'arrêta de travailler. Depuis, elle s'occupait à temps complet de leurs trois enfants. Douze ans après leur mariage, elle parlait toujours de son mari comme d'un saint. Elle éprouvait une immense gratitude et adorait la vie qu'il lui offrait. Brad était un mari aimant, dévoué, et un père formidable. Chaque fois que Jean faisait une remarque acerbe sur l'infidélité des hommes, Alyson le défendait avec véhémence, disant qu'il n'avait jamais regardé une autre femme qu'elle depuis qu'ils étaient mariés. Jean répondait invariablement, avec un sourire en coin :

— Je sais que Brad est parfait, qu'il est le mari le plus fidèle du monde, mais il n'en est pas moins un homme.

Si elle était désormais trop occupée avec les enfants pour s'habiller élégamment, Alyson avait néanmoins gardé un corps superbe. Elle se rendait plusieurs fois par semaine à la salle de gym, jouait au tennis, et adorait skier. Stephanie la taquinait de temps en temps en disant qu'elle idolâtrait son mari, mais elle les trouvait tous les deux adorables. Ils étaient heureux : Brad avait bien réussi professionnellement, et leurs enfants de deux, six et onze ans étaient très mignons. Ils avaient une superbe maison à Ross, un des quartiers les plus huppés de Marin. Leur vie semblait vraiment idyllique. Brad était toujours très attentionné, aussi amoureux d'Alyson qu'au premier jour. C'était aussi un père attentif. Chef du groupe de louveteaux de son fils aîné, il trouvait le temps d'emmener leur fille à ses cours de danse le week-end et d'inviter Alyson dans les meilleurs restaurants de San Francisco le samedi soir. De plus, il était l'un des chirurgiens les plus renommés dans sa spécialité. À cinquante-trois ans, il était encore très beau.

Ces deux couples représentaient chacun un extrême sur l'échelle du bonheur conjugal. Alyson et Brad follement amoureux, Fred et Jean dans un arrangement pratique mais dépourvu de la moindre flamme.

Stephanie et Bill se situaient entre les deux. Au cours de leurs vingt-six ans de vie commune, ils avaient eu des hauts et des bas et quelques coups durs. Les huit ou neuf premières années avaient été merveilleuses, apportant à Stephanie tout ce qu'elle désirait. Des enfants, l'achat d'une première maison en ville, un poste d'associé pour Bill dans le cabinet d'avocats où il travaillait, la réussite professionnelle.

Ils s'étaient connus à l'université de Berkeley, alors que Bill finissait ses études de droit, et s'étaient mariés peu après qu'elle avait obtenu ses diplômes. Stephanie avait alors décroché un job génial dans une célèbre agence de publicité, où elle avait pu exercer ses talents. Tout allait pour le mieux, jusqu'au moment de sa première grossesse. Des problèmes de santé l'obligèrent à s'arrêter et à garder le lit pendant cinq mois. Michael, leur premier enfant, fut prématuré. Après cela, Bill l'encouragea à ne pas reprendre le travail. Sa vie de mère au foyer lui plaisait.

Cependant, lorsque les enfants grandirent, l'ambiance devint plus survoltée à la maison, et elle regrettait quelquefois de ne pas avoir gardé un pied dans le monde du travail, ce qui lui aurait procuré un épanouissement personnel. Elle en discuta une fois avec Bill, quand Charlotte, leur plus jeune fille, commença à aller à l'école. Mais Bill préférait qu'elle reste à la maison pour les enfants.

Cela faisait maintenant plusieurs années qu'elle avait renoncé à son rêve de retravailler. Elle était néanmoins très occupée. Elle avait été pendant des années présidente de l'Association des parents d'élèves et suivait de près toutes les activités de ses enfants. Bill était trop absorbé par son travail au cabinet d'avocats pour participer autant qu'elle à la vie familiale. Au fil des années, ils avaient découvert que ce n'était pas son fort. En revanche, avec l'argent qu'il gagnait, il pouvait leur offrir une belle maison et payer des écoles privées. Bill était quelqu'un de bien, un père responsable, mais il n'avait aucune envie de passer ses week-ends à conduire les enfants d'un stade à l'autre, ou même de faire une apparition une fois par an à une représentation de danse ou un spectacle de fin d'année. Stephanie était passée maître dans l'art de lui trouver des excuses pour tout ce qu'il ne faisait pas. Il aimait ses enfants, mais n'avait pas de temps à leur consacrer. Il était rare qu'il rentre à l'heure pour dîner, et la plupart du temps, quand ils étaient petits du moins, ils étaient déjà couchés et endormis quand il arrivait le soir. Stephanie le couvrait, souhaitant présenter à ses enfants une image positive de lui. Même lorsqu'il allait jouer au golf avec ses clients pendant le week-end, elle trouvait une explication raisonnable à son absence. Par la suite, quand Michael, Louise et Charlotte atteignirent l'adolescence, ils furent eux-mêmes assez occupés pour ne plus remarquer qu'ils n'avaient pas vu leur père depuis plusieurs jours. Stephanie le remplaçait toujours. Elle ne manquait jamais un événement sportif, une réunion de l'école, ou un rendez-vous chez le médecin. Quand ils étaient petits, elle les conduisait partout, écoutait leurs problèmes, fabriquait les costumes pour Halloween, et les câlinait quand ils avaient des bobos. Les fréquentes absences de Bill faisaient peser sur elle une pression supplémentaire. Elle ne s'en plaignait pas, mais elle en était consciente.

Peu avant son départ pour l'université, Michael, leur fils aîné, fit une remarque à ce propos. À cette époque-là, il jouait à la crosse depuis quatre ans. Or son père n'avait jamais assisté à un seul de ses matchs. Stephanie eut tout d'abord du mal à le croire quand il le lui dit. Mais en y réfléchissant, elle se rendit compte que c'était vrai. Quelques mois plus tard, Michael partit pour l'UCLA préparer un diplôme de gestion du sport, puis, l'ayant obtenu, il alla à Atlanta travailler avec l'équipe des Braves. Il s'y trouvait maintenant depuis trois ans. Il envisageait de reprendre des études, mais pas tout de suite. Il manquait à Stephanie, mais il adorait son travail et elle était contente pour lui.

Contrairement à Michael, les filles ne s'étaient jamais plaintes de leur père. Stephanie s'efforçait d'être à la fois une mère et un père pour ses enfants, et elle n'abordait pas le sujet avec Bill. Elle savait qu'il travaillait dur pour leur offrir une vie agréable.

Ils ne manquaient de rien. Bill les avait mis à l'abri du besoin. Leurs trois enfants avaient fréquenté de bonnes écoles et d'excellents établissements universitaires. Ils partaient en vacances chaque été et Stephanie n'avait jamais été obligée de travailler. Tout bien considéré, même s'il oubliait les anniversaires et n'assistait pas aux spectacles scolaires, Bill était un père et un mari parfait.

La question du travail de Stephanie se posa de nouveau quand Charlotte entra au collège. Louise était alors en dernière année au lycée, et Michael à l'université. Mais Stephanie ne voyait pas qui pourrait l'employer, ni à quel poste. Cela faisait vingt ans qu'elle n'avait plus travaillé. Alors qu'elle tentait de prendre une décision sur la marche à suivre, une bombe explosa dans sa vie : elle découvrit en effet que Bill avait une liaison. Jusque-là, elle avait toujours cru avoir fait un bon mariage, en dépit de quelques accrochages avec son époux. Or, par une suite de coïncidences malheureuses, elle apprit que Bill la trompait avec une des jeunes avocates de sa société. Bill fit des aveux, mais affirma que c'était la première fois que cela arrivait. Cela correspondait à une période où Stephanie avait été particulièrement absorbée par la scolarité des enfants. Bill et elle n'avaient plus de temps pour eux. Surchargé de travail, Bill restait au bureau tous les soirs jusqu'à minuit. La jeune avocate et lui avaient passé une semaine ensemble à Los Angeles, à recueillir des témoignages, et il avoua

17

que tout avait commencé à ce moment-là. La jeune femme était mariée. Stephanie les avait vus dans un restaurant, alors qu'il prétendait être retenu au bureau par des réunions. Son monde avait basculé.

Bill lui avait demandé pardon. S'il reconnaissait être tombé amoureux de sa consœur, il affirmait aussi ne pas vouloir détruire leur mariage. En proie à une immense tristesse, Stephanie l'avait prié de quitter la maison, le temps qu'elle prenne une décision. Ils étaient restés séparés pendant deux mois, une période très douloureuse pour Stephanie. Bill avait proposé à Marella de l'épouser, mais celle-ci préféra rester avec son mari. Il était alors retourné vers Stephanie, la suppliant d'oublier son écart de conduite et de reprendre la vie commune. Ce serait préférable pour les enfants, disait-il. Il n'avait pas essayé de lui faire croire qu'il était encore amoureux d'elle, et Stephanie avait hésité. Mais elle avait eu le temps de réfléchir : elle ne voulait pas d'un divorce.

Quand Stephanie avait raconté tout cela à ses amies, Alyson avait eu le cœur brisé pour elle. Jean, en revanche, n'était pas étonnée. Après tout, Fred avait commis des dizaines d'infidélités au fil des ans. Cette histoire la confortait dans sa conviction que les hommes trichaient dès que l'occasion se présentait ; Bill ne valait pas mieux que les autres.

— Si tu restes avec lui, tu pourras lui faire payer sa faute, dit-elle à Stephanie pour la taquiner.

En réalité, elle était triste pour son amie. Bill avait détruit les illusions de Stephanie, et celle-ci ne pourrait plus jamais l'aimer comme avant. Les enfants se doutaient bien que quelque chose de terrible s'était passé entre leurs parents, mais elle ne leur révéla pas la vérité. Elle ne voulait pas qu'ils se mettent à détester leur père parce que celui-ci l'avait trompée. Ce ne serait pas juste pour lui. Jean avait été outrée en apprenant cela : elle estimait qu'ils devaient savoir. Mais Stephanie avait passé vingt ans à créer pour eux l'image illusoire d'un père dévoué, attentif, honorable, irréprochable. Elle ne voulait pas que ses enfants le voient tel qu'il était, comme un tricheur, et que leur relation avec lui en souffre. En revanche, elle dut bien admettre, une fois qu'il eut réintégré la maison, que sa relation avec lui était irrémédiablement changée.

Ils vivaient sous le même toit, mais comme des colocataires. S'il subsistait un peu d'affection entre eux, c'était au nom du passé et des enfants qu'ils avaient eus ensemble. Mais il n'y avait plus de démonstrations d'affection. Un fossé s'était creusé, qu'ils ne parvenaient pas à combler. Stephanie n'avait plus confiance en lui. Il leur arrivait encore de faire l'amour, mais rarement et sans passion. Le désir s'était évanoui. Tous deux voyaient plutôt cela comme une obligation, puisqu'ils avaient décidé de rester mariés.

Stephanie savait que la jeune avocate avait quitté la firme six mois après leur aventure, mais cela n'avait pas vraiment d'importance. Si Bill était toujours son mari, il ne serait plus jamais son meilleur ami, ni même quelqu'un de proche. Ils n'avaient plus rien à se dire, en dehors de ce qui concernait les enfants. Elle le tenait informé de leurs progrès à l'école ou à l'université, puis de leur évolution professionnelle. Louise venait de s'installer à New York pour travailler chez Sotheby's, dans le département des arts. Ils parlaient de sujets concrets, mais jamais des sentiments qu'ils éprouvaient l'un pour l'autre. La liaison de Bill avec sa collègue avait érigé un mur entre eux. Pendant longtemps, Stephanie avait éprouvé de la tristesse, mais elle avait fini par se faire une raison. Après tant d'années, il était normal qu'un mariage se détériore.

Stephanie s'était sentie très seule lorsque Charlotte

était entrée à l'université de New York. Et c'était encore pire depuis qu'elle était partie passer une année à Rome, toujours pour ses études. Bill et Stephanie étaient allés la voir au mois de janvier. Elle restait là-bas jusqu'au mois de juin, reviendrait passer l'été à la maison, puis repartirait à New York. Stephanie attendait son retour avec impatience.

Maintenant que les enfants avaient quitté la maison, Stephanie caressait de nouveau l'idée de se remettre au travail ; elle avait désespérément besoin de s'occuper. Elle avait travaillé pour plusieurs œuvres de charité, mais organiser des événements et rassembler des fonds ne lui suffisait pas. Elle voulait faire plus. Son ébauche de carrière, tout de suite après ses études, n'était plus qu'un lointain souvenir. Elle l'avait laissée tomber pour sa famille, et cela lui valait à présent de longues soirées solitaires quand Bill restait tard au bureau. D'ailleurs, ce n'était pas mieux quand il rentrait tôt. Ils avaient si peu de choses à se dire… Bill n'appelait jamais les enfants, et eux ne l'appelaient pas davantage. Désormais, les seules soirées agréables que Bill et Stephanie passaient ensemble, c'était lorsqu'ils se retrouvaient en compagnie des Dawson et des Freeman. Alors, Stephanie bavardait avec ses copines, et Bill faisait de même avec leurs maris.

Ils étaient tous les six de bons skieurs. Les femmes se contentaient de descentes agréables, tandis que les « garçons » rivalisaient volontiers sur les pistes difficiles – celles dites *diamant noir*. Particulièrement Brad et Fred. Bill était plus décontracté. Les six se retrouvaient ensuite à la station pour déjeuner.

Impatiente de skier avec Jean et Alyson, Stephanie remonta la fermeture de sa parka et alla retrouver Bill dans le salon de leur suite. Il était très chic, avec sa parka noire, son pantalon de ski et ses bottes de randonnée. Comme Stephanie, il avait laissé ses chaussures de ski, ses skis et ses bâtons dans un casier près du remonte-pente. Stephanie portait une parka blanche. Ses longs cheveux blonds formaient une tresse qu'elle avait cachée sous un bonnet de laine bleu pâle. Ses lunettes et ses gants à la main, elle lança un coup d'œil à Bill.

— Tu es prêt ?

Il acquiesça d'un signe de tête et la suivit dans le couloir. Sous un beau soleil d'hiver, ils franchirent la courte distance jusqu'à la navette qui menait au bas des pistes. Pour la première fois, les deux autres couples avaient décidé de loger dans un hôtel de la station. Bill, lui, avait préféré rester dans leur hôtel habituel, même si cela les obligeait à prendre la navette. Quand ils arrivèrent, les autres les attendaient, et ils s'empressèrent de chausser leurs skis. Alors qu'il se dirigeait vers les deux autres hommes, Stephanie commença une phrase à l'intention de son mari. Il se retourna et la regarda d'un air grave et interrogateur. Ils ne se souriaient plus comme autrefois, mais ils n'en avaient même pas conscience.

— Fais un bon parcours, dit-elle doucement.

En fait, elle voulait lui parler de l'assurance de Charlotte qui devait être renouvelée. Elle avait oublié de le faire pendant le petit déjeuner, mais cela attendrait bien jusqu'au soir. Leurs conversations tournaient toujours autour de sujets pratiques, tels que les réparations de la toiture, un arbre qui gênait dans le jardin, ou quelque chose à faire pour les enfants. Elle ne partageait plus ses pensées avec lui. À quoi bon ? Ils n'étaient plus intimes.

— Merci, répondit-il en souriant, pour une fois. Toi aussi.

Leurs mains ne se touchaient plus, il n'y avait plus de baisers, de câlins, de mots tendres. Plus de vie sen-

21

timentale. Stephanie avait appris à s'en passer, et elle se demandait souvent si Bill aurait une autre liaison, un jour. Cela faisait maintenant sept ans que leur relation avait changé et ne leur apportait plus de réconfort.

Ces tristes pensées en tête, elle rejoignit ses deux amies.

— Quel joli bonnet, lui dit Jean. Il est du même bleu que tes yeux.

Jean portait une toque en renard et un costume de ski beige très élégant, acheté à Courchevel. Elle était toujours merveilleusement habillée. Elle avait suffisamment de temps et d'argent pour passer sa vie à faire du shopping. Des trois amies, c'était de loin la plus élégante. Ses ongles parfaitement manucurés étaient vernis de rouge. Alyson avait renoncé au vernis depuis que ses enfants étaient tout petits, et Stephanie n'en mettait plus depuis des années. Elle portait des vêtements simples et pratiques, et n'essayait pas d'être jolie ou sexy pour Bill. Ce temps-là était révolu. Elle avait toujours le même pantalon de ski bleu clair. Seule sa parka était nouvelle, mais elle l'avait empruntée à Louise quand celle-ci était partie à New York. Alyson, enfin, était toute de rouge vêtue, et ses cheveux sombres étaient cachés sous un bonnet, rouge lui aussi.

Les trois femmes prirent place sur le même siège. Leurs maris étaient déjà loin devant elles, pressés de gagner les pistes. Elles auraient pu elles aussi s'attaquer aux pistes noires, mais elles n'en avaient pas envie. Elles préféraient prendre leur temps et papoter. Stephanie raconta à ses amies leur voyage à Rome et le week-end qu'ils avaient passé à Londres, au retour. Bill avait des clients dans la capitale britannique, et elle avait eu le temps de faire les magasins. Jean leur apprit qu'ils comptaient se rendre en Europe le mois suivant.

Les trois femmes descendirent la piste gracieusement,

s'arrêtant ici ou là pour profiter de la vue et échanger quelques remarques, avant de repartir.

— Seigneur, le temps est magnifique, dit Stephanie en admirant le paysage.

Il y avait beaucoup de monde ce week-end-là à Squaw Valley, mais la station était vaste. Trente centimètres de neige étaient tombés depuis la veille, rendant la descente plus difficile. Malgré cela, elles prirent beaucoup de plaisir à effectuer le parcours et regagnèrent aussitôt le remonte-pente. Il était presque midi quand elles atteignirent la station pour la seconde fois.

Elles décidèrent d'attendre les garçons pour le déjeuner.

— Pas si mal, pour une vieille comme moi, déclara Jean.

Elle était une excellente skieuse, et dans une forme admirable. Stephanie était également très bien conservée. Seule Alyson était légèrement essoufflée. Elle n'allait pas assez souvent à la gym à cause des enfants, et elle se plaignait d'avoir pris un peu de poids à Noël.

Elles passèrent une demi-heure à bavarder en attendant les hommes. Puis, l'air un peu agacée, Jean jeta un coup d'œil à la Rolex Daytona en or rose que Fred lui avait offerte l'année précédente.

— Que font-ils donc ?

Elle leva les yeux au ciel, comme elle le faisait souvent quand elle parlait de Fred.

— Ils ont dû rencontrer des filles sur la piste.

— Brad ne fait pas ce genre de choses, protesta Alyson, prenant spontanément la défense de son mari.

— Et puis, ils skient trop vite pour faire attention aux femmes, ajouta Stephanie en souriant. Ils sont trop occupés à faire une démonstration de leurs talents sportifs.

Au bout d'une nouvelle demi-heure d'attente, Jean

suggéra qu'elles se dirigent vers le restaurant. Elle était fatiguée et avait envie d'un Bloody Mary. C'est alors que Stephanie vit Brad et Fred qui arrivaient derrière une civière de secouristes. Trois sauveteurs les entouraient. Les deux hommes avaient l'air graves, et elle ne vit Bill nulle part. Elle partit aussitôt les rejoindre sur ses skis, sans prendre le temps d'avertir ses amies. Jean et Alyson échangèrent un coup d'œil et la suivirent. Dès que Stephanie arriva à la hauteur du petit groupe, les sauveteurs s'arrêtèrent. Bill était sur la civière. Son visage était recouvert, et avant qu'elle ait pu repousser la couverture, Brad lui agrippa le poignet. Ses yeux étaient embués de larmes, il semblait bouleversé.

— Steph, non...

Elle regarda les autres. Comprit que quelque chose de terrible venait de se produire.

— Que s'est-il passé ? Il va bien ? s'exclama-t-elle, paniquée.

— Il est tombé pendant la descente, expliqua Brad d'une voix crispée. Je pense qu'il a eu une attaque cardiaque. Je lui ai donné les premiers secours en attendant l'arrivée des sauveteurs, mais je n'ai pas réussi à le réanimer.

— Oh, mon Dieu.

Elle enleva ses skis et s'agenouilla dans la neige. Pourquoi ne faisaient-ils rien pour l'aider ? se demanda-t-elle en repoussant la couverture. Bill avait l'air de dormir. Brad secoua la tête en regardant les deux autres femmes, qui comprirent instantanément. Les yeux d'Alyson se remplirent de larmes. Choquée, Jean se tourna vers Fred, qui secoua la tête à son tour. Toujours agenouillée, Stephanie prit Bill dans ses bras. Brad l'aida alors à se relever et lui expliqua que Bill n'avait pas souffert, qu'il était mort sur le coup. Stephanie le dévisagea, incrédule.

— Ce n'est pas possible… il va bien… il n'a aucun problème de cœur. Il a passé un check-up la semaine dernière, balbutia-t-elle, comme si cela pouvait effacer ce qui venait de se passer.

— Cela arrive parfois, dit doucement Brad.

Les sauveteurs firent glisser la civière vers le poste de secours, tandis que Stephanie se mettait à pleurer dans les bras de Brad. Ce n'était pas possible, se répétait-elle. Ce n'était pas vrai.

Bill n'avait que cinquante-deux ans, il ne pouvait pas mourir. Elle essaya de se rappeler ce qu'il lui avait dit ce matin avant de rejoindre ses amis. Il n'avait pas prononcé de mots tendres, il n'avait pas dit *je t'aime*. Juste *merci*. Il ne l'avait pas embrassée, et elle n'avait pas fait un geste vers lui. La pensée qu'il pouvait lui arriver quelque chose ne l'avait pas effleurée une seconde. Et maintenant, il était mort.

Comme un automate, elle se dirigea vers la station avec les autres. Les sauveteurs avaient étendu le corps de Bill sur un lit, dans une petite pièce. L'un d'eux la fit entrer, et elle resta là, à côté de son mari, incapable de comprendre ce qui s'était passé. L'homme qu'elle avait aimé, auquel elle avait été mariée pendant vingt-six ans, venait de mourir. Ils n'avaient pas été très heureux ces sept dernières années, mais ils avaient continué de vivre ensemble. Ils s'aimaient d'une certaine façon, sans se le dire. Ils croyaient que cela durerait toujours. Stephanie lui toucha le visage. De grosses larmes roulèrent sur ses joues.

2

Alyson retourna à l'hôtel faire les bagages et régler leur séjour, tandis que Stephanie restait auprès de Bill avec Jean, Brad et Fred. Les deux hommes remplirent des papiers et signèrent le rapport sur l'accident. Brad discuta avec le chef de la patrouille de sauveteurs et fit les arrangements nécessaires pour ramener Bill en ville par ambulance et déposer son corps à l'établissement funéraire. Stephanie entendit la conversation de loin, comme enveloppée d'un brouillard. Ses yeux étaient fixés sur Jean.

— Comment est-ce possible ? répéta-t-elle pour la dixième fois.

Elle était sous le choc. Quand l'ambulance arriva, elle ne put contenir ses pleurs. Leur mariage était loin d'être parfait, ils n'étaient plus vraiment heureux, mais elle avait aimé Bill. Ils avaient perdu tant de temps à s'éloigner l'un de l'autre, après cette liaison. Bill avait en quelque sorte brûlé les vaisseaux qui les reliaient, et elle n'avait jamais pu rétablir le contact avec lui. Et maintenant, il avait disparu.

Ses amis organisèrent le retour en ville. Jean proposa de ramener Stephanie dans le SUV, tandis que Fred rentrerait seul au volant de sa nouvelle Ferrari. Brad et Alyson rentreraient de leur côté ; ils avaient leur Porsche, ayant laissé le break Mercedes aux enfants et à la jeune fille au pair. Pour les Freeman et les Dawson, la voiture était un signe important de leur statut social. Stephanie, elle, conduisait un SUV vieux de quatre ans, ce qui lui convenait parfaitement.

— Ça va aller ? demanda gentiment Jean en aidant Stephanie à monter dans la voiture.

Celle-ci était pâle comme une morte. Elle semblait avoir l'esprit confus, comme si elle avait été malade pendant très longtemps. Elle ne cessait de penser à Bill, à ce qu'il avait fait ce matin, à tous les matins précédents, à toutes les choses qu'ils ne s'étaient pas dites. Comment allait-elle annoncer la nouvelle aux enfants ? Elle allait devoir le faire par téléphone, puisqu'ils étaient tous loin de la maison. Et il faudrait qu'ils reviennent.

— Veux-tu que je prévienne les enfants ? proposa Jean.

Stephanie secoua la tête. Puis elle se tourna vers son amie.

— Nous ne nous étions pas vraiment réconciliés après... après ce qu'il avait fait. Nous faisions semblant, mais ce n'était plus pareil.

Jean l'avait toujours su, sans que Stephanie lui en parle. C'était une évidence pour tous, dans leur petit groupe.

— Cela ne fait rien, dit-elle doucement. Vous vous aimiez à votre façon.

— Je suis restée avec lui pour les enfants... mais aussi parce que je l'aimais. Seulement, je n'avais plus confiance en lui. Bill n'a jamais été très fort pour parler des choses qui fâchent, donc au bout de quelque temps nous n'avons plus abordé le sujet. Il n'en avait pas envie, et moi non plus d'ailleurs. Nous nous contentions d'avancer, de faire les choses que nous avions à faire.

Mais la joie avait déserté leur union sept ans plus tôt,

ou peut-être même avant cela. Elle ne s'en souvenait plus. De toute façon, tout était fini à présent.

Jean ne put s'empêcher de se demander ce qu'elle ressentirait si Fred mourait. Elle serait triste, sans doute. Cela faisait des années que leur mariage n'était qu'une façade, mais elle s'était habituée à lui. Elle aimait bien dire en plaisantant que leur union était une imposture. Mais d'une certaine façon, en dépit de toutes les déceptions, ils étaient attachés l'un à l'autre.

— Je suis sûre qu'il t'aimait, dit-elle pour rassurer son amie. Les hommes font des choses stupides, voilà tout. Fred a toujours fait l'idiot. Il a commencé à me tromper avant même la naissance de nos filles. Pourtant, j'étais jeune à l'époque. Il s'imaginait que je n'en saurais rien.

— Pourquoi es-tu restée avec lui ? demanda soudain Stephanie.

Le choc lui donnait un air égaré. Cependant, parler avec Jean l'aidait à garder le contact avec la réalité. Son amie était comme une bouée de sauvetage à laquelle elle se cramponnait.

— Je l'aimais encore en ce temps-là. Il m'a fallu quelques années pour surmonter ce sentiment, mais j'y suis enfin parvenue, ajouta-t-elle avec un sourire froid.

Stephanie eut un rire nerveux. Jean disait des choses affreuses sur Fred, mais la plupart du temps la façon dont elle en parlait était drôle. Pourtant, il n'avait pas dû être facile de vivre avec cela. Bill, au moins, ne l'avait plus trompée après cette première aventure, elle le savait. Toutes ces idées tournaient dans sa tête alors qu'elles s'éloignaient de Tahoe. Elle était contente que Jean ait pris le volant. Seule, elle n'aurait jamais pu accomplir ce voyage. Elle était trop choquée. Tout lui semblait irréel.

Elles firent le trajet en moins de quatre heures. Jean gara la voiture devant le garage de Stephanie, sur Clay Street, et la suivit à l'intérieur de chez elle. Les skis et les bagages restèrent dans le coffre, ainsi que les chaussures de ski de Bill. Les sauveteurs les lui avaient enlevées dans l'ambulance. Et Stephanie lui avait mis elle-même ses après-skis, les mains tremblantes, avant qu'ils ne l'emmènent.

Debout dans l'entrée, elle regarda Jean d'un air perdu, comme si elle ne savait pas quoi faire. En réalité, elle savait. Il fallait qu'elle appelle les enfants. Elle alla dans la cuisine et s'assit sur un tabouret, près du téléphone. En temps normal, elle connaissait leurs numéros par cœur, mais tout à coup, impossible de s'en souvenir.

Elle commença par appeler Charlotte, à Rome. Pour elle, il était deux heures du matin, mais il fallait la mettre au courant afin qu'elle prenne un billet d'avion très rapidement. Quand Stephanie annonça la nouvelle, il y eut un silence à l'autre bout du fil. Puis un long cri aigu. Même Jean l'entendit, à l'autre bout de la pièce. Tout en sanglotant elle-même, Stephanie s'efforça de réconforter sa fille. Elle était désolée de devoir lui annoncer une nouvelle aussi terrible sans pouvoir la prendre dans ses bras pour la consoler. Elle lui demanda de rentrer par le premier avion. Ils lui laissaient toujours une provision suffisante sur sa carte de crédit pour pouvoir payer un billet en cas d'urgence, mais ils n'avaient jamais pensé que des circonstances aussi dramatiques se présenteraient.

— Communique-moi ton numéro de vol dès que tu le connaîtras, ajouta-t-elle.

Charlotte était la benjamine de la famille. Elle avait vingt ans. Bien trop jeune pour perdre son père. Stephanie avait perdu ses parents vers la quarantaine, ce qui lui avait déjà paru prématuré. Mais à vingt ans, cette perte était brutale. Bill n'avait que cinquante-deux ans. Qui pouvait s'attendre à une chose pareille, alors qu'il semblait en si bonne santé ? Comme elle l'avait dit à Brad, son check-up annuel n'avait rien révélé d'inquiétant.

Charlotte pleurait encore à chaudes larmes quand elles raccrochèrent. Jean lui tendit un verre d'eau.

— Comment réagit-elle ? s'enquit-elle d'un air soucieux.

— Mal, répondit simplement Stephanie tout en composant le numéro de Michael.

Son fils décrocha à la première sonnerie. On était samedi, et sa petite amie et lui avaient des invités. Ils avaient fait un barbecue et il y avait de la musique dans le jardin. Stephanie lui annonça la nouvelle en prenant autant de précautions que possible.

— Et toi, maman, tu tiens le choc ? Comment te sens-tu ? demanda-t-il, la voix tremblante.

Quelques secondes s'écoulèrent avant qu'elle trouve la force de répondre.

— Peux-tu venir au plus vite, mon chéri ?

Elle l'entendit pleurer, puis murmurer des paroles étouffées à quelqu'un, à côté de lui.

— Je vais prendre un vol de nuit, déclara-t-il en affermissant courageusement sa voix. Tu as averti les filles ?

— Seulement Charlotte. Je voulais le lui dire en premier, car elle doit prendre l'avion dès demain matin.

— La pauvre, elle doit être anéantie.

Ils étaient tous à plaindre, Michael comme ses sœurs. Bill n'était pas le père idéal, mais c'était le leur. Malgré tous ses défauts, c'était quelqu'un sur qui ils pouvaient compter. Maintenant, ils n'avaient plus qu'elle. Cette pensée fit frissonner Stephanie. Tout reposait uniquement sur ses épaules. Si compétente qu'elle fût, c'était terrible, terrifiant, d'être le seul parent.

— Je vais appeler Louise tout de suite, dit-elle d'une voix éteinte. Tu n'es pas obligé de prendre l'avion ce soir, Michael. Tu peux attendre demain, ça ira.

— Non, je veux être là le plus vite possible. À demain, maman.

Il raccrocha en larmes. À vingt-cinq ans, il était brusquement devenu le seul homme de la famille.

Stephanie appela alors Louise, l'aînée de ses deux filles, à New York.

— Quoi ? s'exclama la jeune fille, hébétée.

Elle avait sûrement mal entendu. Mais quand Stephanie répéta les mêmes mots terribles, elle se mit à pleurer sans retenue. Un long moment s'écoula avant qu'elle ne parvienne à articuler :

— Mais comment ? Ce n'est pas possible, maman. Il est trop jeune.

— Je sais. Je ne comprends pas non plus.

Pourtant le médecin de la patrouille de sauveteurs avait confirmé que Bill avait eu une crise cardiaque.

Louise décida qu'elle prendrait le premier avion le lendemain matin. Quand elle eut raccroché, Stephanie se tourna vers Jean. Maintenant, ses enfants étaient au courant. La première des corvées était accomplie. Mais elle avait l'impression d'être assommée.

— Tu ne veux pas t'allonger un peu ? suggéra Jean en lui tendant une tasse de thé. Tu ne peux rien faire de plus pour le moment. Le reste attendra jusqu'à demain. Je viendrai de bonne heure pour t'aider. À moins que tu ne préfères que je passe la nuit ici ?

Stephanie réfléchit, puis secoua la tête.

— Non. Merci, Jean, ça ira.

Elle avait envie d'être seule. Il s'était passé tant de choses, et elle n'avait pas eu le temps de tout absorber.

31

Elle croyait encore que Bill allait rentrer d'une minute à l'autre et lui dire que tout ça n'était qu'une mauvaise blague...

Les deux amies montèrent dans la chambre. Peu après, Fred sonna à la porte. Jean alla lui ouvrir, et il déposa les valises et les skis dans l'entrée. Il ne savait pas quoi faire d'autre.

Vers huit heures, Fred et Jean la quittèrent et rentrèrent à Hillsborough. Alyson appela plusieurs fois dans la soirée et lui promit de venir la voir le lendemain, dans la matinée.

Ce fut la nuit la plus longue de sa vie. Elle ne put fermer l'œil. Elle ne cessa de penser à Bill, à ce qui s'était passé entre eux ces dernières années. Soudain, elle éprouva une immense culpabilité à la pensée qu'elle aurait dû lui pardonner et s'efforcer de raccommoder leur couple. Mais il n'avait pas fait d'efforts de son côté non plus. Pendant sept ans, ils s'étaient comportés comme deux naufragés se débattant dans les flots, longtemps après que le bateau avait coulé.

Jean arriva à huit heures et demie du matin, et Alyson la suivit de quelques minutes. Stephanie avait rédigé le faire-part de décès, et elle appela l'entreprise funéraire. Il fallait encore qu'elle aille faire tous les arrangements nécessaires pour l'enterrement, qu'elle rencontre le prêtre à l'église, qu'elle appelle le fleuriste. Il y avait tellement de démarches à accomplir. À elles trois, elles réussirent presque à tout régler avant dix heures. Michael arriva peu après. Il n'avait pas pu prendre un vol de nuit et avait dû repousser son départ au matin. Jean et Alyson s'éclipsèrent dans une autre pièce, laissant Stephanie et son fils pleurer dans les bras l'un de l'autre.

Louise arriva de New York une heure plus tard. L'avion de Charlotte devait atterrir à treize heures.

Jean resta pour aider Stephanie de son mieux. Alyson dut rentrer s'occuper de ses enfants, mais promit de revenir un peu plus tard.

Louise tomba dans les bras de sa mère en sanglotant, répétant que Bill avait été un père merveilleux. Jean ne dit rien, mais remarqua en son for intérieur qu'en mourant Bill était devenu un saint, du moins pour ses enfants. Elle avait du mal à croire que Stephanie pensait la même chose.

Michael alla à l'aéroport pour accueillir sa jeune sœur à la descente de l'avion, et, à trois heures de l'après-midi, Stephanie était entourée par ses enfants, tous en état de choc. Jean accompagna son amie au bureau de pompes funèbres pour choisir un cercueil, puis elles se rendirent à l'église pour une entrevue avec le prêtre. Les funérailles furent fixées deux jours plus tard, au mardi après-midi. Le faire-part rédigé par Stephanie paraîtrait le lendemain.

— Il y a tellement de choses à faire, dit Stephanie sur le chemin du retour. J'ai la tête qui tourne.

— Laisse-moi m'occuper des fleurs, proposa Jean.

Stephanie accepta d'un hochement de tête.

— Faut-il que j'appelle les gens pour les mettre au courant ? demanda-t-elle.

— L'annonce dans le journal suffira. Appelle juste son bureau, demain.

Ce soir-là, Stephanie et ses trois enfants dînèrent dans la cuisine, puis restèrent plusieurs heures à parler du disparu. Stephanie les écouta raconter quel héros et quel père extraordinaire Bill avait été pour eux. Elle ne pouvait s'empêcher de songer qu'il y avait un décalage quelque part entre leurs paroles et la réalité. Ils parlèrent jusque tard dans la nuit, tantôt pleurant et tantôt chantant les louanges de leur père.

Quand ils allèrent enfin se coucher, Stephanie ne s'était jamais sentie aussi fatiguée de sa vie. Elle alternait sans cesse entre le chagrin et un curieux état d'engourdissement.

Ce fut pareil le lendemain, sauf qu'elle eut encore plus de détails pratiques à régler. L'annonce de la mort de Bill provoqua un choc dans le cabinet d'avocats, et tous ses associés appelèrent Stephanie. Jean alla faire des courses et revint avec des habits de deuil pour toute la famille. Par miracle, ils étaient tous à la bonne taille. Aucun des enfants ne possédait de vêtements noirs faisant l'affaire pour de telles circonstances.

Le mardi, jour de l'enterrement, fut gris et pluvieux. Jean avait engagé un traiteur pour accueillir les invités au retour du cimetière. Les trois cents personnes qui avaient assisté aux funérailles entrèrent dans la maison. Stephanie était pâle, mais se montra courageuse. Michael, Louise et Charlotte ne cessèrent pas de pleurer.

Quand tout le monde fut reparti, elle se retrouva quelques minutes en tête à tête avec Jean.

— Tout le monde l'aimait, dit-elle, incrédule. Ils ont tous dit tellement de bien de lui ! J'ignorais qu'il avait autant d'amis.

Un peu étourdie, Stephanie s'allongea sur son lit, et Jean prit place dans un fauteuil à côté d'elle.

— Les gens deviennent des saints quand ils meurent, dit-elle. Personne ne se souvient de ce qu'ils ont fait de mal. Pour ses amis, Bill était un type adorable, même s'il n'était pas un mari parfait. Les gens n'ont pas envie de penser à cela, ou de te le rappeler. Tes enfants encore moins que les autres.

Ces derniers avaient passé l'après-midi à répéter que Bill était un père merveilleux. Michael avait prononcé un éloge émouvant à l'église.

— Il n'a pourtant jamais rien fait pour eux, dit

Stephanie à mi-voix, comme si elle craignait d'être entendue. J'étais toujours obligée de lui trouver des excuses.

— Je sais. Tu le faisais passer pour un héros. C'est le seul souvenir qu'ils garderont de lui, à présent.

Stephanie réfléchit un moment en silence, en proie à un léger désarroi. Peut-être avait-il été un meilleur mari qu'elle ne le croyait. Où était la vérité ? Dans ce que les gens disaient de lui maintenant, ou dans l'éloignement qu'ils avaient connu, après son aventure extraconjugale ?

— Ne réfléchis pas à tout cela, Steph. Pour l'instant, cela n'a pas d'importance. Contente-toi de surmonter l'épreuve présente. Combien de temps les enfants vont-ils rester ?

— Louise reprend le travail à la fin de la semaine, et Michael a une réunion importante à Atlanta vendredi. Charlotte partira demain soir, car elle a des examens à passer dans la semaine.

Jean se rendit compte que Stephanie allait se retrouver seule juste avant le week-end, dans cette maison vide et silencieuse. Cette pensée la chagrina.

— C'est dommage qu'ils ne puissent pas rester jusqu'à dimanche, dit-elle, pensive.

Mais tôt ou tard, Stephanie devrait affronter la solitude. Bill était mort juste au moment où les enfants avaient quitté la maison et où une femme avait besoin de la présence de son mari. Or, Stephanie se retrouvait veuve à quarante-huit ans, loin de ses enfants. Quels qu'aient été les défauts de Bill et l'état de leur relation ces dernières années, la situation allait être très dure pour elle.

Stephanie passa la soirée avec ses enfants. Ceux-ci affirmaient que la cérémonie avait été très belle, mais elle ne se souvenait de rien. Elle ne se rappelait même pas qui était venu assister à l'enterrement.

Charlotte repartit pour Rome le lendemain après-midi. Louise et Michael prirent l'avion le jour suivant. Tout était fini. Bill était mort, ils l'avaient enterré. Les enfants retournaient à leur vie, à leur monde.

Quand elle se retrouva dans la maison vide le jeudi soir, après avoir accompagné Michael à l'aéroport, Stephanie se laissa tomber sur une chaise de l'entrée et se mit à sangloter. Elle ne s'était jamais sentie aussi seule de sa vie.

3

Stephanie passa les semaines suivantes à déambuler dans la maison comme un fantôme. Elle restait allongée des heures sur son lit, à penser à Bill, à se demander ce qui n'avait pas marché entre eux, et pourquoi. Elle appelait ses enfants tous les jours et trouvait leur conversation étrange. Ils pleuraient un père qu'ils n'avaient jamais eu. Un père parfait, toujours là pour eux. Louise évoquait des choses que Bill n'avait jamais faites, car Stephanie les faisait pour lui. Ces conversations la perturbaient et la laissaient perplexe. Elle en parla à Jean au cours d'un déjeuner, trois semaines après la mort de Bill. Jean la trouva très amaigrie.

— Quand je les ai au téléphone, j'ai l'impression que nous ne parlons pas de la même personne. Je ne sais pas quoi leur dire. Quand je pense à tout ce que j'ai fait pour le couvrir, pour le faire passer pour un bon père, alors qu'il était trop occupé pour penser à nous ! Et tout à coup, ils prétendent qu'il assistait à tous les matchs, à tous les spectacles scolaires. Charlotte a même osé me dire qu'il allait les chercher à l'école et que moi, je ne le faisais jamais ! Que suis-je censée répondre ? Dois-je rétablir la vérité ou les laisser rêver ? Tu vas penser que je suis folle, mais j'ai l'impression qu'ils m'en veulent d'être encore en vie et de ne pas être morte à sa place.

— Ils sont juste en colère, Steph. Ils s'en prennent à toi, parce que cela ne tire pas à conséquence.

— Eh bien, cela ne m'amuse pas beaucoup. Il n'était jamais là pour eux, même s'il est vrai qu'il les aimait. D'ailleurs, il n'était pas là pour moi non plus.

En revanche, il avait fait d'autres choses, qui avaient aussi leur importance. Il leur avait laissé largement de quoi vivre. De bons investissements, une maison qui avait pris de la valeur, une pension pour chaque enfant, et d'importantes assurances vie. Bill s'était comporté en personne responsable.

— C'est comme ça, dit Jean. Les gens n'ont pas envie de se rappeler les défauts d'une personne décédée. Au moins, vous êtes tous bien pourvus. Bill a été très prévoyant à cet égard.

À présent, Stephanie devait décider de ce qu'elle allait faire de sa vie. Pour l'instant, elle n'en avait pas la moindre idée. À moins de rendre visite à Michael et Louise, elle ne les reverrait pas avant Thanksgiving, c'est-à-dire dans plus de huit mois. Quand Bill était là, elle savait qu'il rentrerait le soir et se coucherait dans le lit à côté d'elle. Maintenant, elle n'avait même plus cela. Elle n'avait rien, ni personne. Personne à entourer d'attentions, personne pour qui faire des petites courses ou avec qui déjeuner le week-end.

Et si elle tombait malade ? S'il lui arrivait quelque chose ? Qui serait là pour s'occuper d'elle, pour l'accompagner aux urgences si elle était blessée ? Elle se sentait totalement seule. Avouer tout cela à Jean la fit pleurer. De toute façon, elle n'arrêtait pas de pleurer depuis trois semaines, et elle ne savait plus si elle pleurait la mort de Bill ou sur elle-même. Elle avait peur, elle se sentait si vulnérable.

— La vérité, Steph, c'est que c'est toi qui faisais

tout tourner ici, et pas lui. Il travaillait tout le temps, lui, lâcha Jean.

Stephanie réfléchit un moment, puis se moucha en hochant la tête.

— Tu as raison. Cela a toujours été mon rôle. Mais je savais qu'il était là. Ce n'est plus le cas, maintenant.

— Tu vas t'en sortir. C'est juste un grand changement, auquel tu dois t'habituer. Pourquoi nous n'irions pas tous dîner ensemble, la semaine prochaine ?

Stephanie hésita. Elle ne se sentait pas prête à sortir.

— Cela te ferait du bien. Tu ne peux pas rester là, dans ton vieux jean, à attendre qu'il rentre. Bill ne reviendra pas, Steph. Il faut que tu continues à vivre.

C'était encore trop tôt. Elle passait des nuits entières sans dormir, à penser à la liaison qu'il avait eue, à sa colère contre lui. Soudain, sans raison, sa fureur resurgissait. C'était insensé. Son aventure datait de sept ans, et il était mort à présent. Pourtant, elle lui en voulait. Cette colère la poursuivait jour et nuit.

Quelques jours plus tard, Stephanie décida d'aller voir le Dr Zeller, la thérapeute qu'elle avait consultée sept ans auparavant, lors de leur séparation. Le Dr Zeller fut contente de la voir. Elle avait appris la mort de Bill, et elle présenta ses condoléances à Stephanie.

— Merci, répondit Stephanie d'une voix sourde en prenant place dans le fauteuil, face au médecin.

Elle était lasse d'entendre les gens la plaindre pour cette « perte ». C'était un mot creux, irritant, qui ne contenait aucune émotion, aucune compassion. D'ailleurs, elle l'avait dit à Jean.

— Comment vous sentez-vous ? demanda le Dr Zeller.

Cela faisait presque un mois que Bill était mort, et elle avait encore du mal à croire à sa disparition. Parfois, elle avait l'impression qu'il était parti depuis quelques minutes à peine, d'autres fois qu'il était mort depuis des années. Et les enfants qui chantaient ses louanges chaque fois qu'elle les appelait, des larmes dans la voix... Elle essaya d'expliquer à la thérapeute le malaise qu'elle éprouvait à cause de cela.

— Subitement, Bill est devenu parfait. Et moi, je ne vaux plus rien parce que je suis toujours vivante.

— Il est plus facile de vous en vouloir d'être en vie que de lui en vouloir d'être mort, dit simplement le Dr Zeller. Cela finira par leur passer. Surtout, il est moins douloureux pour eux de croire qu'il était parfait, plutôt que d'admettre la vérité. D'autant que cette vérité ne peut plus être changée à présent. Il ne peut plus devenir un meilleur père, il ne s'intéressera jamais davantage à eux. Avec sa mort, vos enfants ont perdu tout espoir d'établir une meilleure relation avec lui.

— Donc, ils s'en prennent à moi, conclut Stephanie en souriant tristement.

— En effet, admit la thérapeute. Et vous ? Que ressentez-vous pour lui ? Comment les choses se passaient-elles, depuis son aventure extraconjugale ?

— Rien n'a plus jamais été comme avant entre nous. Je ne lui ai pas pardonné. Je croyais l'avoir fait, mais je me rends compte que ce n'était pas vrai. Car cette histoire m'obsède de nouveau. J'y pense tout le temps, je suis en colère contre lui. Comme si ça s'était passé hier.

— Comme pour vos enfants, tout espoir d'amélioration s'est enfui. Toute chance de renouer avec lui s'est envolée. Pourquoi êtes-vous restée avec lui si vous éprouviez cela, Stephanie ?

— Pour les enfants, répondit-elle aussitôt. Nous ne voulions pas détruire notre famille. Sa maîtresse ayant décidé de rester avec son mari, il est revenu vers moi, et nous avons pensé que c'était mieux pour les enfants.

Sa colère refit surface. Une étincelle apparut dans ses yeux.

— Ainsi, vous ne pensez pas qu'il est revenu par amour pour vous ?

— Pas vraiment. Si cette femme avait quitté son mari, il l'aurait épousée. C'était ce qu'il voulait. C'est elle qui a reculé.

— Bill vous l'a dit ?

— Oui, et les faits parlaient d'eux-mêmes. Il est revenu vers moi et les enfants, mais il n'était pas vraiment là. Nous étions comme morts, tous les deux. Notre relation était morte. Nous parlions très peu. Et après le départ des enfants, nous parlions encore moins. Nous n'avions plus rien à nous dire, excepté qu'il y avait une fuite dans la toiture ou bien qu'il fallait nettoyer le garage. Il travaillait tout le temps, et j'avais mes activités de mon côté.

— Cela ne ressemble pas beaucoup à une vie de couple. Pourquoi êtes-vous restés ensemble après le départ des enfants ?

Stephanie réfléchit longuement, puis secoua la tête.

— Je ne sais pas. Je suppose que nous n'avions pas envie d'affronter un divorce.

— Mais la vie que vous me décrivez semble très douloureuse.

— Je l'aimais, avoua Stephanie, les larmes aux yeux. Seulement, je n'avais plus confiance en lui. Je ne pouvais plus. Pendant longtemps, j'ai cru que ça allait s'arranger, mais non, cela n'est jamais arrivé.

— Avez-vous envisagé de le quitter, alors ?

— Non.

— Qu'allez-vous faire, maintenant ?

Bonne question. Stephanie se l'était posée des centaines de fois depuis un mois.

— Je ne sais pas. J'aimerais trouver un travail, mais je

ne sais pas quoi faire. Bill avait tout organisé pour que nous ne soyons pas démunis s'il venait à disparaître. Je ne suis pas obligée de travailler, mais j'aimerais avoir quelque chose à faire. Je ne peux pas rester indéfiniment assise à regarder la pelouse du jardin.

— J'espère bien que non, répondit le Dr Zeller en jetant un coup d'œil à sa montre.

La séance était terminée, et elles fixèrent un rendez-vous pour la semaine suivante. Stephanie, cependant, n'avait pas l'impression que cette consultation ait été très utile. Elles n'avaient pas trouvé de réponse aux questions qu'elle se posait. Ni de solution à sa colère ou à celle de ses enfants, ni à ce qu'elle allait faire de ses jours et de ses nuits maintenant que Bill n'était plus là. Elle se sentit encore plus déprimée en quittant le cabinet du médecin et se demanda si cela valait la peine de revenir. Quelle différence cela ferait-il ? Bill était mort, et, quoi qu'elle ressente, elle ne pourrait rien y changer.

Jean et Alyson réussirent à la persuader d'aller dîner avec eux le week-end suivant. Elle n'en avait pas vraiment envie, mais elles insistèrent avec force arguments. Les deux femmes étaient inquiètes pour elle. De toute évidence, Stephanie était très déprimée. Elle ne sortait presque plus et finissait par ressembler à un zombie. Jean était agacée que ses enfants soient si durs avec elle. À croire qu'ils la rendaient responsable de la mort de leur père !

Le jour dit, Fred proposa de passer la chercher. Il venait juste d'acheter une Bentley et il avait envie de la montrer. Toutefois, Stephanie préférait les retrouver au restaurant. Elle ne voulait pas devenir un fardeau pour eux. Elle affirma à Jean qu'elle était parfaitement en état de conduire : le fait qu'elle n'avait pratiquement pas mis le nez dehors depuis un mois ne changeait rien à l'affaire.

Cependant, sa propre nervosité la surprit pendant qu'elle se préparait. C'était ridicule. Elle allait juste retrouver ses meilleurs amis, et ce serait comme au bon vieux temps. À moins que... Ne serait-ce pas bizarre de dîner avec eux, sans Bill ? Elle se lava les cheveux, se maquilla et choisit une robe noire toute simple et des escarpins à talons hauts. C'était la première fois qu'elle s'habillait depuis des semaines. Lorsqu'elle monta dans la voiture, elle s'aperçut qu'elle tremblait.

En arrivant au restaurant, elle fut surprise par le bruit qui régnait dans la salle. Elle n'y avait jamais prêté attention auparavant. Alors que d'ordinaire l'ambiance lui paraissait gaie et festive, elle se sentit oppressée. Pâle et tendue, elle atteignit la table où les autres l'attendaient. Les deux hommes se levèrent instantanément et la serrèrent dans leurs bras. En une fraction de seconde, elle se dit que Brad la retenait un peu trop longtemps, et elle faillit fondre en larmes en croisant le regard apitoyé de Fred. Elle embrassa Jean et Alyson en ravalant ses larmes, et s'assit. Sur le point de commander un apéritif, elle se rappela qu'elle allait devoir reprendre le volant et renonça. Au début, la conversation fut un peu crispée, puis elle finit par se détendre. Mais pendant toute la soirée, elle eut la sensation de se tenir derrière un panneau de verre. Ses amis n'avaient pas changé, mais ils étaient toujours en couple, alors que ce n'était plus son cas. Même en leur compagnie, elle était une femme seule. Elle se sentait différente, à part, déplacée, comme si elle ne méritait pas de se trouver là avec eux. Elle n'était qu'une moitié, alors qu'ils étaient un tout. Elle était devenue un fantôme, aussi morte que Bill.

La conversation tourna autour des sujets habituels. Les prochaines vacances, les soucis au sujet des enfants, un projet d'extension de la maison, pour Brad et Alyson. Brad disait que la maison était devenue trop petite pour eux et que cela ne ferait qu'empirer au fur et à mesure que les enfants grandiraient. De son côté, Alyson était effondrée à cause du départ de la jeune fille au pair. Soudain, Stephanie se rendit compte qu'elle n'avait plus rien en commun avec eux. Les problèmes qui les préoccupaient lui semblaient futiles. Un fil ténu la reliait à la vie, et elle essayait de survivre d'un jour à l'autre. Le seul fait de les écouter l'épuisait, elle n'avait rien à leur dire, impossible de participer à la conversation.

Jean perçut son malaise.

— Tu te sens bien ? demanda-t-elle alors qu'ils quittaient le restaurant.

Stephanie hocha la tête en souriant.

— Ce sera mieux la prochaine fois, ajouta Jean pour la rassurer. C'était forcément un peu bizarre ce soir. Il nous manque aussi.

Le groupe des Six était devenu le groupe des Cinq. Toutefois, pour Stephanie, ils n'étaient plus que quatre et demi. Elle n'avait pas l'impression d'être une personne à part entière, avec eux. Elle n'était plus qu'une femme seule qui n'avait rien à dire.

Ils décidèrent de se revoir bientôt pour un autre dîner, et s'embrassèrent. Stephanie retrouva sa maison avec soulagement. Elle ôta sa robe, la jeta sur une chaise, enleva ses talons aiguilles et s'allongea sur son lit en collant et soutien-gorge. Elle avait détesté cette soirée, elle s'était sentie très mal à l'aise avec ses amis.

Jean l'appela, à peine rentrée chez elle.

— Écoute, d'accord, ce n'est plus pareil. La situation est nouvelle pour nous aussi. Mais tout rentrera dans l'ordre et bientôt tu te sentiras aussi bien qu'avant avec nous.

Sur le chemin du retour, Fred lui avait fait remarquer que Stephanie n'avait pas dit un mot de la soirée.

— Non, je ne pense pas, protesta Stephanie, accablée. Je ne suis plus en couple.

Elle n'avait pas seulement perdu son mari, elle avait aussi perdu le statut de femme mariée et la protection que lui apportait Bill. Elle était différente à présent, elle n'appartenait plus au même monde que ses amis.

— Mais cela ne change rien pour nous, rétorqua Jean. Tu n'as pas besoin d'être en couple pour faire partie du groupe. Nous t'aimons. Et tu ne resteras pas seule éternellement. Tôt ou tard, il y aura de nouveau quelqu'un dans ta vie. À ton âge, avec ton physique, tu ne resteras pas seule longtemps.

Le compliment fit sourire Stephanie, mais elle ne voulait pas avoir quelqu'un dans sa vie. L'idée de devoir recommencer à sortir avec des hommes l'horrifiait. Elle ne sortait plus depuis vingt-sept ans et n'avait aucune envie de le faire.

Elle en parla au Dr Zeller la semaine suivante. Celle-ci reconnut que le fait de vivre en célibataire allait sûrement lui paraître très étrange.

— Tous mes amis sont mariés, expliqua Stephanie, désespérée. Je me sens déplacée quand je suis avec eux. Je suis la cinquième roue du carrosse, je n'ai de place nulle part. Et je ne peux même pas me cacher derrière mes enfants, puisqu'ils ne sont plus à la maison.

— Il est indéniable que tout ceci est nouveau pour vous, Stephanie. Mais c'est aussi une opportunité. Vous pouvez choisir ce que vous voulez faire, qui vous avez envie d'être. Vous pouvez changer les choses qui ne vous plaisaient pas dans votre ancienne vie, faire entrer de nouvelles personnes dans votre entourage, éliminer celles qui plaisaient à Bill mais que vous n'aimiez pas vraiment. Vous avez la possibilité de choisir votre vie. Cela arrive rarement et c'est une chance, même si le prix à payer est très dur. Réfléchissez à cela. La seule personne à qui vous avez besoin de plaire désormais, c'est vous.

Stephanie trouva ces paroles effrayantes. Un peu comme si trop de portes et de fenêtres s'ouvraient en même temps devant elle. Trop de possibles, trop d'incertitudes... Elle ne se sentait pas en sécurité.

Ces idées ne cessèrent de tourner dans sa tête tandis qu'elle rentrait chez elle. Quand elle appela les enfants ce soir-là, aucun d'eux ne répondit. Ils étaient probablement occupés, ou ils étaient sortis.

Les paroles du médecin lui rappelèrent celles de Jean, qui lui avait dit qu'elle avait de la chance d'être seule. Ce n'était pas l'impression qu'elle avait, cependant. Elle avait peur, parfois même elle était terrifiée. Bill avait constitué un rempart contre le monde extérieur. Maintenant qu'il était parti, elle n'avait plus de protection. Jean disait que si cela lui arrivait, elle ne voudrait pas d'un autre homme. Facile à dire. Après trente ans de mariage, elle ignorait ce qu'était la solitude. Le seul fait d'y penser emplissait Stephanie de panique. Il fallait absolument qu'elle trouve quelque chose pour s'occuper, une activité bénévole, un travail, n'importe quoi. Mais elle ne savait pas comment s'y prendre. Soudain, tout avait changé. Elle ne pouvait plus faire de reproches à Bill, se demander pourquoi elle ne l'avait pas quitté ou pourquoi elle ne s'était pas remise à travailler. À présent, tout reposait sur elle. La colère la saisit. Elle était furieuse contre Bill. Comme lorsqu'il l'avait trompée, tout ce qui lui arrivait maintenant était de sa faute. Il était parti en emportant tout avec lui. L'impression de sécurité, l'image qu'elle avait d'elle-même, son statut de femme mariée, la protection qu'il lui offrait. Et cette fois, elle savait qu'il ne reviendrait pas.

Elle n'était pas sûre de pouvoir lui pardonner.

4

La fois suivante, la soirée au restaurant avec ses deux couples d'amis se passa bien mieux. Ils se rendirent dans un endroit qu'ils aimaient tous, et elle parvint à se détendre. La salle était moins bruyante et elle s'était habillée plus simplement. Elle avait commencé à chercher un emploi de bénévole dans des associations charitables, et elle en parla au cours du dîner. Brad lui suggéra de proposer ses services à l'hôpital. Fred, de son côté, pensait qu'elle aurait pu prendre des cours de finance pour l'aider à gérer les investissements que Bill lui avait laissés. Mais elle préférait s'occuper d'enfants, car c'était le domaine qu'elle connaissait le mieux. Elle avait sélectionné deux institutions, auxquelles elle projetait de rendre visite au cours des prochaines semaines. L'une aidait les adolescents sans domicile en leur donnant un logement et une éducation, l'autre était un foyer pour des mères adolescentes. Les deux lui paraissaient intéressantes. Certes, elle n'avait pas renoncé à trouver un job un jour ou l'autre, mais ce serait déjà un début.

Quand elle quitta ses amis, elle n'était pas déprimée bien qu'elle se sentît un peu à part, à présent. Aucun d'eux n'imaginait ce que c'était que d'affronter seule chaque journée, sans personne avec qui parler, avec qui échanger. Ses amis trouvaient tout naturel de se reposer sur leur conjoint. Ils avaient quelqu'un contre qui se blottir la nuit. Elle, non. Quand elle rentrait chez elle, elle était accueillie par un silence assourdissant.

La période de février à fin mai lui parut longue. En avril, ses amis avaient commencé à discuter de leur voyage annuel à Santa Barbara, pour le Memorial Day. Ils descendaient au Biltmore. Bill et elle avaient toujours adoré ce week-end, et Alyson et Jean la poussaient à venir encore cette année. Ses deux amies finirent par la convaincre.

Depuis peu, elle travaillait dans le foyer pour les adolescents sans domicile. Le boulot était intéressant, et cela lui donnait un but. Étant elle-même mère depuis vingt-cinq ans, elle avait l'impression de pouvoir apporter quelque chose à ces enfants. Certains ne savaient pas qui était leur mère et avaient vécu en famille d'accueil pendant des années avant de s'enfuir, préférant la vie dans la rue à la terreur d'être maltraités par une famille qui n'était pas la leur. L'expérience vécue par ces jeunes gens représentait un monde entièrement nouveau pour elle. Elle aimait travailler avec eux, et elle restait assez libre pour le moment. Elle choisissait les horaires qui lui convenaient et venait quand elle voulait.

Juste avant le week-end du Memorial Day, Jean et Alyson lui proposèrent chacune de l'emmener à Santa Barbara. Fred et Jean s'y rendaient dans leur avion privé, et Brad et Alyson en voiture. Mais Stephanie décida qu'elle préférait y aller seule. Cela lui laisserait le temps de réfléchir tout en conduisant. Elle avait souvent pris le volant, quand Bill avait besoin de se reposer ou qu'il voulait consulter ses dossiers. Jean n'aimait pas la savoir seule sur la route, mais Stephanie tint bon, même si elle savait que le voyage durerait six ou sept heures. Elle partit tôt le matin, mit de la musique, et s'arrêta pour déjeuner au bord de la route dans un relais de routiers. En milieu d'après-midi, elle arriva à Santa Barbara. Au moment où elle entrait dans l'hôtel, elle éprouva un bref moment de tristesse. Mais celle-ci se dissipa dès qu'elle eut franchi le seuil de sa chambre. Elle était contente d'être là. Et d'être venue par ses propres moyens. Il lui semblait qu'elle ne s'était plus débrouillée seule depuis au moins mille ans.

Elle retrouva Fred et Jean à la plage, de l'autre côté de la rue, puis Brad et Alyson les rejoignirent. Stephanie alla nager. Si Bill avait été là, il aurait été pressé de remonter se préparer pour le dîner. Elle ressentit comme un luxe le fait de pouvoir nager aussi longtemps qu'elle en avait envie.

Elle retrouva les autres dans le salon, pour prendre un verre avant le dîner. Jean avait revêtu une robe blanche qui mettait en valeur sa magnifique silhouette, récemment remodelée par une liposuccion des hanches, du ventre et des cuisses. Alyson portait une jupe en soie avec un corsage assorti, ce qui la changeait de ses éternels sweat-shirts. Avec ses enfants, elle était toujours en jogging. Stephanie avait opté pour un jean blanc, un petit haut en soie rose vif et des sandales argentées à talons aiguilles. Après quatre mois passés à pleurer et à oublier de manger, elle était plus svelte que jamais. Sans doute même un peu trop. Mais elle avait meilleure mine.

Après un dîner très agréable, ils décidèrent d'aller se promener. Fred leur faussa compagnie, car il avait trop bu et préférait aller se coucher directement. Brad accompagna les trois femmes et bavarda longuement avec Stephanie, lui rappelant qu'il serait toujours là pour l'aider s'il le pouvait. Elle savait qu'il était sincère, mais elle trouvait cela un peu étrange. Il était excessivement attentionné depuis la mort de Bill. Il lui posa des questions sur le foyer dans lequel elle travaillait et lui dit combien il l'admirait d'exercer cette activité.

Pour finir la soirée, les trois femmes prirent un verre au bar, tandis que Brad remontait lire dans la chambre. Elles eurent plaisir à rester entre elles un moment. Jean fit remarquer à Stephanie qu'elle avait beaucoup de chance de ne pas être obligée d'aller retrouver un mari qui avait trop bu et dont les ronflements l'empêcheraient de dormir toute la nuit. Alyson éclata de rire et reconnut que Brad ronflait aussi. Mais Stephanie ne se sentait pas aussi privilégiée qu'elles voulaient bien le dire. Il y avait bien des choses agréables dans la vie de couple, qui lui manquaient à présent. Sa vie sexuelle était insipide depuis des années, et elle n'avait certes aucun regret de ce côté-là. En revanche, dormir seule lui pesait : elle n'avait personne contre qui se blottir ou à qui souhaiter le bonjour au réveil. Les vieilles habitudes avaient la peau dure, et après vingt-six ans de mariage Bill lui manquait tous les jours. C'était avec lui qu'elle gérait son quotidien : les enfants, les questions financières, ce qu'il y avait à faire dans la maison... Tout cela reposait à présent sur ses seules épaules. Personne ne se chargerait de ces problèmes à sa place, et le fardeau lui paraissait très lourd.

— Ce n'est peut-être pas aussi mal que tu le penses, d'avoir un homme saoul qui ronfle dans ton lit, dit-elle tristement à Jean. Au moins, Fred est là. Que ferais-tu sans lui ?

— J'aurais sans doute une vie très agréable, répondit Jean, convaincue que Stephanie avait les meilleures cartes en main.

C'était facile à croire... tant qu'on n'en avait pas fait l'expérience. Ses deux amies n'avaient aucune idée du poids de la solitude. Jean, surtout, lui enviait sa liberté, mais il était plus difficile d'en profiter qu'elle ne le pensait.

Elles parlèrent pendant environ une heure, avant de regagner leurs chambres. Alyson savait que Brad l'attendait, qu'ils feraient l'amour ce soir, et qu'ils le referaient le lendemain matin avant de se lever. Elle adorait ces week-ends de vacances. Elle avait beau aimer ses enfants, ces escapades romantiques étaient nécessaires. Jean leur avait avoué qu'elle n'avait plus fait l'amour avec Fred depuis cinq ans et que cela lui était égal. En les écoutant, Stephanie ressentit cruellement l'absence de Bill. Elle aurait aimé avoir la possibilité de coucher avec lui. Qui sait, les liens entre eux se seraient peut-être renoués ? Elle se demanda si elle ferait de nouveau l'amour, un jour. Peut-être pas. À quarante-huit ans, elle avait peu de chances de tomber amoureuse. Elle fut triste à la pensée qu'on ne l'embrasserait sans doute plus jamais.

Elle quitta ses amies devant la porte de sa chambre, se déshabilla, enfila une chemise de nuit et se démaquilla, avant de regarder un film qu'elle avait envie de voir depuis longtemps. Elle resta devant l'écran jusqu'à deux heures du matin, mangea les chocolats du minibar, et dormit tard le lendemain. Ce n'est qu'au moment où elle appela pour qu'on lui monte son petit déjeuner qu'elle se rendit compte qu'elle n'aurait jamais pu faire tout cela avec Bill. Pour commencer, il aurait détesté le film. Il n'était donc pas faux qu'il y avait de minuscules compensations à la solitude... Il ne fallait pas les négliger.

Lorsqu'ils se retrouvèrent tous à midi au Coral Casino Beach Club, en face de l'hôtel, Fred était de fort méchante humeur. Il semblait avoir une gueule de bois persistante.

— Chaque fois qu'il boit trop, il s'imagine que son

mal de tête est dû à une tumeur au cerveau, marmonna Jean à mi-voix, alors que son mari plongeait dans la piscine.

Il venait de repérer deux jolies jeunes femmes en bikini, et Jean savait parfaitement pourquoi il était parti nager. Cela lui était égal. Quelques minutes plus tard, elle le vit bavarder avec l'une d'entre elles. Fred ne changerait jamais, n'hésitant même pas à draguer une femme sous son nez. Il se comportait ainsi depuis des années. Stephanie était triste pour son amie. Jean était quelqu'un de bien ; elle méritait mieux que cela. Le fait qu'elle dépense sans compter pour se venger n'était qu'une maigre consolation au regard de ce qu'elle devait endurer.

Alyson et Brad, eux, étaient de bonne humeur. Brad massait le dos de sa femme avec une huile solaire et en profitait pour lui embrasser tendrement les épaules. Stephanie les observa avec nostalgie, pensant à ce que Bill et elle avaient perdu au cours des dernières années. Du coin de l'œil, elle vit Jean se détourner pour ne pas les voir.

Ils déjeunèrent au bord de la piscine et passèrent l'après-midi à se reposer et à nager. Ils étaient tous détendus quand ils regagnèrent leur chambre à la fin de la journée, pour se changer. Ce soir-là, ils dînèrent dans un restaurant chic. Fred but encore beaucoup trop et flirta avec une femme assise à la table voisine, laquelle arborait un décolleté extravagant. Il finit par lui faire apporter une bouteille de champagne. Bien que la situation fût très gênante, personne n'osa faire de remarque. Fred était pourtant quelqu'un de drôle quand il ne draguait pas ou ne tombait pas endormi sur la table. Stephanie comprenait pourquoi Jean pouvait penser qu'elle avait de la chance de ne plus avoir d'homme dans sa vie.

Exténué par ses excès de boisson, Fred alla se coucher avant eux. Alyson et Brad se retirèrent tôt, et Jean et Stephanie s'installèrent au bar, où elles restèrent à parler pendant des heures. Aucune des deux n'avait envie de monter dans sa chambre. Quand elles s'y résignèrent, Stephanie commanda un autre film avec un gobelet de pop-corn. Cinq minutes plus tard, elle le renversait dans le lit par inadvertance. Elle rit toute seule : Bill l'aurait tuée s'il avait été là ! Elle mangea ses pop-corn en regardant le film, qui était encore mieux que celui de la veille. Elle fut un instant sur le point d'inviter Jean à la rejoindre, mais elle y renonça de crainte de réveiller Fred.

Le week-end fut agréable et reposant. Malgré sa solitude, Stephanie passa de bons moments avec les autres. Quand elle appela ses enfants avant de rentrer à San Francisco le lundi après-midi, elle était d'excellente humeur. Elle alla nager une dernière fois, puis dit au revoir à ses amis.

Alors qu'elle roulait depuis une demi-heure, elle se rendit compte qu'elle avait emprunté la mauvaise bretelle et se dirigeait vers le sud, c'est-à-dire vers Los Angeles et Palm Springs, alors que San Francisco était au nord. Désorientée, elle prit la première sortie et se trouva face à un panneau indiquant la route de Las Vegas. Elle faillit éclater de rire en se disant que Las Vegas serait une expérience très différente de ce qu'elle connaissait. Elle chercha la route du nord, mais en vain. Il faut dire qu'elle n'avait aucun sens de l'orientation, elle détestait les cartes routières, ne comprenait rien aux panneaux indicateurs et ne savait pas faire marcher son GPS ! Sans le vouloir, elle se retrouva sur la route de Las Vegas...

C'est alors qu'elle comprit qu'elle n'avait aucune envie de rentrer chez elle. Personne ne l'attendait, elle allait retrouver une maison vide et silencieuse. Une idée folle germa dans son esprit. Pourquoi n'irait-elle pas à Las Vegas ? Qui saurait qu'elle ne retournait pas à la maison ? Elle n'était pas une habituée des tables de jeu, mais ce serait certainement drôle de faire quelque chose de nouveau. Bien sûr, le fait que personne ne sache où elle se trouvait était un peu angoissant. Mais que pouvait-il lui arriver ? Serait-il si terrible de commettre, pour une fois, une petite folie ?

Dans un élan soudain de rébellion et d'indépendance, elle ignora délibérément le panneau indiquant enfin la route de San Francisco. Un grand sourire aux lèvres, elle fila tout droit. Même si elle passait la nuit à Las Vegas, quel mal y aurait-il à cela ? Qui le saurait ? Avec un sentiment de liberté, elle appuya sur l'accélérateur. Quelque chose avait basculé ; elle découvrait le bon côté de la solitude : elle pouvait vraiment faire ce qu'elle voulait, à présent. Il n'y avait plus personne pour l'en empêcher. Elle baissa la vitre et laissa le vent soulever ses cheveux. Elle était sur la route de Vegas. Seule, mais libre. Elle n'avait encore jamais éprouvé de sensation aussi grisante.

5

Le trajet dura un peu moins de cinq heures. Elle alluma la radio et chanta à tue-tête. Un étrange sentiment d'euphorie s'empara d'elle à l'idée que personne ne savait ce qu'elle faisait, ni où elle se trouvait. Une erreur d'orientation sur l'autoroute se transformait en aventure. Dans sa vie normale, elle aurait fait demitour et serait rentrée chez elle. Mais cette fois, elle avait réagi différemment. Elle n'avait aucune idée de ce qu'elle ferait une fois à Las Vegas. Peut-être rien, à part se promener, observer les gens, jouer aux machines à sous. Et pourquoi ne pas aller voir un spectacle ? Les possibilités étaient infinies.

Elle ne s'était rendue qu'une seule fois dans cette ville, des années auparavant, pour un week-end entre filles. Mais tout à coup, ce voyage impromptu lui paraissait très tentant. Seule au volant de sa voiture, elle se sentait très forte, invulnérable. Que diraient ses deux amies si elles l'apprenaient ? Pour l'instant, elle n'avait envie d'en parler à personne. Ce moment avait quelque chose de spécial, parce que le fait de disparaître pendant quelques heures était totalement inattendu, improbable. Dès le lendemain, elle regagnerait San Francisco, mais pour l'instant elle se lançait dans une folle aventure, qui ne lui ressemblait pas du tout. C'était ce qui la rendait si excitante.

Elle savait que le plus bel hôtel de la ville était le Wynn. Elle fut tentée un instant d'essayer un établissement plus exotique, comme cet hôtel en forme de pyramide, ou bien l'un de ceux qui reproduisaient des décors parisiens ou vénitiens. Mais finalement, elle se dit qu'elle serait plus à l'aise dans une résidence traditionnelle.

Alors qu'elle approchait des faubourgs de Las Vegas, elle songea qu'elle n'avait jamais voyagé seule de sa vie. Elle avait épousé Bill alors qu'elle était encore à l'université et, depuis, elle n'était jamais allée où que ce soit sans lui. La plupart du temps, ils emmenaient aussi leurs enfants. Bill n'était pas quelqu'un de très aventurier, ni de spontané. C'était un être d'habitudes, tout comme elle. Il ne l'avait jamais emmenée passer un week-end en amoureux, à l'improviste. Sa préférence allait aux vacances en famille, soigneusement organisées à l'avance, dans des lieux qu'ils connaissaient et qu'ils aimaient. S'il avait su qu'elle se rendait à Las Vegas sur un coup de tête, juste parce qu'elle s'était trompée de direction sur l'autoroute, il aurait été stupéfait. D'ailleurs, elle l'était elle-même.

Elle fut éblouie par les enseignes lumineuses de la ville. Il était plus de six heures, et une foule dense se pressait dans les rues, entrant et sortant des hôtels et des casinos. Même un lundi soir, il régnait une atmosphère de fête, qui rappelait un peu celle du nouvel an.

Après la route du désert, calme et silencieuse, soudain tout s'animait ; des milliers de gens surgissaient devant elle. Des joueurs, mais aussi des familles avec des enfants. La circulation était chargée sur Las Vegas Boulevard, et elle regarda autour d'elle en souriant. Enchantée, elle se rendit jusqu'au Wynn, reconnaissable à ses toitures dorées. Le complexe hôtelier de quarante-cinq étages était extrêmement beau, avec deux tours de verre, des jardins, des cascades, des bassins, un golf de dix-huit trous et une montagne artificielle. Les entrées de l'hôtel et du casino étaient séparées, ce qui était inhabituel à Las Vegas. Le voiturier lui donna un ticket, et elle dit qu'elle reviendrait prendre ses bagages si elle trouvait une chambre de libre. Quand elle vit le hall d'entrée, rempli de monde, de lumière, de fleurs et de musique, elle douta que ce soit le cas. Une multitude de boutiques de luxe arboraient des noms prestigieux, tels que Cartier, Rolex, Dior et Vuitton. Elle se dirigea vers le bureau de la réception. Le week-end se terminait, et elle espéra que de nombreux clients étaient partis. L'employé examina son ordinateur, puis releva la tête en souriant.

— Avez-vous déjà séjourné chez nous, madame ?

— Non, jamais.

Elle eut presque envie d'ajouter que c'était la première fois qu'elle commettait une telle folie.

— Dans ce cas, nous aurons le plaisir de vous proposer notre suite dans la Wynn Tower, à un prix réduit, bien entendu.

Le personnel faisait tout son possible pour donner aux clients l'impression qu'ils étaient privilégiés et pour les inciter à revenir. Et sans doute pour qu'ils prolongent leur séjour s'ils se sentaient bien et avaient de la chance au jeu.

— Combien de temps resterez-vous parmi nous, madame ?

— Juste une nuit.

Elle était sûre que cela lui suffirait. Sa principale victoire était d'avoir eu l'audace de venir jusqu'ici.

Tout en lui donnant la carte d'accès à la tour et à sa chambre, le réceptionniste l'informa que celle-ci lui permettrait aussi d'entrer au casino et lui expliqua que ses bagages seraient montés dans sa chambre, où un chasseur allait la conduire sur-le-champ.

L'homme l'escorta jusqu'au portail donnant dans la tour, puis lui montra sa suite au quarantième étage. Stephanie regarda autour d'elle, époustouflée. L'appartement était luxueux et très élégant. L'immense salon décoré dans des tons pastel comprenait des canapés, un bureau, une table de salle à manger et un écran de télévision gigantesque. Les fenêtres offraient une vue imprenable sur la ville et sur le désert qui s'étendait au-delà. Stephanie en eut le souffle coupé. Sa chambre au Biltmore de Santa Barbara était ravissante, mais elle n'avait rien à voir avec celle-ci. Un autre chasseur lui apporta ses bagages un instant plus tard, alors qu'elle faisait le tour de la suite. La salle de bains de marbre était plus grande que sa chambre, à San Francisco. Elle comprenait une douche et une grande baignoire. Tout un assortiment de crèmes et de parfums était disposé sur le marbre blanc du lavabo. Stephanie était si heureuse qu'elle sourit toute seule. L'espace d'un instant, elle regretta de ne pas avoir quelqu'un avec qui partager tout cela. Ses enfants auraient été ébahis !

Elle décida de ne pas perdre de temps et resta en jean, tee-shirt blanc et sandales. Les gens qu'elle avait croisés dans la rue et dans le hall de l'hôtel étaient habillés simplement. Si ce n'est quelques femmes en robe de soirée qui se rendaient sans doute au casino pour voir un spectacle, ils portaient des shorts et des dos nu, des jeans et des tee-shirts. Ramassant son sac à main, Stephanie descendit dans le hall, jeta encore un coup d'œil autour d'elle, puis se dirigea vers la galerie de boutiques. Il y avait des bijouteries de luxe – comme Graff – pour les milliardaires et ceux qui avaient eu de la chance au jeu. Le magasin Chanel aurait certainement plu à Jean. Les vitrines de Brioni et Oscar de la Renta débordaient d'articles hors de prix et de couleurs vives.

Elle entra dans le casino et se retrouva au milieu des machines à sous. Il y en avait mille huit cents ! Les clients se pressaient autour des tables de black-jack, de poker et de craps. Stephanie décida d'attendre un peu avant d'aller tenter sa chance. Elle sortit du casino et, suivant les conseils du portier, prit un taxi pour aller voir ce qui se passait dans Fremont Street. Stupéfaite, elle vit soudain toutes les enseignes s'assombrir, tandis qu'une toile immense se déployait. Un film fut alors projeté sur l'écran de cinq cents mètres de long sur vingt-cinq de haut. Ce qu'elle découvrait était éblouissant, et le fait d'être seule dans la rue, entourée par tous ces gens d'excellente humeur, était très excitant. Elle regarda les vitrines et fit le tour de deux galeries marchandes, puis regagna son hôtel aux alentours de huit heures. Elle avait faim, mais n'avait pas envie de dîner seule dans un vrai restaurant. Elle alla donc s'installer dans un snack du hall et commanda un sandwich. Elle regardait autour d'elle, curieuse de tout. Plusieurs tables étaient occupées par des familles, mais elle vit aussi des hommes d'âge mûr qui portaient de lourdes montres en or et étaient accompagnés de très jeunes femmes. Certaines avaient l'âge de ses filles, et Stephanie soupçonna qu'elles avaient été payées pour la soirée. Ailleurs, des femmes bavardaient et riaient ensemble ; des hommes discutaient tout en dévisageant les jeunes femmes qui passaient devant eux. L'un d'eux lui sourit. Pour la première fois depuis des années, Stephanie se sentit exposée au danger. Elle ne pouvait plus s'abriter derrière son statut de femme mariée. Elle était seule dans la vie, et c'était un peu bizarre. Mais aucun de ces hommes n'eut d'attitude déplacée ou n'essaya de l'aborder.

Las Vegas était une ville vouée à la distraction, à l'amusement, et le sexe et l'argent facile servaient d'appâts. C'était une sorte de vaste terrain de jeu pour adultes, avec des casinos bien sûr, mais aussi des célébrités et des spectacles. Il y avait de tout pour tout le monde, et même pour les enfants, à qui étaient réservées de petites aires de jeux.

Quand elle eut fini son sandwich, Stephanie retourna au casino et regarda pendant un moment la table de black-jack. L'air concentré, les joueurs déposaient leurs jetons devant eux. Stephanie entendait parler toutes les langues. L'espagnol, l'italien, le français. Deux Allemands se tenaient juste derrière elle, et un groupe d'hommes parlaient en arabe. Délaissant le black-jack, elle alla voir la roulette, qui lui sembla un peu moins intéressante. Il y avait aussi les tables de poker et les jeux de craps, lesquels étaient plus difficiles à comprendre. Les croupiers plaisantaient avec les clients, les gens allaient et venaient, tentaient leur chance ici ou là.

Elle acheta pour cinquante dollars de jetons et prit place à une machine à sous. Pour s'amuser. Au deuxième essai, la machine se mit à clignoter et des sirènes retentirent pour saluer un gain de quatre cents dollars. Stephanie poussa un petit cri aigu et trois femmes âgées lui sourirent.

— J'ai passé toute la soirée sur cette machine, dit l'une d'elles avec un fort accent du Sud. C'est mon argent que vous venez de gagner !

Elle ne semblait pas lui en vouloir. Elle lui expliqua qu'elle et ses amies venaient tous les lundis et qu'elles choisissaient deux machines chacune. Elles avaient l'allure de gentilles grands-mères. Stephanie continua de jouer un moment, puis passa à une autre machine et perdit la moitié de ce qu'elle avait gagné. Mais elle avait encore de l'avance sur sa mise initiale. Elle alla alors regarder ce qui se passait à l'une des tables de black-jack. Cela lui paraissait le jeu le plus intéressant, mais elle n'eut pas le courage d'essayer. Elle circula dans la salle en observant les joueurs, fascinée par leur expression concentrée.

Pas un seul instant, elle ne se sentit mal à l'aise. Les gens qui regardaient bavardaient entre eux, les joueurs riaient, surtout quand ils gagnaient, et, de temps à autre, les croupiers lançaient des plaisanteries. Stephanie remarqua que ces derniers changeaient fréquemment. Elle remarqua aussi qu'il n'y avait pas de fenêtres sur l'extérieur, si bien que l'on ne faisait pas la différence entre le jour et la nuit et qu'on perdait rapidement toute notion du temps. Quand elle regarda sa montre, elle fut stupéfaite de constater qu'il était minuit. Elle avait commandé plusieurs Coca, et des verres étaient souvent offerts aux clients. Les gagnants laissaient également de très forts pourboires aux croupiers. Un joueur anglais, qui avait des piles de jetons multicolores alignées devant lui, pariait des milliers de dollars. Les croupiers semblaient bien le connaître. Stephanie savait qu'il y avait des salles réservées aux gros joueurs, délimitées par des cordons. Quelqu'un lui expliqua même que l'hôtel envoyait des avions privés les chercher, où qu'ils se trouvent. Pour beaucoup de gens, le jeu était une affaire sérieuse. Malgré tout, l'atmosphère qui régnait dans le casino lui plaisait. Elle ne regrettait pas d'avoir fait le détour.

Elle avait songé à aller assister à un spectacle, mais elle n'avait pas envie de partir. Après minuit, elle joua un peu au black-jack, perdit rapidement une centaine de dollars et décida d'arrêter et de monter se coucher. Elle avait passé une soirée fantastique. En venant ici, elle s'était prouvé à elle-même qu'elle pouvait faire quelque chose de différent, saisir au vol une opportunité. Toutefois, elle ne voulait pas s'attarder plus longtemps. Le lendemain, avant de partir, elle ferait un peu de shopping. Puis elle reprendrait la route, sans se presser.

Elle venait d'entrer dans l'ascenseur, lorsque cinq hommes y pénétrèrent à sa suite. Ils étaient tous beaux, à peu près de son âge, et comme ils avaient trop bu, ils la dévisagèrent sans vergogne. Avec son tee-shirt, son jean et son visage dénué de maquillage, Stephanie devait ressembler à l'épouse qu'ils avaient laissée à la maison. Dans les salles de jeu, elle avait remarqué plusieurs jeunes femmes très séduisantes, avec des robes courtes et étroites, des décolletés attrayants, un maquillage appuyé et des talons aiguilles. Cela lui avait arraché un sourire. Elle ne s'imaginait pas du tout habillée comme cela. Elle avait une beauté naturelle, et même si elle ne faisait pas son âge, elle avait l'allure d'une épouse et d'une mère respectable. En fait, l'absence de maquillage et ses tenues simples la faisaient paraître encore plus jeune. Lorsqu'ils descendirent tous au quarantième étage, un des hommes lui sourit.

— Ça vous dirait de prendre un verre, madame ? proposa-t-il.

Elle fut si surprise qu'elle manqua se retourner pour voir s'il parlait à quelqu'un derrière elle. Cela faisait des années qu'on ne l'avait pas invitée à prendre un verre. Il faut dire qu'elle ne s'était jamais trouvée dans une situation où cela pouvait arriver, et elle était toujours accompagnée de Bill.

— Euh... je... non, merci. Mon mari m'attend, dit-elle en souriant.

Elle s'efforça d'avoir l'air calme et espéra qu'elle n'avait pas rougi. Elle était déstabilisée par les avances de cet inconnu.

— Le veinard ! répliqua-t-il. Laissez-le attendre un peu. Juste un verre. Vous lui direz que vous êtes restée pour jouer aux machines à sous. Ça lui apprendra à vous laisser toute seule.

L'espace d'un instant, elle fut parcourue d'un frisson d'appréhension. Voilà à quoi Bill l'avait exposée en mourant trop tôt. Il n'était plus là pour la protéger de ces hommes qui espéraient obtenir quelque chose en échange d'un verre au bar. Elle se sentit comme une proie pour ces prédateurs.

— Je ne crois pas qu'il apprécierait, lança-t-elle avec un sourire poli, tout en regagnant sa chambre d'un pas vif.

L'homme ne fit pas mine de la suivre, mais il continua de plus belle :

— Allons, ma jolie... juste un verre... il n'y a pas de mal à ça.

Elle jeta un coup d'œil par-dessus son épaule, secoua la tête en direction de l'inconnu et ouvrit la porte de sa suite, où elle s'engouffra le cœur battant. Bien. Elle avait fait quelque chose d'inhabituel, de courageux, mais sa place n'était pas ici. Il était temps de rentrer à San Francisco, songea-t-elle. Assise dans le canapé du salon, elle contempla les lumières criardes et les néons de Las Vegas sous ses fenêtres. La ville était aussi animée à une heure du matin que dans l'après-midi.

Elle revit le visage de l'homme qui l'avait invitée à prendre un verre. Il y avait des centaines de types comme lui, ici. Ils étaient peut-être charmants, mais elle n'avait rien en commun avec eux. Elle ne voulait pas d'un homme charmant, elle voulait Bill. Leur mariage n'avait pas été idéal, mais elle s'était toujours sentie en sécurité avec lui. À présent, elle était vulnérable, et cela lui faisait peur. Pour la première fois depuis la mort de Bill, elle n'éprouva pas de colère envers lui, juste de la tristesse.

Elle resta assise là un long moment, avant de se coucher. Louise avait essayé de la joindre, mais elle n'avait pas entendu la sonnerie de son mobile dans le casino, et maintenant il était trop tard pour la rappeler. À New York, il était quatre heures du matin. Jean l'avait appelée elle aussi, sans doute pour s'assurer qu'elle était bien rentrée. Stephanie se promit de la rassurer le lendemain. Mais qu'allait-elle lui dire ? Qu'elle avait passé la nuit à Las Vegas ? Son amie penserait qu'elle avait perdu la tête. Ce qui n'était sans doute pas faux, mais pas dramatique non plus. Après tout, même la rencontre avec cet homme dans l'ascenseur était sans conséquence. Stephanie s'était prouvé qu'elle était capable de se défendre, dans un endroit qu'elle ne connaissait pas. Fatiguée, elle se coucha. La journée avait été agréable, dans le fond. Une aventure inattendue. Elle s'efforça de ne pas penser à Bill en éteignant la lumière.

Cette nuit-là, elle rêva de l'homme de l'ascenseur et se demanda ce qui se serait passé si elle avait accepté.

Le soleil pénétrait à flots dans la suite quand elle s'éveilla, à neuf heures du matin. Elle fit le tour de la chambre du regard avant de se rappeler où elle était. Un vague sourire aux lèvres, elle songea à sa folie de la veille. Pourtant, elle ne regrettait pas sa décision. Elle contempla la vue extraordinaire qu'elle avait de la fenêtre. Au-delà des boulevards et des enseignes qui clignotaient même dans la journée, elle apercevait le désert. Las Vegas était une sorte de mirage. Cela lui rappela quelque chose qu'elle avait toujours rêvé de faire. Bill et elle avaient projeté de se rendre au Grand Canyon un jour, avec les enfants, mais ils n'avaient jamais mis ce projet à exécution. Le Grand Canyon n'était qu'à quelques heures de route de Las Vegas. Faisait-il partie du périple qu'elle avait entrepris fortuitement ? Allait-elle poursuivre son aventure ?

Stephanie prit une douche, s'habilla et descendit prendre son petit déjeuner dans la salle à manger de la tour.

À dix heures, tous ses bagages étaient bouclés, et elle quitta l'hôtel. Au réceptionniste qui lui demandait si elle était satisfaite de son séjour, elle répondit qu'elle était enchantée. Après avoir rangé ses bagages dans le coffre de sa voiture, elle se rendit dans une galerie commerçante. À onze heures, elle avait fini ses achats. Elle avait trouvé des sandales noires très sexy à talons hauts chez Gucci, un pull, et un jean horriblement cher, mais qui lui allait à ravir. Elle entassa ses trophées symboles de sa liberté dans la voiture et s'assit au volant. Elle n'avait aucune envie de retourner à San Francisco. La pensée de rentrer dans sa maison vide lui était presque insupportable. Qu'avait-elle à faire là-bas ? D'autant qu'au foyer pour adolescents ils n'avaient pas besoin d'elle cette semaine... Rien ne l'obligeait donc à prendre le chemin du retour tout de suite. Une fois de plus, elle pensa au Grand Canyon.

En sortant de la ville, elle s'arrêta dans une station-service pour se renseigner sur le trajet. L'employée lui dit qu'elle n'était qu'à quatre heures de route du site et que cela valait vraiment la peine de faire le déplacement.

— J'y vais tous les ans avec mon mari. C'est le plus bel endroit du monde. Une merveille ! ajouta-t-elle en désignant une carte routière sur le comptoir.

Stephanie y jeta un coup d'œil, soudain attristée par la remarque de l'inconnue.

— Mon mari et moi voulions y aller aussi. Mais il n'est pas là.

— Allez-y quand même. Vous pourrez toujours revenir avec lui une autre fois, répondit l'autre gaiement.

— Non, ce ne sera pas possible. Il est mort en février.

65

Elle s'en voulut pour ses paroles, mais cela avait été plus fort qu'elle. Comme s'il fallait absolument que cette femme sache qu'elle était veuve et qu'elle la plaigne... Cette dernière la fixa et lui tendit la carte.

— Raison de plus pour y aller, madame. C'est un endroit magique. Prenez la carte, je vous l'offre. Vous ne regretterez pas le voyage. Je suis sûre que votre mari vous aurait poussée à y aller.

La gorge nouée, Stephanie acquiesça d'un hochement de tête, encore gênée d'avoir trop parlé. Son chagrin était à fleur de peau. Bill était bel et bien mort, et elle était maintenant veuve. Elle ne s'était toujours pas habituée à cette idée, et elle n'avait pas envie de se couler dans ce rôle.

Elle regarda longuement la femme de la station-service.

— Merci, dit-elle doucement, avant de regagner sa voiture sous le soleil ardent.

Elle déploya la carte sur le siège à côté d'elle. Devait-elle faire ce voyage ? Cette femme avait peut-être raison, Bill aurait sûrement voulu qu'elle le fasse. S'il avait été là, ils y seraient allés ensemble. Mais à présent elle était seule, et sa vie lui appartenait. Puisqu'elle était venue à Las Vegas sur un coup de tête, pourquoi ne pas pousser jusqu'au Grand Canyon ? Elle n'aurait su dire pourquoi, mais elle avait le sentiment qu'elle devait y aller.

Elle suivit les panneaux. Sur une impulsion, comme elle était allée à Vegas, elle se rendait maintenant en Arizona pour voir une des merveilles du monde. C'était une autre aventure, un autre jour, et elle avait l'impression d'être quelqu'un de différent. Qui ? Elle n'en avait aucune idée.

— OK, se dit-elle à haute voix, avec l'impression d'être poussée par des forces qu'elle ne contrôlait pas.

Où tout cela allait-il la mener ? Elle alluma la radio et

se mit à chanter, se demandant si elle n'était pas un peu cinglée. Mais les choses avaient-elles encore un sens ? Après tout, ce qui était fou, n'était-ce pas la mort de Bill ? Ou encore le fait qu'elle se retrouve seule, sans que personne ne s'inquiète de savoir où elle était ? Elle avait conscience d'être un peu toquée en ce moment, mais ce n'était pas si grave. Le lendemain, elle serait rentrée chez elle et personne ne saurait ce qu'elle avait fait, ni pourquoi. Elle-même savait-elle vraiment pour quelle raison elle traversait en ce moment le désert, en fredonnant une chanson de Norah Jones ?

— Stephanie Adams, tu es officiellement déclarée démente ! s'exclama-t-elle en riant.

Mais le plus bizarre, c'est qu'elle ne se sentait pas folle du tout. Elle n'avait même jamais été aussi normale et rationnelle. Et peu importait ce que Bill en aurait pensé ! Il avait quitté ce monde. Et elle était là. Bien vivante. Surexcitée à la pensée de ce qu'elle s'apprêtait à faire !

6

Stephanie quitta Las Vegas par l'autoroute 93 et prit la direction du sud pour rejoindre la nationale 40. Juste avant trois heures, elle franchit la frontière de l'Arizona et s'engagea dans le dernier embranchement.

Elle se gara devant le centre des visiteurs du South Rim, la bordure sud du site, où circulait la foule des randonneurs. Tous avaient des sacs à dos et des chaussures de marche ; ils riaient et parlaient entre eux. Le Grand Canyon était une des destinations touristiques les plus importantes du pays, un endroit unique et fabuleux. Stephanie mit les chaussures de sport qu'elle avait fort judicieusement emportées avec elle et prit une bouteille d'eau. Avant de quitter Las Vegas, elle avait aussi eu la bonne idée de mettre un short, prévoyant qu'elle aurait trop chaud en jean. Très excitée, elle se dirigea vers le centre pour se renseigner sur les excursions possibles à cette heure tardive. De toute façon, elle n'était pas de taille à descendre tout au fond du canyon, puis à remonter en plein soleil. Elle voulait juste être là, pour s'imprégner de l'atmosphère magique d'un lieu qu'elle avait toujours rêvé de voir. Quelque chose lui disait que ce qu'elle allait voir et ressentir changerait sa vie, l'aiderait à trouver la paix dont elle avait tant besoin et qu'elle était prête à recevoir. Elle allait accomplir une sorte de mission. Elle savait, au plus profond de son cœur, qu'il fallait qu'elle vienne ici. Elle fit la queue au bureau d'information pour se renseigner sur les promenades les plus courtes. Certes, elle aurait pu revenir le lendemain pour faire une excursion toute la journée, mais elle n'était pas sûre d'en avoir envie. En fait, elle envisageait de regagner San Francisco le soir même. Elle aimait conduire de nuit. Et si elle se sentait trop fatiguée, elle pourrait toujours s'arrêter dans un motel.

Le garde forestier de la réception lui donna quelques brochures. Sa demande ne l'étonna pas. Les personnes accompagnées de jeunes enfants et les membres les plus âgés des groupes de promeneurs n'étaient pas toujours prêts à entreprendre des marches trop ardues et souhaitaient simplement faire un tour de quelques heures. L'homme lui conseilla Bright Angel Trail. Cette piste lui permettrait d'admirer le canyon depuis plusieurs points de vue et de revenir en un peu moins de trois heures. L'idée lui parut parfaite. Les circuits étaient très bien signalisés, mais il lui recommanda d'emporter plusieurs bouteilles d'eau, de mettre de la crème solaire et de porter un chapeau. Elle n'avait pas besoin de guide pour ce parcours, qui ne présentait pas de difficultés insurmontables. Le garde ajouta qu'à première vue elle semblait en bonne forme et ne devrait rencontrer aucun problème. Stephanie le remercia, prit les brochures ainsi que des feuillets contenant des renseignements sur le canyon.

La piste était plutôt étroite mais elle s'élargissait à certains endroits et était agrémentée de bancs permettant de se reposer. Stephanie s'arrêta devant l'une des balustrades pour contempler le paysage. La vue sur le canyon était d'une beauté à couper le souffle. Elle n'était pas pressée et commença sa randonnée d'un pas régulier. Comme l'avait prédit le garde forestier, elle n'éprouva aucune difficulté.

En chemin elle croisa plusieurs groupes, des personnes âgées, puis des gens plus jeunes accompagnés d'enfants de dix ou douze ans. Des femmes qui riaient entre elles lui sourirent quand elle passa à leur hauteur. Mais la plus grande partie du temps, elle se trouva seule sur le chemin, ce qui lui permit de profiter du silence, à peine troublé par le chant des oiseaux et des insectes. La nature était paisible et grandiose, avec en toile de fond le canyon majestueux. Stephanie, qui n'avait jamais vu de plus beau spectacle, était gagnée par l'euphorie. Elle s'arrêta une fois et s'assit sur un banc pour se désaltérer en contemplant le paysage. Puis elle reprit sa marche, et le chemin devint plus escarpé dans la descente.

Le garde forestier lui avait dit à quel endroit rebrousser chemin si elle voulait s'en tenir à une promenade de trois heures. Quand elle atteignit ce point, elle fut tentée de continuer encore un peu car elle ne ressentait aucune fatigue. Toutefois, la piste allait devenir plus difficile, et elle risquait de remonter trop tard au parking. Les randonneurs qui n'avaient pas retenu de place au camping dans le canyon étaient encouragés à regagner leur point de départ avant la nuit. Sinon, ils s'exposaient à divers dangers. Stephanie entendait suivre les conseils du garde forestier. Néanmoins, elle resta assise là un long moment, si émue qu'elle en avait les larmes aux yeux. Elle aurait voulu ne jamais repartir. Bill aurait adoré contempler ce spectacle avec elle. La beauté de la nature ne le touchait pas autant qu'elle, mais il était impossible de rester indifférent devant un tel panorama. Stephanie était fascinée.

Tout à coup, elle perçut un mouvement non loin d'elle. Un homme remontait le chemin et se dirigeait vers le banc. Il portait un jean et un débardeur, ses cheveux lui effleuraient les épaules, ses bras et son torse étaient couverts de tatouages. Il avait dans la cinquantaine et n'avait rien de menaçant. Il sourit en la voyant et elle le salua d'un signe de tête, un peu déçue qu'un être humain vienne interrompre sa rêverie et sa communion silencieuse avec l'âme de Bill. Elle se sentait si proche de lui, ici. Un peu comme s'il était libre à présent et qu'il se promenait avec elle dans ce lieu fabuleux.

Le promeneur s'assit sur un rocher non loin du banc et se tourna vers elle.

— Magnifique endroit, n'est-ce pas ? dit-il avec un fort accent du Sud.

Stephanie n'avait pas envie de parler, mais elle ne voulait pas paraître désagréable. Quelque chose, dans la beauté de la nature, vous poussait à être affable. L'homme avait de larges épaules, une allure athlétique, et il portait des chaussures de randonnée. Son seul bagage était une vieille gourde militaire, accrochée à son épaule par une bandoulière en cuir. Une silhouette féminine, dans le style des pin up d'autrefois, était tatouée sur l'un de ses bras, et sur l'autre elle aperçut un aigle.

— Je viens ici tous les ans pour me remettre les idées en place, poursuivit-il.

Elle sourit. Elle aussi voulait se remettre les idées en place. Les gens venaient-ils tous pour cela, ou étaient-ils juste là en touristes, pour voir une des merveilles du monde ?

— Il n'y a rien de mieux que cet endroit pour vous ressourcer.

— Oui, c'est vrai, finit-elle par répondre.

Elle avait remonté ses cheveux en queue-de-cheval à l'aide d'un élastique trouvé au fond de sa poche, quand la chaleur était devenue trop forte. Cela lui donnait un air très jeune.

— J'avais envie de venir depuis très longtemps. C'est encore plus beau que je ne m'y attendais. À couper le souffle, ajouta-t-elle à mi-voix.

L'homme but un peu d'eau. Son visage était rouge, il avait dû marcher d'un bon pas.

— Moi, après toutes ces années, cela me fait toujours le même effet. La première fois que je suis venu ici, je n'étais qu'un gosse... En fait, je suis un peu plus émerveillé chaque année.

Stephanie hocha la tête. Elle croyait volontiers qu'on ne se lassait pas de ce genre de paysage, même après d'innombrables visites. Elle savait déjà qu'elle aurait envie de revenir.

— Vous venez de loin ? demanda-t-il sur le ton de la conversation.

Il devait parler ainsi avec tous les excursionnistes qu'il rencontrait. Stephanie le trouvait sympathique, il n'avait absolument rien d'effrayant.

— San Francisco. J'ai passé la nuit dernière à Las Vegas, et j'ai eu envie de m'arrêter ici avant de rentrer chez moi.

Au moment où les mots franchirent ses lèvres, elle songea pendant un quart de seconde aux histoires qu'on entend aux informations sur ces randonneuses attaquées et tuées par des psychopathes. Mais l'homme avait l'air si gentil qu'elle se sentit coupable d'avoir de telles pensées.

— C'est pareil pour moi, je viens chaque fois que je travaille à Vegas, deux fois par an.

Il était sans doute saisonnier, ou quelque chose dans ce genre. Il ne portait ni montre ni bijoux. Son jean était déchiré et ses chaussures usées. Stephanie ne lui demanda pas quel genre de travail il exerçait à Vegas, et il ne la questionna pas plus sur la raison de sa présence ici. Les relations nouées sur les chemins de randonnée n'étaient pas supposées être indiscrètes, et l'homme respectait cette règle. Ils étaient juste deux voyageurs sur le même chemin. De toute façon, les sentiers devaient être bien surveillés. Ils se trouvaient dans un parc national, pas dans une région sauvage.

Ils gardèrent le silence quelques minutes, puis elle jeta un coup d'œil à la montre que Bill lui avait offerte pour son dernier anniversaire. C'était un petit modèle en or de chez Cartier qu'elle adorait, et elle ne l'enlevait jamais. Si elle voulait regagner sa voiture avant six heures, il était temps qu'elle se remette en route. Elle se leva, but une gorgée d'eau, fit un signe de tête à l'inconnu et s'engagea sur le chemin. Le garde forestier l'avait prévenue que la piste était un peu plus fatigante au retour, dans la montée. L'homme aux tatouages ne tarda pas à la rattraper. Il ralentit en arrivant à sa hauteur, et, comme la piste s'élargissait, il marcha à côté d'elle.

— La remontée est un peu rude. Je suis descendu plusieurs fois au fond du canyon. Au retour, on a l'impression de gravir l'Everest.

Stephanie se mit à rire, consciente de l'effort qu'elle devait fournir pour avancer le long du sentier. Son nouvel ami ne semblait pas vouloir la dépasser, il continua de marcher tranquillement à ses côtés. Dans un sens, elle était bien contente d'avoir de la compagnie, même celle d'un inconnu. Il lui montra plusieurs choses qu'elle n'aurait pas remarquées sans cela, notamment un condor, qu'ils regardèrent tournoyer au-dessus d'eux. Ils marchèrent côte à côte en silence pendant un moment. Stephanie avait l'impression qu'il restait avec elle pour la protéger ou pour l'aider au cas où elle aurait eu besoin de lui. Sa présence était réconfortante. Il y avait chez cet homme quelque chose d'extrêmement paisible.

— Qu'est-ce qui vous a poussée à venir voir le canyon ? finit-il par lui demander.

Elle aurait pu répondre n'importe quoi. Et elle n'avait pas envie de paraître pathétique en évoquant le décès tout récent de son mari. Pourtant, elle décida d'être franche. Comme on l'est parfois avec de parfaits inconnus qu'on est sûr de ne jamais revoir.

— Mon mari est mort il y a quatre mois. J'avais envie de venir... pour trouver la paix.

Elle n'était jusque-là même pas consciente d'avoir agi ainsi pour cette raison, mais à l'instant où elle parla, elle sut que c'était la vérité. Il hocha la tête.

— C'est une très bonne raison. Je suis désolé pour votre mari.

Il avait l'air sincère.

— Est-il mort d'une longue maladie ?

— Non. Il a eu une crise cardiaque sur une piste de ski. Sa mort a été très soudaine. Je n'ai pas encore surmonté sa disparition, et je ne sais pas trop ce que je vais faire de ma vie, avoua-t-elle.

— Le canyon est l'endroit idéal pour réfléchir. Je viens toujours ici pour penser à mes problèmes. J'exerce une activité un peu folle, et j'ai parfois l'impression qu'il y a tout le temps du bruit dans ma tête. Je viens ici pour trouver le silence.

Tout de suite après qu'il eut prononcé ces paroles, ils prirent conscience du silence qui les environnait et des minuscules bruits de la nature.

— D'où êtes-vous ? demanda-t-elle avec un brin de curiosité.

Elle n'osait pas le questionner sur son métier, craignant d'être indiscrète. Ce pouvait être n'importe quoi...

Sa question le fit rire.

— Je suis né en Arkansas, dans un village d'environ

soixante-quinze habitants. À présent, je vis dans le Tennessee, à Nashville. C'est un endroit fantastique, mais un peu fou. J'ai quitté l'Arkansas à quatorze ans, et je ne l'ai jamais regretté. Je me sens chez moi à Nashville. J'y ai passé la plus grande partie de ma vie.

Elle sourit en écoutant son accent marqué, l'accent d'un gars de la campagne. À des années-lumière du monde chic et sérieux qu'elle côtoyait à San Francisco.

— Qu'avez-vous pensé de Las Vegas ? s'enquit-il avec intérêt. Avez-vous hanté les salles de jeu toute la soirée ?

Il ne rencontrait pas souvent des femmes du style de Stephanie. Ses vêtements étaient très simples, mais il avait remarqué sa montre luxueuse. Elle avait une allure grave, un air sage, et il se dit qu'elle avait dû être mariée assez longtemps et qu'elle avait probablement des enfants. Bien qu'elle soit veuve, elle portait toujours son alliance, un simple anneau d'or.

— Je me suis promenée, répondit-elle en souriant. Et j'ai gagné quatre cents dollars aux machines à sous. J'ai fait aussi deux parties de black-jack, mais je ne suis pas joueuse. Ce matin, je suis allée faire du shopping.

Sur une impulsion, elle décida de tout lui raconter.

— En fait, ce périple est le fruit du hasard. Je me suis retrouvée par erreur sur la route de Las Vegas. Je suis contente de m'être trompée et d'avoir poursuivi ma route. Mon séjour dans la ville qui ne dort jamais m'a plu, ajouta-t-elle avec une lueur malicieuse dans les yeux.

— D'où veniez-vous ? demanda-t-il en riant.

— J'avais passé le week-end à Santa Barbara, avec des amis.

Il rit de nouveau. Elle s'était vraiment écartée de son chemin ! Elle ne lui avoua pas que personne ne savait où elle se trouvait ; cela n'aurait pas été prudent.

Même si, curieusement, le fait de marcher à côté de cet inconnu et de lui dire la vérité lui donnait un sentiment de sécurité.

— Je compte rentrer à San Francisco tout à l'heure.

— Vous êtes allée voir un spectacle, hier soir ? Certains sont très bons. Personnellement, j'aime bien les numéros de magiciens. Je ne comprends jamais comment ils font. David Copperfield est le meilleur. Ce type est un génie. Il soulève des gens sur la scène, je ne sais vraiment pas quel est son truc.

— Je l'ai vu une fois à Los Angeles. C'est vrai qu'il est formidable. Après cela, mon fils a essayé pendant six mois de soulever sa sœur au-dessus du sol. Il n'y est jamais arrivé.

Ils sourirent tous les deux. Ils avaient presque atteint le sommet à présent.

— Quel genre de musique aimez-vous ? demanda-t-il d'un ton détaché.

— Un peu tout. Les ballades. Norah Jones. Alicia Keys. Les chansons que je peux m'amuser à fredonner.

— Et la country ?

— Parfois. J'écoute même du rap s'il le faut, mais mes enfants ont dépassé ce stade, à présent.

— Vous aimez chanter ?

Elle sourit, un peu gênée.

— Autrefois je faisais partie d'une chorale, mais j'ai laissé tomber. Je n'avais plus le temps d'y aller.

— Le chant est bon pour tout. Il soigne le cœur, l'âme et l'esprit. C'est comme de venir ici. À condition toutefois de ne pas se prendre trop au sérieux. Certaines personnes en font un véritable cauchemar. Il vaut mieux s'en amuser. La musique doit venir du cœur et vous aider à vous sentir bien. Si elle vient de la tête ou du portefeuille, c'est raté.

Stephanie se mit à rire. Il exprimait une sagesse populaire, mais cela n'était pas dénué de sens...

Quelques minutes plus tard, ils atteignaient le sommet. La vue était spectaculaire. Le temps lui avait paru moins long grâce à lui, et ils se dirigèrent ensemble vers le parking. Un grand autobus d'un noir brillant était garé non loin de sa voiture. L'homme le regarda et jeta un coup d'œil à Stephanie.

— Attendez-moi une seconde, dit-il.

Il gagna l'autobus à longues enjambées et disparut à l'intérieur par une portière coulissante. Stephanie était surprise. Que faisait-il donc dans ce bus mystérieux ? C'était le genre de véhicule dans lequel se déplacent les stars du rock. Peut-être travaillait-il pour un groupe de chanteurs ?

Il réapparut au bout de cinq minutes et lui tendit des papiers.

— Je joue ce soir à Vegas. En fait, j'y reste quelques jours. Ce sont des billets pour mon spectacle, si jamais vous avez envie d'y retourner. Cela pourrait vous plaire.

Il ajouta, d'un air un peu timide :

— Je m'appelle Chase. Faites-moi signe, si vous décidez de venir.

Stephanie considéra d'un air perplexe les deux billets qu'il venait de lui donner.

— Je serais content que vous veniez. Le concert n'est pas mauvais.

Elle se demanda s'il passait en première partie d'un groupe connu. Toutefois, l'autobus était d'un luxe assez impressionnant.

— Je ne pense pas retourner à Vegas ce soir, mais je vous remercie tout de même, dit-elle, soudain aussi timide que lui.

— Vous avez quelque chose d'important à faire à San Francisco ?

Elle fit un signe négatif de la tête. En vérité, elle n'avait strictement rien à faire.

— Dans ce cas, je vous conseille d'accueillir cette soirée supplémentaire à Vegas. Vous avez déjà fait un grand détour. Les choses n'arrivent pas sans raison. Vous ne vous êtes pas trompée en prenant la mauvaise route à Santa Barbara. Certaines erreurs n'en sont pas vraiment. Au fait, comment vous appelez-vous ?

— Stephanie, dit-elle en souriant.

Si elle était contente d'avoir fait cette étrange rencontre, elle ne voyait cependant pas de raison de retourner à Vegas ce soir. Pas plus que de rentrer dans sa maison vide, d'ailleurs.

— Si vous changez d'avis, nous passons au Wynn, à vingt-trois heures. Ne perdez pas les billets, vous n'auriez plus de place, tout a été vendu.

— D'accord. Merci en tout cas d'avoir fait le chemin avec moi.

— C'était un plaisir.

Il fit un signe de la main et retourna à l'autobus. La portière s'ouvrit, il lui fit encore un signe et disparut à l'intérieur. Stephanie demeura un instant sur place, tandis que le bus s'éloignait, puis elle regagna sa voiture. Elle jeta les billets sur le siège passager à côté d'elle, mit le contact, puis écarquilla les yeux en voyant les lettres brillantes qui se détachaient sur le papier glacé. Quelle idiote ! Elle ne l'avait pas reconnu, même pas lorsqu'il lui avait dit son prénom. Chase Taylor ! Une des plus grandes stars de la musique country ! Tout le monde le connaissait, elle-même avait écouté ses chansons des centaines de fois. Mais hors contexte, elle n'avait pas reconnu ses traits. Pas étonnant que le concert soit complet.

Elle se mit à rire toute seule en sortant du parking.

Elle avait le choix entre rentrer à San Francisco, ou se laisser guider – encore une fois ! – par l'imprévu.

Elle se dit que c'était de la folie de retourner à Las Vegas juste pour voir une vedette de musique country qu'elle avait rencontrée au cours d'une randonnée. Mais peut-être avait-il raison, cela faisait partie de ce voyage improvisé, qui se révélait, il est vrai, plein de charme. Ainsi, non seulement elle n'avait pas envie de se retrouver chez elle, mais encore elle risquait de bien s'amuser à Vegas.

Au dernier moment, elle donna un coup de volant et prit la bretelle pour la ville du jeu, avec l'impression d'être une embarcation à la dérive. Elle n'avait jamais commis autant de folies que pendant ces deux derniers jours.

Mais pourquoi s'arrêter en si bon chemin ?

7

Stephanie arriva à destination peu après vingt-deux heures et retourna au Wynn. Cette fois, ils ne proposèrent pas de la surclasser dans une suite, mais ils lui donnèrent une très belle chambre, avec la même vue panoramique que la veille. Après ce voyage au Grand Canyon, elle se sentait différente, un peu comme si elle avait fait une expérience religieuse. Le lieu était réellement magique, et sa rencontre avec Chase lui avait apporté quelque chose de plus. Elle se trouvait un peu idiote de revenir à Vegas pour voir son concert… On aurait dit une groupie. Mais en réalité, elle était prête à n'importe quoi pour ne pas rentrer à San Francisco dans une maison vide. Qu'elle soit chez elle ou non, cela ne faisait de différence pour personne. Maintenant qu'elle était venue jusque-là, une journée de plus sur les routes ne changerait strictement rien. Elle avait reçu plusieurs messages de Jean et lui avait répondu sans préciser où elle se trouvait.

Elles devaient déjeuner ensemble le vendredi suivant, quand son amie viendrait en ville pour ses injections de Botox. En attendant, cette dernière n'avait aucun moyen de savoir qu'elle n'était pas rentrée. D'ailleurs, cette idée ne l'avait pas effleurée.

Stephanie sortait un petit top en soie et un jean de sa valise, quand le téléphone sonna. C'était Jean, à nouveau.

— Coucou, Steph. Tu es bien rentrée ? Désolée de ne pas t'avoir appelée plus tôt. Nous avons remplacé le barbecue du patio, et tout est en désordre. En plus, un de mes chevaux est malade, j'ai passé toute la journée d'hier à l'écurie avec le véto. Comment vas-tu ?

— Très bien, répondit-elle, envahie par un fort sentiment de culpabilité.

Comment expliquer à Jean qu'elle était en train de laisser les événements et le hasard la balader de-ci de-là ? Cela lui paraissait à elle-même à peine croyable.

— J'ai parlé avec Alyson, poursuivit son amie. Deux des enfants ont la varicelle, ce qui signifie que le dernier va l'attraper aussi. Elle ne sait plus où donner de la tête. Et toi, qu'as-tu fait ?

Stephanie essaya de trouver un mensonge plausible. Mais tout à coup, cela lui parut trop compliqué.

— Je suis à Las Vegas.

— Quoi ? s'exclama Jean.

De toute évidence, elle croyait avoir mal entendu.

— Je suis à Las Vegas, répéta Stephanie. Je me suis trompée en m'engageant sur l'autoroute. Et comme je n'avais pas envie de rentrer chez moi, je suis venue ici.

Les mots n'étaient guère convaincants, mais il lui était impossible de s'expliquer davantage. Ses amis n'avaient aucune idée de ce qu'était sa vie désormais. Elle n'avait plus de but, nulle part où aller, rien de spécial à faire. Pas d'enfants, pas de mari, pas de travail. Même le foyer où elle travaillait comme bénévole n'avait pas besoin d'elle en ce moment. Elle n'était utile à personne. Sa vie n'avait plus de structure pour la soutenir.

— Tu es allée jouer au casino ? demanda Jean, choquée.

— Non, pas vraiment. J'ai juste essayé une machine à sous et fait deux parties de black-jack. J'ai fait aussi un peu de shopping, et aujourd'hui je suis allée me promener au Grand Canyon. J'avais toujours eu envie de le voir. C'est magnifique.

— Mais... tu avais prévu de faire tout cela ? Tu aurais dû nous en parler !

— Non, je n'avais rien prévu. Juste des coups de tête.

Jean se sentit soudain désolée pour son amie. Elle savait que Bill n'avait pas été un mari idéal, mais il était solide comme un roc, et il représentait un point de repère pour Stephanie. À présent, celle-ci était comme un bateau à la dérive. Las Vegas était bien le dernier endroit où elle l'imaginait seule. Pour le Grand Canyon, c'était différent, Stephanie avait toujours aimé la nature. Mais elle avait l'air perdue.

— Ma pauvre chérie. Tu te sens bien ? Veux-tu que je t'envoie l'avion ? Nous demanderons à quelqu'un de ramener ta voiture à la maison. Un des garçons d'écurie pourrait s'en charger.

— Non, je m'amuse bien. Ce soir, je vais écouter de la musique country, ajouta-t-elle d'une voix un peu plus enjouée.

— Seigneur ! Maintenant je vais être vraiment inquiète. Au nom du ciel, pourquoi veux-tu faire une chose pareille ?

— J'ai rencontré Chase Taylor par hasard, sur un chemin de randonnée dans le Grand Canyon. Il m'a offert deux billets pour son concert.

Il y eut une longue pause. Finalement, Jean se mit à rire.

— Si je me souviens bien, ce Chase est un type superbe. Encore mieux que le Grand Canyon. Attends une minute, Stephanie. Tu as une aventure avec lui ?

— Bon sang, non ! Tu es folle ! Nous nous sommes rencontrés sur le chemin, et je ne savais même pas qui il était. Il m'a gentiment offert deux billets, et, pour être franche, je ne vois pas ce qui m'oblige à rentrer chez moi ce soir. Je reprendrai la route demain. Une escapade de deux jours, ce n'est pas la mer à boire. Cela me fait du bien de réagir spontanément, de saisir les occasions qui se présentent.

— Je suis d'accord, mais seulement à condition que tu couches avec Chase Taylor. Tu as ma bénédiction, ce type est extraordinaire.

— Arrête tes bêtises. Il doit avoir une douzaine de petites copines, comme toutes les stars. Je ne l'avais pas reconnu jusqu'à ce que je voie son nom sur les billets.

— Tu es désespérante, Steph. Même moi, je sais qui est ce gars. Merde, il est super mignon et tu es libre, ma chérie. Fonce ! Il n'y a pas que les hommes qui ont le droit de prendre du bon temps !

Elle pensait à Fred, naturellement. Dix ans plus tôt, Jean avait eu une liaison avec un joueur de golf professionnel, mais cela avait été sa seule incartade. Elle redoutait les tracas que cela pouvait engendrer et préférait se consacrer à dépenser l'argent de son mari.

— Je ne vais pas coucher avec lui, Jean. Je suis sûre qu'il n'en a pas envie, et moi non plus. C'est juste son concert qui m'intéresse. Après quoi, je regagnerai sagement ma chambre et je prendrai la route demain matin.

— Comme tu veux... En tout cas, ta nouvelle vie m'a l'air intéressante.

Stephanie fut étonnée par le ton approbateur de son amie. Elle avait pensé que Jean serait horrifiée, mais ce n'était pas du tout le cas. Loin de là.

— Tu sais, dès demain soir, je défais ma valise et je mets une lessive en route. Ma vie n'est pas si exotique que ça.

— Suis mon conseil : ne te presse pas pour rentrer.

— Surtout, ne dis pas un mot à Alyson. Elle me prendrait pour une folle.

— Sans doute. De toute façon, elle est trop occupée à appliquer des lotions à la calamine sur les boutons de varicelle des enfants pour parler avec toi au téléphone.

Elles savaient toutes les deux qu'Alyson ne comprendrait pas. Jean avait l'esprit beaucoup plus ouvert : elle avait encouragé Stephanie à rencontrer des hommes, alors qu'Alyson pensait qu'elle allait pleurer Bill pendant des années. C'est ce qu'elle aurait fait si Brad était mort. Jean était plus âgée, plus sage, et surtout plus réaliste. Une liaison avec une star de musique country, c'était exactement ce qu'il fallait pour remonter le moral de Stephanie !

— Appelle-moi demain pour me raconter ta soirée, dit-elle d'un ton suggestif.

Stephanie leva les yeux au ciel.

— Il ne se passera rien, je t'ai dit. Je vais juste assister à un concert !

— Fais un effort, Steph ! À partir de maintenant, je décide de vivre par procuration, à travers toi. Alors, ne sois pas aussi timorée. Si j'ai envie de m'ennuyer, j'ai ma vraie vie pour cela. Amuse-toi, c'est un ordre !

— Je t'appellerai demain, promit Stephanie.

Elle était soulagée par la réaction de son amie. C'était bien, de se sentir soutenue. Elle finit de s'habiller, se maquilla, et enfila ses chaussures à talons aiguilles. Elle arriva à la salle de concert juste à l'heure, et une ouvreuse la guida jusqu'au premier rang en lui chuchotant que son billet lui donnait accès aux coulisses après le spectacle. Chase lui avait donné les meilleures places de la salle et Stephanie se sentit coupable de ne pas avoir utilisé le deuxième billet. Le siège à côté du sien demeura vide.

Comme il lui avait dit de venir à onze heures, elle n'avait pas vu la première partie du spectacle. Quelques minutes après son arrivée, les lumières s'éteignirent et le groupe commença à jouer. Un instant plus tard, l'homme qu'elle avait rencontré sur la piste de randonnée apparut sur scène et entama une de ses chansons les plus populaires. Les spectateurs semblaient enchantés. Il joua des morceaux de country que tout le monde aimait, puis il alla prendre place sur un haut tabouret et joua quelques ballades. Stephanie était fascinée. À la fin du spectacle, le public applaudit en hurlant. Il interpréta encore deux chansons et sourit à Stephanie en la regardant droit dans les yeux avant de quitter la scène. Il l'avait donc vue ! À peine le rideau retombé, un des placeurs vint l'avertir que M. Taylor l'attendait dans les coulisses. Elle était intimidée, mais elle voulait tout de même le remercier pour les billets.

Un peu nerveuse, elle suivit l'homme jusqu'à une petite porte sur le côté de la scène. Il composa un code pour l'ouvrir, et elle pénétra dans un long couloir sombre, à l'extrémité duquel elle distingua un escalier. Elle le gravit et se retrouva à l'arrière de la scène, au milieu des instruments et des techniciens qui remballaient le matériel. Le placeur lui fit traverser la scène et la guida dans un autre couloir, où se trouvaient les loges des artistes. Il frappa à une porte et la fit entrer dans la loge de Chase, où se pressait déjà une foule de gens. Chase portait encore son costume de scène, une chemise à carreaux rouges et noirs trempée de sueur. Il parut enchanté de la voir.

— Ah, Stephanie ! Content que vous soyez venue ! s'exclama-t-il avec un grand sourire. J'espère que le spectacle vous a plu, ajouta-t-il avec un soupçon de timidité.

— J'ai adoré ! avoua-t-elle, radieuse. Je vous ai trouvé fantastique. Je me suis sentie idiote en voyant votre nom sur les billets tout à l'heure, dans ma voiture. Je ne vous avais pas reconnu. Je suis désolée. Je ne m'attendais pas à rencontrer une grande star sur un chemin de randonnée !

— C'est mieux ainsi, dit-il avec modestie.

Il la présenta alors à une très jeune femme, blonde, très belle, qui se tenait juste derrière lui. Stephanie reconnut une des chanteuses qui l'accompagnaient, et elle supposa aussitôt qu'elle était sa petite amie. Malgré sa silhouette pulpeuse, elle avait un air enfantin et ne semblait pas avoir plus de dix-huit ans.

— Voici Sandy, ma protégée.

La jeune fille sourit à Stephanie, ce qui la fit paraître encore plus jeune.

— Un jour, elle deviendra une grande chanteuse. Nous la formons pour cela, dit-il fièrement.

« Protégée » était certainement un autre mot pour « petite amie », songea Stephanie. Chase avait environ trente ans de plus que Sandy, mais elle n'était pas vraiment étonnée, étant donné le milieu dans lequel il évoluait et le succès qu'il connaissait. Cela lui fournissait au moins une excuse, contrairement à Fred, qui n'aimait les femmes très jeunes que parce qu'elles étaient sexy. La fille posa sur lui un regard d'adoration, puis elle s'éloigna.

Il y avait au moins une douzaine d'autres personnes dans la loge, et la plupart faisaient partie de son groupe. Stephanie reconnut ses six musiciens et les deux chanteuses, Sandy et Delilah. Cette dernière avait une dizaine d'années de plus que Sandy, et une voix sublime. Stephanie était très impressionnée. La simplicité et le naturel de Chase lui plaisaient beaucoup. De plus, la musique qu'il composait était excellente, sa voix vous allait droit au cœur. Il avait un immense talent, et sur scène il était impressionnant. Stephanie était contente d'être restée pour le voir, même si elle n'avait pas l'habitude de faire ce genre de choses.

— Vous voulez dîner avec nous ? lui demanda-t-il quelques minutes plus tard. Je vous préviens, ils sont incapables de digérer une nourriture normale, ils ont tous été élevés au maïs. Ils n'aiment que les grills, mais j'en connais un pas trop mauvais sur le Strip. Venez, ça me fera vraiment plaisir, ajouta-t-il d'une voix chaleureuse.

Stephanie hésita. Elle ne voulait pas s'imposer, mais l'invitation était tentante. Les musiciens formaient un groupe sympathique et n'arrêtaient pas de plaisanter et de taquiner Chase. Le concert s'était bien déroulé, ils étaient de bonne humeur et s'étaient tous montrés agréables quand Chase l'avait présentée.

— Vous avez un surnom ? lui demanda-t-il.

— Non.

— Stevie, ça vous irait ?

La suggestion la fit rire, mais dans ce groupe, « Stevie » semblait plus adapté que « Stephanie », en effet.

— Je prends, dit-elle.

— Parfait. Je vais prendre une douche, et nous pourrons aller dîner. Tu viens, Squirt ? lança-t-il à Sandy, qui parlait avec l'un des musiciens.

La fille fit oui de la tête, avec un sourire en coin.

— Et Bobby Joe ?

— Il vient aussi. Il est au casino, je vais le chercher.

Chase leva les yeux au ciel.

— Il pourrait quand même assister au concert. Ce serait la moindre des choses. Ce n'est pas parce qu'il joue en première partie qu'il doit passer le reste de la soirée au casino ! s'exclama-t-il, exaspéré.

Sur ces mots, il disparut dans la salle de bains. Il en émergea dix minutes plus tard, les cheveux mouillés, vêtu d'un débardeur et d'un jean déchiré. Il avait jeté une chemise bleue à carreaux sur son épaule et portait les bottes de cow-boy en lézard noir qu'il avait sur scène. Bref, il avait tout à fait l'allure d'une star de rock.

Ils furent escortés jusqu'au bus par le service de sécurité de l'hôtel. Stephanie fut étonnée par le luxe qu'elle découvrit à l'intérieur du véhicule. La décoration évoquait celle d'un yacht, avec des cloisons en lambris sombres, des sièges en cuir souple, une moquette épaisse, et de beaux tableaux. Le mobilier sobre et moderne, rehaussé d'incrustations en crocodile, avait été dessiné spécialement pour le bus. Celui-ci comprenait une cuisine, une salle de bains et une chambre avec un lit *king size*. Chase préférait l'autobus à tout autre mode de transport, car il lui offrait un confort exceptionnel et lui permettait de voyager en toute discrétion. Il pouvait faire tout ce qu'il voulait à bord. Il y avait même un piano dans le salon.

Quand ils grimpèrent à l'intérieur, Chase regarda autour de lui et demanda où était Sandy. Delilah lui répondit qu'elle était partie au casino, à la recherche de Bobby Joe. Delilah ne passait pas trop de temps avec Sandy en dehors du travail. Mariée et mère de famille, elle n'avait pas les mêmes préoccupations que la jeune fille.

— Seigneur. Avec ces deux-là, j'ai toujours l'impression d'être un enseignant de maternelle ! gémit Chase.

Des rires fusèrent autour de lui. Quelques minutes plus tard, Sandy apparut, accompagnée par un grand garçon dégingandé et couvert de tatouages, aux cheveux rouge vif.

— Désolée, mais il était en train de gagner, expliqua Sandy pour excuser leur retard.

Bobby Joe s'affala dans le canapé à côté de Stephanie et étira ses longues jambes. Elle devina à son expression arrogante qu'il admirait Chase, mais le jalousait. Il voulait devenir Chase un jour, mais en attendant il devait se contenter de jouer en première partie de son show. Il avait une vingtaine d'années, et un accent encore plus prononcé que Chase et Sandy. Il dit à Stephanie qu'il était du Mississippi, qu'il suivait Chase en tournée depuis un an, et qu'avant cela il avait joué avec un autre groupe. De leur côté, les musiciens parlaient du concert et de quelques petits détails qu'ils voulaient changer dans la répétition du lendemain. Quand ils partirent enfin dîner, tout le monde l'appelait Stevie, comme s'ils la connaissaient depuis toujours. De toute évidence ils adoraient tous Chase, sauf peut-être Bobby Joe, sur lequel Sandy veillait comme un chien de berger. Il était arrogant avec elle aussi, puis l'embrassait passionnément devant Chase.

— OK, Bobby, ça suffit. Ne t'épuise pas avant le dîner, dit Chase en descendant de l'autobus.

Sa réaction détachée intrigua Stephanie. Elle ne put s'empêcher de le questionner alors qu'ils entraient dans la salle et que Charlie, le batteur, demandait une table.

Chase était connu dans l'établissement et fut fort bien accueilli par le personnel. On leur donna une grande table au fond de la salle pour qu'ils soient plus tranquilles, même si les fans de Chase finissaient toujours par le repérer.

— Cela ne vous agace pas ? demanda-t-elle en prenant place sur la banquette à côté de lui.

— Quoi donc ? répondit-il, perplexe.

— Bobby Joe, avec Sandy.

— Non, à condition qu'elle ne se retrouve pas enceinte et incapable de travailler pendant un an. S'il fait ça, je ne réponds pas de mes actes. Mais il a vingt-cinq ans et j'espère qu'il est assez malin pour gérer la situation. Sandy n'est qu'un bébé et elle est folle de lui. Mais elle a dix-huit ans, et je ne peux rien faire. De toute façon, il faut bien qu'elle s'amuse un peu. Son père me l'a confiée il y a trois ans, avant de mourir. Elle n'avait que quinze ans, et depuis je suis son tuteur. Comme elle a perdu sa mère à deux ans, elle n'a plus que moi dans la vie. Grâce au ciel, elle sait chanter, sans cela je ne saurais pas quoi faire d'elle. Mais je peux vous dire que c'est une drôle de responsabilité, d'élever l'enfant d'un autre. Je suppose qu'après ses vingt et un ans elle volera de ses propres ailes. En attendant, elle doit me rendre des comptes, dit-il d'un air grave.

Voyant le sourire de Stephanie, il ajouta :

— Je suis sérieux. Ce n'est pas facile. Surtout avec une fille.

— Je sais. J'en ai deux. Plus un fils. Je croyais qu'elle était votre petite amie, et je me disais que Bobby Joe avait du cran de l'embrasser sous vos yeux.

Chase éclata de rire.

— C'est une blague ? Vous me prenez pour un pédophile ? Elle a peut-être dix-huit ans sur ses papiers d'identité, mais dans sa tête elle n'en a que quatorze. Parfois douze. Ou même deux. Je ne sors pas avec des gamines qui pourraient être mes filles. Ou même ma petite-fille, dans ce cas précis. J'ai quarante-huit ans, et la dernière chose dont j'aie besoin, c'est une fille de dix-huit ans dans mon lit. Cela me tuerait, c'est sûr.

Il riait tout en parlant, et Stephanie sourit, amusée.

— Elle est jolie, mais cela ne fait qu'ajouter aux problèmes. J'ai vécu pendant quatorze ans avec une femme, et nous avons rompu il y a deux ans. Comme elle le disait, nos carrières n'étaient pas compatibles. Dans ce métier, c'est dur d'avoir une relation.

Stephanie se rappelait vaguement qu'il avait été proche d'une autre vedette de musique country et qu'ils avaient enregistré plusieurs albums ensemble. Elle ne se souvenait pas d'avoir entendu parler d'une rupture.

— J'ai épousé ma petite amie du lycée à dix-sept ans,

et nous avons eu un enfant l'année suivante. Mon fils a trente ans, et il a eu l'intelligence de ne pas faire le même métier que moi. Il dirige une société de bâtiment à Memphis. Il n'avait que deux ans quand sa mère et moi avons divorcé. Elle s'est remariée et a eu tout un tas de gosses. Pas moi. Je ne me suis soucié que de ma carrière. Cela me convient mieux que le mariage. Et depuis ma rupture avec Tamra, j'ai fait une pause, en quelque sorte. Notre relation devenait pesante. Elle a même intenté un procès contre moi, au sujet de morceaux que nous avions composés ensemble. Je n'ai pas besoin de ce genre de soucis.

— Je suis intriguée... Comment faites-vous pour rester quelqu'un de normal ? demanda Stephanie après qu'ils eurent commandé des hamburgers et des frites.

Les deux musiciens assis face à eux étaient en train de se chamailler au sujet d'un arrangement musical et ne leur prêtaient aucune attention.

— Je ne sais pas. Je n'aime pas trop les gens centrés sur eux-mêmes. Donc j'essaie de ne pas l'être moi-même. D'autre part, vous pouvez être une star un jour et tomber dans l'oubli le lendemain. Il vaut mieux rester simple. Tamra était la plus grande star de nous deux ; je me contentais de suivre, dans son sillage.

En vérité, c'était lui, la vraie star. La carrière de sa compagne avait calé après leur séparation. La modestie de Chase, ses manières simples et réservées impressionnaient Stephanie. Ils se mirent ensuite à parler avec les deux musiciens, et Chase régla la question de l'arrangement. Celui-ci lui plaisait tel qu'il était.

— Inutile de réparer ce qui n'est pas cassé, leur dit-il.

Cet adage plaisait à Stephanie. Le mieux était l'ennemi du bien.

Au bout d'une heure, le groupe rentra à l'hôtel. Chase la raccompagna jusqu'à l'ascenseur. Stephanie ne l'invita pas à monter ni ne proposa de prendre un verre au bar. Visiblement, il était fatigué. Chanter sur scène exigeait beaucoup d'énergie.

— Que faites-vous demain ? s'enquit-il avec un sourire. Vous retournez à San Francisco ?

— Oui, il faut que je rentre, dit-elle sans trop savoir pourquoi.

— Pour quoi faire ?

Il savait à présent que ses enfants n'étaient plus à la maison et qu'elle n'avait pas de travail.

— Vous pourriez rester un jour de plus. Nous, nous jouons encore deux soirs ici, ensuite nous retournons à Nashville. Cela ne vous dirait pas de faire un tour dans le désert, demain ? C'est très beau, je vous montrerais... La répétition ne commence qu'à six heures, j'ai tout le temps. Qu'en pensez-vous ?

Il la fixa d'un air suppliant. Elle eut une hésitation, puis accepta en hochant la tête. Pourquoi pas ? Elle était bien, avec lui. Il ne semblait pas vouloir la séduire, juste devenir son ami, ce qui lui convenait parfaitement. Elle ne se sentait pas harcelée.

— D'accord. Après tout, puisque je suis venue jusqu'ici, je peux aussi bien rester un jour de plus, dit-elle comme pour se convaincre elle-même qu'elle prenait la bonne décision.

— Super, Stevie. Vous savez ce qu'on dit ? *Carpe diem*. Il faut saisir l'occasion. Savoir savourer le moment présent, profiter de la vie. Nul ne sait ce qui peut arriver demain. Il n'y a qu'aujourd'hui.

Après la mort de Bill, elle le savait mieux que personne. Elle connaissait l'expression *Carpe diem*. C'était du latin. Mais elle n'avait jamais pensé que ce conseil pouvait lui être destiné.

— Je vous appellerai vers dix heures, et nous déciderons de ce que nous voulons faire. J'ai une voiture, nous sommes libres.

L'idée de passer toute une journée à se promener avec Chase Taylor lui plaisait. Qui aurait cru que ce gars aux cheveux longs rencontré par hasard sur une piste de randonnée du Grand Canyon était une star de country ? Et surtout, qu'ils deviendraient amis ?

Chase avait raison, il fallait savoir saisir les occasions au vol.

Carpe diem.

8

Quand Chase vint la chercher le lendemain matin à dix heures et demie, il avait déjà une idée derrière la tête. Il l'attendait dans une Mercedes, près d'une porte latérale où personne ne pouvait le remarquer. Il lui parla aussitôt de la réserve de Moapa River des Indiens Païutes. C'était à une quarantaine de kilomètres de Las Vegas.

— À l'origine, c'était une concession de deux millions d'acres, lui expliqua-t-il. À présent, ils n'en ont plus que mille. Il n'y a pas grand-chose à voir, juste un casino et quelques magasins. Mais j'ai rencontré un homme, une sorte de sorcier, ou de chaman. C'est quelqu'un d'une grande spiritualité. Je me suis dit que vous aimeriez faire sa connaissance.

Ils prirent la direction du nord. L'autoroute 15 traversait le désert, et Stephanie regardait le paysage, subjuguée. Arrivés à la réserve, ils descendirent de voiture et firent quelques pas. L'endroit était lugubre, entouré de hautes falaises de grès. Chase la conduisit ensuite jusqu'à la petite maison en ruine du sorcier, à l'extérieur du village. Il lui présenta Stephanie. L'homme lui dit alors qu'elle avait un long chemin à parcourir, sur une route nouvelle.

— Est-ce que vous lui aviez parlé de moi ? demanda-t-elle à Chase d'un air soupçonneux.

Il jura qu'il n'avait rien révélé. Sur ce, le sorcier ajouta qu'elle devait ouvrir les yeux pour voir le nouveau chemin qui s'ouvrait devant elle et renoncer à son ancienne vie. Ensuite, il dit à Chase qu'il devait ouvrir son cœur, que celui-ci était fermé depuis trop longtemps. Probablement depuis son enfance. Ils parlèrent encore un moment, puis Chase le remercia et lui glissa quelques billets dans la main avant de partir.

— Cet homme était un peu effrayant, remarqua Stephanie.

Il y avait chez le sorcier quelque chose de très profond et de spirituel, et Chase admit avoir été impressionné lors de leurs premières rencontres. Il aimait le contact des personnes originales qui évoluaient hors des sentiers battus.

— Les chamans sont des gens très spéciaux, reconnut-il.

— Ce qu'il a dit sur vous est vrai ? Votre cœur est fermé ?

— Oui, je pense qu'il a raison, avoua Chase sans quitter la route des yeux. Sauf à la musique. Je ne crois pas avoir vraiment aimé quelqu'un, depuis mon mariage à dix-sept ans. J'aimais Tamra, mais c'était compliqué. Notre relation était très liée à notre carrière. C'est une femme dure, centrée sur elle-même. Ce métier est comme cela, c'est chacun pour soi. Les gens sont prêts à écraser n'importe qui pour arriver au sommet de la gloire. Cette mentalité détruit les âmes.

— Je n'ai pas l'impression que votre âme soit morte... Loin de là.

— J'attache peut-être moins d'importance à ma carrière que les autres. J'ai eu de la chance. J'aime ce que je fais, mais pas au point d'écraser quelqu'un pour cela, ou de renoncer à ce que je suis. Je ne suis pas prêt à consentir les mêmes sacrifices que certains. Je veux bien travailler comme un fou, mais je n'irai pas jusqu'à vendre mon âme au diable. Et vous ? Qu'allez-vous faire de votre vie, maintenant ?

— Je ne sais pas. Jusqu'à présent, je ne me posais pas la question. J'étais sur une route que je pensais suivre toute ma vie. J'avais oublié que les enfants allaient grandir et je me voyais mariée pour toujours. L'idée que mon mari pouvait mourir avant que nous ne soyons devenus très vieux ne m'avait jamais effleurée.

— Vous étiez heureuse avec lui ?

— Au début, oui. Ensuite, je confesse que nous nous sommes un peu perdus en route. J'étais très occupée avec les enfants, et lui ne pensait qu'à sa carrière. Il travaillait trop. Quand nous nous retrouvions le soir, nous étions toujours fatigués. L'enthousiasme peu à peu s'est évanoui, le désir s'est émoussé.

Elle prit une brève inspiration avant de poursuivre :

— Et puis, il a eu une liaison. Cela a fini de balayer les miettes de notre relation, dont il ne restait déjà plus grand-chose.

Stephanie n'avait encore jamais énoncé cela à haute voix, même pas quand elle en parlait avec Bill.

— Quand j'ai découvert son infidélité, nous nous sommes séparés pendant deux mois. Sa maîtresse est retournée vivre avec son mari, Bill est revenu vers moi, et ce n'est pas allé plus loin. Mais notre relation n'a plus été la même. C'était il y a sept ans. Jusque-là, je ne m'étais pas rendu compte à quel point notre mariage était vide. La passion s'était éteinte depuis belle lurette. C'est probablement pour cela qu'il a eu cette liaison… il devait avoir envie de se sentir vivant de nouveau. Nous aurions dû divorcer, je pense. Mais je ne voulais pas, à cause des enfants. Donc, nous sommes restés ensemble. Mais nous n'avons plus été heureux, après ça. Les jours se suivaient, plus ou moins mornes. La

magie avait disparu. Notre relation ressemblait à un job.
Je ne m'en suis aperçue que lorsqu'il n'a plus été là.
Depuis la mort de Bill, elle ne cessait d'y réfléchir.

— C'est la raison pour laquelle je ne me suis jamais
remarié, dit doucement Chase. Je ne voulais pas d'une
relation médiocre. Je voulais le merveilleux ou rien.
Je ne suis plus jamais retombé amoureux. Je suppose
que c'est ce que le chaman a voulu dire. Mais dans ce
métier, il est difficile de rencontrer quelqu'un. Les gens
ont des ego surdimensionnés. Et certains cherchent à
vous utiliser pour atteindre leur but. Il ne reste pas
beaucoup de place pour le cœur.

Ce devait être vrai, surtout pour quelqu'un comme
lui. Chase était une star, et tout le monde avait quelque
chose à lui demander.

— On finit par s'y habituer, reprit-il. Je sais que ce
n'est pas dirigé contre moi, mais je ne me laisse plus
avoir. Autrefois, j'étais naïf. Avec l'âge, je me méfie. Il
le faut, dans ce métier comme dans la vie. Sinon, vous
vous faites marcher dessus. Mais ce qui vous arrive, à
vous, est intéressant. C'est un peu une deuxième naissance. Vous pouvez effacer le passé et repartir de zéro,
avec des millions de nouvelles opportunités.

Stephanie hocha la tête, consciente qu'il avait raison.

— Je ne sais pas, avoua-t-elle cependant. Des millions d'opportunités peut-être, mais concrètement...
que puis-je faire ? J'aimerais trouver un job, mais quoi ?
Je n'ai pas travaillé depuis des années, et, contrairement
à vous, je n'ai pas de talent.

— Qu'aimez-vous faire ?

— Je ne sais pas. Recevoir des gens. M'occuper de
la maison. Fabriquer des costumes pour Halloween.
Chanter, même si je ne suis pas très douée. Autrefois,
j'écrivais des poèmes et des nouvelles, mais à quoi cela
peut-il servir ? En ce moment, je suis bénévole dans

un foyer pour adolescents. Les gens qui le dirigent ne sont pas très bien organisés et j'ignore quand ils feront de nouveau appel à moi. Aussi, j'ai du mal à faire des projets. Mais j'aime bien cette activité. Ces enfants ont vraiment besoin d'aide. Contrairement aux miens, qui sont grands et volent de leurs propres ailes maintenant.

— Vous leur êtes probablement plus nécessaire que vous ne le croyez. Dans le cas contraire, c'est que vous avez bien travaillé et les avez rendus autonomes, ajouta-t-il avec simplicité.

— Oui. C'est plutôt moi qui ai besoin d'eux. Mais ils sont un peu difficiles en ce moment. Leur père faisait à peine attention à eux, mais depuis qu'il est mort ils le considèrent comme un saint et semblent me reprocher sa mort.

— Cela leur passera. C'est sans doute un passage obligé pour faire leur deuil.

— Peut-être, mais c'est dur à supporter. Qu'ils aiment leur père, c'est une chose. J'ai tout fait pour cela, en le leur présentant comme un héros. Mais à présent, ils ont l'air de dire que c'était lui qui faisait tout ce qu'en réalité je faisais moi-même. Mes filles semblent même regretter que je ne sois pas morte à sa place.

Elle était si à l'aise avec lui qu'elle lui avouait certaines choses qu'elle n'aurait jamais dites devant quelqu'un d'autre.

— À mon avis, Stevie, elles sont juste en colère parce que leur père est mort. Vous ne croyez pas ?

— Peut-être... Je lui en ai terriblement voulu, moi aussi, reconnut-elle. Je lui pardonne son infidélité et, pour me remercier, il fait en sorte de mourir et de me laisser vivre seule le reste de mes jours ! Je me retrouve comme une âme en peine, dans une maison toute vide et silencieuse. Il n'était pas souvent là quand il était vivant, mais au moins je savais qu'il allait rentrer le soir.

— Apparemment, il n'était pas vraiment là, même lorsqu'il finissait par rentrer, fit remarquer Chase. Et vous n'allez pas rester seule toute votre vie. Pas jolie comme vous l'êtes. Vous êtes encore jeune. Bon sang, vous avez mon âge !

Ils rirent ensemble, et Chase reprit :

— Vous êtes seule temporairement. Et vous pouvez faire tellement de choses ! Travailler, aller vivre dans une autre ville, rencontrer de nouveaux amis. Le monde entier s'offre à vous. C'est ce que voulait dire le chaman, il faut ouvrir les yeux et découvrir de nouveaux chemins. De toute façon, il me semble que vous aviez fait le tour de votre ancienne vie. Sans vouloir vous offenser, votre histoire avec votre mari était terminée, même si aucun de vous deux ne voulait le reconnaître. Il vous faut juste un peu de temps pour prendre de nouveaux repères.

Il disait la vérité, même si cela était un peu effrayant.

— Je trouverai peut-être un job de croupière à Las Vegas, dit-elle avec un sourire triste.

— Pourquoi pas chanteuse dans un groupe de country ? Vous avez une belle voix ?

Elle rit.

— Pas assez belle.

La conversation s'orienta alors sur Sandy, et Stephanie fit remarquer qu'elle avait une voix sublime. Chase lui expliqua qu'il était un maître exigeant : il voulait lui enseigner toutes les ficelles du métier.

Puis il reprit, d'un air un peu coupable :

— En réalité, la pauvre petite aurait plus besoin d'une mère que d'un coach pour sa voix. Elle traîne dans les coulisses des salles de concert depuis son plus jeune âge. Après la mort de sa mère, son père l'emmenait partout. En répétition, en tournée. Et maintenant, je fais comme lui. Elle a grandi avec une guitare et un micro dans les mains. Certes, cela donne des résultats. Je pense qu'elle réussira un jour. C'est excitant, de la voir progresser sans cesse. Et puis c'est une fille adorable. J'essaye de l'endurcir un peu. Elle tombe sans cesse amoureuse de types comme Bobby Joe. Ce gars n'éprouve rien pour elle. Elle lui tient compagnie pendant la tournée, et il la considère comme un moyen de rester en contact avec moi. Mais s'il lui fait du mal, il se retrouvera dehors avant d'avoir compris ce qui lui arrive. Il n'a pas autant de talent qu'il le croit. Son succès ne sera qu'un feu de paille, basé sur un peu de sex-appeal et une voix moyenne. Sandy, au contraire, c'est de l'or. Elle est très douée. Un jour, elle aura un disque de platine. Je ferai tout pour cela.

Apparemment, il prenait très au sérieux son rôle de protecteur et de mentor. Stephanie était impressionnée. Elle ressentait exactement la même chose pour ses enfants, mais Sandy n'était pas la fille de Chase. Elle n'était que sa pupille, et seulement depuis ses quinze ans.

Ils s'arrêtèrent pour déjeuner dans un restaurant qu'il connaissait, en plein désert. Là, au moins, il ne serait pas harcelé par des fans. En ville, les gens venaient toujours lui demander des autographes... Il ne s'en plaignait pas. Mais il avait envie de passer un moment tranquille avec Stephanie. Il aimait discuter avec elle. Et elle éprouvait la même chose. Leurs idées se rejoignaient sur un grand nombre de sujets, bien qu'ils aient eu des cheminements très différents. Chase avait une plus vaste expérience de la vie. En comparaison, Stephanie avait mené une existence très protégée. Chase se battait dans le monde impitoyable de la musique depuis des années. Mais il était resté simple, fidèle à lui-même. L'approcher, parler avec lui, était une expérience extraordinaire. Stephanie admirait son humilité.

Il était cinq heures de l'après-midi quand il la ramena à l'hôtel. Il lui dit qu'il allait nager et faire de l'exercice avant la répétition. Stephanie, elle, voulait faire un peu de shopping ; elle avait repéré quelques magasins intéressants. Les tentations étaient innombrables à Vegas, et elle n'avait pas acheté de vêtements depuis très longtemps. Alors que Jean comblait le vide de sa vie en multipliant les achats, Stephanie portait des habits vieux de cinq ans et ne pensait jamais à s'en offrir de nouveaux. Toutefois, les boutiques de Vegas avaient attiré son attention.

— Merci pour cette merveilleuse journée, dit-elle en souriant.

— Hier était un jour de chance pour moi, répondit-il. Je suis allé au Grand Canyon pour me changer les idées, et devinez qui j'ai rencontré !

— Je peux en dire autant, dit-elle, touchée par la gentillesse de ses paroles.

— Vous voulez venir à la répétition ? Vous êtes la bienvenue, bien sûr.

Elle répondit qu'elle viendrait peut-être, et ils se quittèrent dans le hall de l'hôtel. Stephanie monta se rafraîchir et se reposer quelques minutes, puis elle ressortit pour faire un tour dans les galeries. Une heure après le début de la répétition, elle alla retrouver les musiciens. Elle avait renoncé à rentrer chez elle le soir même. Elle avait appelé le foyer pour les prévenir de son absence, mais la secrétaire lui avait répondu qu'elle n'était pas obligée de venir avant deux semaines.

La répétition battait son plein quand elle entra. Chase était en train de chanter une des ballades qu'elle préférait. Sandy descendit de la scène et vint lui prendre la main. Stephanie songea à ce que Chase lui avait dit sur elle, à la présence d'une mère qui lui avait toujours manqué. Avec son jean, son tee-shirt, sa queue-de-cheval et son visage dénué de maquillage, elle avait une allure de petite fille.

— Qu'est-ce que tu as fait aujourd'hui ? chuchota Sandy, les yeux élargis de curiosité.

— Un peu de shopping, répondit-elle d'un air coupable.

Elle lui montra les ballerines en forme de souris qu'elle avait achetées chez Marc Jacobs. Sandy gloussa et dit qu'elle les trouvait adorables.

— Quelle est ta pointure ? Je peux aller t'en prendre une paire demain, si elles te plaisent.

Surprise, Sandy avoua qu'elle faisait du 38, ce qui était aussi la pointure des deux filles de Stephanie.

Après cela, Sandy dut remonter sur scène, et Stephanie s'attarda dans la salle. Chase la rejoignit un instant et la serra dans ses bras. Après deux jours de longues conversations, il la considérait comme une amie. À la fin de la pause, elle repartit, passa chez Marc Jacobs acheter les ballerines pour Sandy, puis regagna sa chambre. Chase l'appela à la fin de la répétition.

— Vous venez ce soir ? demanda-t-il, d'un ton un peu anxieux à l'idée qu'elle réponde par la négative.

— Bien sûr.

Elle était restée à Vegas pour cela.

— Vous préférez rester derrière la scène ou avoir un siège dans la salle ?

— Ce sera sans doute plus drôle derrière la scène.

Une nouvelle expérience. Sa vie était pleine de surprises depuis qu'elle était venue à Vegas et l'avait rencontré.

— Si vous vous ennuyez, vous pourrez attendre dans ma loge, suggéra-t-il.

— Votre concert n'a rien d'ennuyeux, Chase. Je resterai jusqu'au bout.

Elle devenait une grande fan de country.

— Vous ne voulez pas venir une demi-heure plus tôt ? Vous resterez dans la loge avec moi, avant mon passage sur scène. Tout bien réfléchi, venez à dix heures. Nous irons dîner ensuite, si cela ne vous fait rien d'attendre jusque-là.

C'était la vie qu'il menait. Des soirées à n'en plus finir, des dîners à minuit, des répétitions, des chambres d'hôtel. C'était mieux qu'autrefois, quand il était jeune, et qu'il enchaînait les tournées de dix semaines sur les routes, dans un camion avec son groupe. Ils allaient de ville en ville, jour après jour, jouant dans des salles dégoûtantes, avec des loges qui n'avaient pas été nettoyées depuis des années. Maintenant, tout ça était fini ; il était devenu une star. Mais il avait gagné ce statut à force de volonté et d'abnégation.

Ce soir-là, Jean l'appela tandis qu'elle se préparait. Elle voulait savoir ce qui se passait et quand elle comptait rentrer chez elle. Et, au fait, avait-elle couché avec Chase Taylor, ou pas encore ?

— Arrête. Nous sommes juste amis. C'est un gars vraiment bien. Je m'amuse, et je traîne avec le groupe de musiciens...

Elle avait l'impression d'être revenue à l'époque de son adolescence.

— Je repars demain. Si tu veux, on peut déjeuner ensemble vendredi.

— Ah ça oui, je veux ! Il me tarde de te voir ! s'exclama Jean d'un ton de conspirateur.

Stephanie n'avait pas eu de nouvelles de ses enfants depuis des jours, ce qui ne l'étonnait pas. Personne ne savait où elle se trouvait, à part Jean. De toute façon, elle ne leur aurait rien dit. Ils l'auraient prise pour une folle.

Une heure plus tard, Stephanie entrait dans la loge de Chase, un sac de papier à la main. Allongé sur le canapé, le chanteur lisait le journal. Il se leva pour l'accueillir, l'embrassa sur la joue et lui proposa un verre. Mais elle voulait juste s'asseoir et se détendre en sa compagnie. Elle se sentait très à l'aise avec lui, un peu comme avec un vieil ami. Soudain, Sandy fit son apparition. Elle parut heureuse de la voir.

— Bonsoir, Stevie ! Que fais-tu ici ? s'exclama-t-elle, surprise.

Sa réaction fit rire Stephanie.

— Je traîne, répondit-elle en lui donnant le sac.

Sandy eut l'air intriguée. Puis elle poussa un cri de joie en découvrant les ballerines en forme de souris et sauta au cou de Stephanie. Sous le regard attendri de Chase, elle essaya les chaussures. Elles lui allaient parfaitement.

— C'était vraiment gentil de votre part, dit-il quand Sandy fut partie. Je ne fais jamais ce genre de choses pour elle, mais je devrais. Je me contente de lui donner de l'argent et de l'envoyer dans les magasins. Elle aurait vraiment besoin d'une présence féminine dans sa vie. Delilah l'accompagne parfois, mais seulement pour acheter leurs vêtements de scène. Merci, Stevie. J'apprécie beaucoup votre geste.

— Ce n'est pas grand-chose, et cela m'a fait plaisir.

Elle faisait des petits présents comme celui-ci chaque jour, quand ses enfants étaient avec elle. Elle prenait plaisir à distribuer ces attentions, et cela lui manquait.

Chase continua de bavarder avec elle, puis l'emmena derrière la scène. Il lui trouva une chaise sur le côté, et Sandy lui envoya un baiser du bout des doigts avant de gagner sa place sur la scène. Le concert fut encore meilleur que la veille. Elle ne voyait Chase que sur un écran, mais elle l'entendait, et connaissait de mieux en mieux ses chansons.

Après le show, elle le complimenta. Il lui passa un bras sur les épaules en souriant.

— Allons, sortons d'ici. Je meurs de faim.

Il laissa les musiciens aller dîner ensemble et emmena Stephanie dans un délicieux petit restaurant de cuisine cajun. Il avait bon appétit, surtout après s'être produit sur scène. Ils restèrent là, à bavarder en mangeant, jusqu'à trois heures du matin, puis il la reconduisit à l'hôtel.

— Puis-je vous persuader de rester pour notre dernière soirée ? Nous repartons vendredi matin.

— Je suis vraiment devenue une groupie ! s'exclama-t-elle en riant.

Ainsi, il n'eut aucun mal à la convaincre. Stephanie s'amusait beaucoup. Il traversa le hall de l'hôtel avec elle. Les gens le remarquèrent aussitôt, se demandant visiblement qui était la femme qui l'accompagnait. En arrivant devant l'ascenseur, il l'embrassa rapidement sur la joue et disparut avant que ses admirateurs aient pu venir lui demander un autographe. La plupart d'entre eux avaient trop bu à cette heure de la nuit, et il n'était pas d'humeur. Il l'appela quelques minutes plus tard, alors qu'elle entrait dans sa chambre.

— Désolé de vous avoir plantée là, Stevie. Je n'avais pas envie de discuter avec mes fans. Ils sont envahissants parfois.

Elle s'allongea sur son lit, avec le téléphone.

— Aucun problème, Chase. J'ai passé une excellente soirée, merci tout plein. San Francisco va me paraître encore plus sinistre, à présent. Que vais-je faire de mes journées ?

— Venez donc à Nashville. Je vous ferai visiter. Nous avons un enregistrement prévu la semaine prochaine, vous pourrez venir au studio avec nous. Et ce week-end, il y a un concert. Nashville est un endroit formidable. Vous serez notre porte-bonheur.

Pour lui, elle l'était déjà. Tout le monde l'aimait.

— Je ne suis pas sûre que ce soit un vrai job, répondit-elle. J'aurai peut-être un peu de mal à l'expliquer à mon entourage.

— Dans ce cas, ne donnez d'explication à personne. Mais venez.

— J'ai déjà passé deux jours à Vegas. Il faut bien que je rentre chez moi un jour ou l'autre.

Pourtant, elle n'aurait su dire pourquoi elle devait rentrer. Elle était si bien ici, avec les musiciens.

— Nous en reparlerons demain, déclara-t-il d'un ton ferme.

Cela la fit rire. Mais il semblait très sérieux.

— À demain, Stevie. Dormez bien, dit-il d'une voix fatiguée.

Il s'était donné à fond pendant le concert, ce soir. Il se donnait toujours à fond. Sandy avait été excellente, elle aussi. Et à l'instant où elle avait quitté la scène, elle avait enfilé ses ballerines à nez de souris.

— Vous pourriez devenir le mentor de Sandy, ou le mien, ajouta-t-il.

Il aimait passer du temps avec elle.

— Je ne vous apporterais rien que vous ne sachiez déjà.

Chase lui avait semblé être un homme d'une grande sagesse.

— Je ne crois pas que ce soit vrai, Stevie. Vous êtes une femme exceptionnelle. Mais vous ne le savez pas encore. Venez à Nashville, et vous comprendrez.

Elle ne savait pas ce qu'il voulait dire par là, et elle n'avait pas envie de lui poser la question. Leur amitié lui convenait, et elle n'était pas prête à connaître autre chose, que ce soit avec lui ou avec un autre.

Chase avait compris cela dès leur première rencontre. Mais il aimait malgré tout être avec elle. Cela faisait des années qu'il n'avait pas autant apprécié la présence d'une femme.

— Dormez bien, Stevie. Je suis sûr que demain nous réserve de bonnes choses. Je vous appelle dès que possible.

Ils raccrochèrent. Une fois de plus, elle avait passé une journée parfaite.

Elle était si heureuse de s'être fait un nouvel ami.

Et lui aussi.

9

Le jour suivant, ils passèrent la matinée à la piscine, jusqu'au moment où des gens vinrent le harceler pour avoir des autographes. Ils remontèrent alors dans sa suite et commandèrent à déjeuner. Stephanie était impressionnée de voir ses fans le pourchasser partout où il allait. Chase restait aimable, mais c'était un peu usant.

Ils commençaient à peine leur repas que Chase abordait de nouveau le sujet de Nashville.

— Je sais bien que ce n'est pas le genre de choses que vous faites, mais je vous jure que c'est une occasion exceptionnelle. Il y a deux jours de voyage. Moi ou l'un des musiciens, on peut conduire votre voiture. Vous resteriez quelques jours à Nashville. Et pendant que vous y êtes, vous pourriez aller voir votre fils à Atlanta. Allons, Stevie. Nous passons de si bons moments ensemble. Ne repartez pas tout de suite.

Il posa sur elle un regard suppliant, et elle fut touchée. De fait, c'était une occasion unique. Mais cela n'avait aucun sens, dans sa vraie vie. Quel était l'intérêt de suivre un orchestre de musique country de Las Vegas à Nashville, puis de revenir seule vers l'ouest ? Cela représentait un immense détour pour elle. D'un autre côté, elle n'avait qu'une alternative, et celle-ci était déprimante : rentrer chez elle. Pourquoi ne prendrait-elle pas le temps de s'amuser un peu, avant cela ?

Chase fit tout ce qu'il put pour la convaincre. L'idée de rendre visite à Michael à Atlanta était certes séduisante et lui fournissait une bonne excuse pour accepter. Mais ce n'était pas suffisant.

— Je ne sais pas, Chase. En plus, vous aurez du travail en arrivant chez vous.

Il lui avait parlé du nouvel album qu'ils préparaient.

— Oui, mais j'aurai amplement le temps de vous faire découvrir la ville. Et je mettrai les bouchées doubles quand vous irez voir votre fils.

Il essayait de la tenter par tous les moyens.

— À condition qu'il ait envie de me voir. Il a une petite amie qui ne me plaît pas trop, et qui n'est pas folle de moi non plus.

— Une fille du pays ?

Elle acquiesça d'un hochement de tête.

— Ah, une fleur de Géorgie. Je vois. Ce sont les pires de toutes. Douces comme du miel, et elles vous poignardent dans le dos.

La description était si juste que Stephanie éclata de rire.

— Vous savez obtenir ce que vous voulez, Chase, n'est-ce pas ? dit-elle d'un ton grave.

— Je vous ai décidée, alors ? lança-t-il avec un regard d'espoir.

— Presque. Je me demande seulement comment je vais expliquer cela aux autres. Ce genre d'escapades ne cadre pas du tout avec ma vie habituelle.

Mais sa vie normale à présent, c'était la solitude et le chagrin. Elle redoutait de rentrer chez elle, et c'était la première raison pour laquelle elle avait bifurqué vers Las Vegas. Toutefois, en allant à Nashville, elle avait l'impression de pousser l'aventure un peu loin et de mener la vie de quelqu'un d'autre. Pas la sienne.

— Eh bien, ne donnez pas d'explication. À qui en devez-vous, de toute façon ?

— À mon fils, si je débarque chez lui.

— Vous n'avez qu'à lui dire que vous avez rendu visite à une amie. C'est votre droit, tout de même ! Cette explication devrait le satisfaire.

— Oui, peut-être, admit-elle.

Elle posa le menton dans sa main, pensive.

— Je devrais sans doute arrêter de m'inquiéter et juste faire ce qui me plaît. Je ne sais pas pourquoi je ressens le besoin d'expliquer, de me trouver des excuses, de demander la permission. Je n'ai tout simplement pas l'habitude de faire ce que je veux. En plus, ils n'attachent peut-être aucune importance à ce que je fais. Mes enfants sont adultes, et moi aussi.

Elle sourit, légèrement hésitante.

— Très bien, Chase, je viendrai à Nashville. Et un jour, je raconterai à mes petits-enfants que je suis devenue l'amie d'une star de la country et que j'ai suivi son groupe de musiciens jusqu'à Nashville.

Les yeux de Chase s'illuminèrent : il était heureux de remporter cette petite victoire. Bien que ni l'un ni l'autre n'auraient été capables de dire pourquoi, leur rencontre leur paraissait importante.

Chase reprit, l'air soudain préoccupé :

— Vous n'êtes pas inquiète à l'idée de faire seule le voyage de retour ?

Cette idée le tourmentait un peu. Stephanie était une personne indépendante, elle avait une bonne voiture, mais elle n'en demeurait pas moins une femme seule sur les routes.

— Pas du tout, je me débrouillerai.

— Vous pourriez faire ramener votre voiture et prendre l'avion de Nashville à San Francisco, suggéra-t-il.

Stephanie fit un signe négatif de la tête. Ce voyage

était une sorte de défi à relever, et elle réfléchirait tranquillement tout en conduisant. Elle en avait besoin.

— On se relaiera au volant, alors.

— Très bien, si vous y tenez...

Ils bavardèrent encore un moment, puis elle regagna sa chambre. Elle voulait faire quelques achats. Ses bagages comprenaient les tenues nécessaires pour un week-end au Biltmore, mais, si elle se rendait à Nashville, elle aurait besoin de vêtements pour une dizaine de jours. Elle était sur le point de partir faire son shopping quand Chase l'appela et lui proposa de l'accompagner.

— Vous ne craignez pas d'être harcelé par vos admirateurs ?

— Nous verrons bien.

L'idée d'aller dans les boutiques avec elle lui plaisait. De son côté, Stephanie était ravie d'avoir un chevalier servant. Avec lui, tout devenait plus drôle.

Ils partirent à pied et entrèrent dans l'une des immenses galeries commerciales qu'elle avait repérées. Chase portait des lunettes de soleil et une casquette de baseball, ce qui leur permit de traverser deux grands magasins sans se faire remarquer.

Avec lui, cette expédition dans les boutiques devint une véritable aventure. Stephanie éclata de rire en voyant ce qu'il avait choisi pour elle. Une combinaison en soie Stretch rouge garnie de sequins ! Il prétendit que cela mettrait merveilleusement sa silhouette en valeur. Stephanie mit une minute à comprendre qu'il plaisantait. Elle jeta son dévolu sur un jean, un pantalon large en soie et une veste de coton blanche, tandis qu'il s'intéressait à un corsage au décolleté carrément profond et à une minijupe de cuir noir.

— Vous voulez rire ? Je me ferais arrêter pour racolage !

— Non, Stevie, pas à Nashville. Et je suis sûr que cela vous irait très bien.

Stephanie essaya d'imaginer la réaction de Bill s'il l'avait vue dans ce genre d'accoutrement. Ils parvinrent néanmoins à un compromis. Elle choisit une jupe courte en jean avec un petit haut noir et sexy, ainsi qu'une jupe en jean blanc qu'elle pourrait porter avec ses sandales à talons. Si elle avait fait ses achats seule, elle aurait opté pour des vêtements plus discrets et à l'allure moins jeune, mais elle appréciait d'avoir un point de vue masculin pour l'aider dans ses choix. Bill ne l'avait jamais accompagnée dans les boutiques, sauf au tout début de leur mariage. Même à cette époque, il considérait que c'était une corvée, et il avait été heureux de pouvoir y échapper au bout de quelques mois. Toute sa garde-robe était constituée de vêtements de mère de famille respectable : ils ne visaient pas à la rendre sexy, ni même séduisante. Ils étaient simples, pratiques, et classiques. Chase lui fit remarquer qu'elle paraissait quinze ans de moins que son âge, qu'elle avait une silhouette magnifique, et qu'elle devait en profiter.

Un peu perplexe, elle essaya tous ses achats en rentrant à l'hôtel. Ses nouveaux habits lui allaient très bien, mais elle reconnut à peine la femme qui lui faisait face dans le miroir, vêtue d'une minijupe blanche et d'un débardeur rose pâle. Que diraient ses filles, si elles la voyaient ainsi ?

Un peu plus tard, elle appela Jean et lui raconta les derniers événements. L'idée que personne ne savait où elle était ni où elle allait la mettait vaguement mal à l'aise.

— Est-ce qu'il t'a fait des avances ?

— Non, et je ne tiens pas à ce qu'il m'en fasse, répliqua fermement Stephanie.

Elle n'avait pas du tout les mêmes fantasmes que Jean. Et elle ne voulait pas gâcher son amitié avec Chase.

— Pourquoi ? interrogea Jean.

— Parce que... j'ai l'impression d'être encore une

femme mariée. Je le serai peut-être toujours, ajouta-t-elle avec un brin de tristesse.

— J'espère bien que non. Bill n'a pas pensé une minute qu'il était marié, quand il a eu cette liaison.

Jean ne mâchait jamais ses mots.

— C'était différent.

— En effet. Si tu sortais avec ce gars, tu ne tromperais personne. Tu es une femme libre, Steph.

— Depuis moins de quatre mois.

— Eh bien, reste ouverte à toutes les possibilités. Chase semble être quelqu'un de bien.

— C'est vrai. Mais s'il y avait quelque chose entre nous, tout serait gâché. Nous passons juste de bons moments. Et puis, je n'habite pas dans le Tennessee, et sa vie est complètement différente de la mienne. Je ne passerai que quelques jours à Nashville, j'irai à Atlanta pour rendre visite à Michael, et ensuite je rentrerai à la maison.

— Essayes-tu de me convaincre, ou de te convaincre toi-même ?

— Les deux ! admit Stephanie en riant.

— Tiens-moi au courant de tes déplacements. Et amuse-toi bien !

Les deux amies bavardèrent encore quelques minutes avant de raccrocher. Ce soir-là, Stephanie remonta derrière la scène pendant le concert. Cet environnement lui paraissait familier, à présent. Au bout de trois jours, les musiciens commençaient à considérer qu'elle faisait partie de la troupe. Sandy adorait parler avec elle, Delilah lui avait montré ses photos de famille, et Stephanie avait fait de même.

Dans la salle, l'ambiance était survoltée. Le fait de savoir que c'était leur dernier soir à Las Vegas excitait encore plus les spectateurs. Chase demanda à Sandy de chanter en solo, et sa performance fut excellente.

Un peu plus tard, elle confia à Stephanie qu'elle avait gardé les ballerines en pensant qu'elles lui porteraient chance, alors qu'habituellement elle mettait des escarpins à talons pour monter sur scène.

Ils retournèrent dîner dans le même restaurant que le premier soir, et Chase commanda un énorme steak. Il mourait de faim. Tout en mangeant, il lui parla de Nashville.

— La ville va vous plaire, dit-il, les yeux brillants.

Stephanie était impatiente. Elle avait envie de visiter Nashville depuis fort longtemps, mais n'avait jamais mis ce projet à exécution. Aucune raison ne s'était présentée pour la pousser à accomplir ce déplacement.

Après le dîner, les musiciens allèrent ranger leur équipement. Un camion chargé du matériel devait suivre l'autobus, et Chase lui dit qu'ils partiraient à neuf heures le lendemain matin. Stephanie lui promit d'être prête à prendre la route.

Cette nuit-là, excitée à l'idée du voyage, elle eut du mal à s'endormir. Au moment où elle allait enfin sombrer dans le sommeil, elle reçut un message de Charlotte. Elle lui répondit aussitôt, sans lui dire où elle était, ni où elle comptait se rendre. Elle pensait inventer une histoire plausible pour ses enfants. Une ancienne amie d'université à qui elle avait rendu visite... Mais pour l'instant elle ne voulait pas aborder le sujet. De toute façon, Charlotte voulait juste lui dire qu'elle partait à Venise pour le week-end. Stephanie fut contente de savoir que sa fille rentrerait à San Francisco dans quelques semaines, vers la fin du mois de juin. Après lui avoir répondu, elle resta éveillée encore une heure, à se demander ce qu'aurait pensé Bill. Aurait-il approuvé ses agissements ? Et qu'aurait-il fait, si c'était elle qui était morte ? Bien sûr, il aurait eu son travail d'avocat pour le soutenir. Stephanie, elle, n'avait plus rien, en dehors de ses enfants et de son activité bénévole au foyer.

Le lendemain, quand Chase l'appela depuis le hall de l'hôtel, elle était fin prête. Levée depuis sept heures, ses valises étaient bouclées, et elle avait bu son café.

— Partante pour la grande aventure ? lança-t-il pour la taquiner.

Elle avait du mal à croire qu'ils ne se connaissaient que depuis trois jours. Chase lui ouvrait les portes d'un monde nouveau qu'elle appréciait de plus en plus.

— J'arrive ! répondit-elle joyeusement.

Devant l'hôtel, les musiciens embarquaient à bord de l'autobus avec Sandy et Delilah. La jeune fille, qui avait remis ses ballerines neuves, fit un signe de la main à Stephanie.

— Tu devrais leur offrir des vacances, tu vas les user ! s'exclama Chase en désignant les chaussures.

Sandy lui tira la langue, avant de s'engouffrer dans l'autobus. Chase prit le volant de la voiture de Stephanie, et celle-ci s'installa sur le siège passager. Il faisait chaud, et le voyage allait être long. Stephanie avait mis un short, un tee-shirt et des sandales. Chase portait son jean déchiré et un débardeur qui laissait voir tous ses tatouages.

Alors qu'ils franchissaient le Strip pour s'engager sur l'autoroute, il alluma la radio et se mit à chanter de sa voix claire et sonore. Stephanie sourit, ravie d'avoir en quelque sorte un concert privé. Lorsque la voiture fut lancée sur la route et qu'ils eurent laissé le bus loin derrière eux, elle se mit à chanter avec lui. Tout doucement d'abord. Chase fit mine de ne rien remarquer, pour ne pas la mettre mal à l'aise.

— Vous avez une très jolie voix, lâcha-t-il au bout d'un moment.

— J'aime bien chanter, c'est tout.

— En tout cas, vous avez une oreille excellente. Je n'ai pas entendu une seule fausse note. Je devrais vous engager pour chanter avec les filles.

— Oui, c'est cela !

Il se mit à faire défiler les stations de radio pour trouver de la musique country et chanta de plus belle. Elle l'accompagna, quand elle connaissait les chansons. Petit à petit, elle s'enhardit et sa voix s'affermit. Ils s'amusaient bien.

— Vous n'avez jamais pensé à écrire des textes ?

Stephanie secoua négativement la tête.

— Je ne saurais pas.

— Pourtant, vous m'avez dit que vous aimiez écrire. Vous devriez essayer. C'est amusant. Je vous expliquerai comment ça marche. Tout ce qu'il vous faut, c'est quelques couplets et un refrain. Puis vous racontez une histoire, sur qui a aimé qui, qui a brisé le cœur de l'autre, et combien de temps ils ont passé à pleurer ensuite. Vous savez, juste comme dans la vie.

— À vous entendre, on croirait qu'il n'y a rien de plus simple, remarqua-t-elle en riant.

— Mais c'est vrai, je vous assure. Écoutez les ballades.

La plupart des chansons qu'il composait racontaient une histoire émouvante, et les mélodies étaient faciles à retenir.

— Je suis certain que vous en êtes capable, il suffit d'essayer. Bon sang, je parie que je vais faire de vous une chanteuse de country !

— Oh, mon Dieu, c'est une très mauvaise idée. Vous seriez ruiné au bout d'une semaine !

— Peut-être pas, répondit-il en souriant.

Ils traversèrent le Nevada tranquillement, observant de longues périodes de silence. Chase était content de rentrer chez lui. Il lui parla de la maison qu'il avait redessinée quelques années plus tôt, et où il avait installé un studio d'enregistrement. Puis de ses chiens. Sa vie semblait le satisfaire, et il ne se plaignait pas de la solitude.

— Après Tamra, j'avais besoin d'un peu de temps pour moi, expliqua-t-il quand ils abordèrent le sujet. Notre relation était devenue infernale. Mais Tamra est comme cela, c'est une femme passionnée. Un jour, elle a cru que je l'avais trompée et elle a brûlé tous mes vêtements.

Ce souvenir le fit sourire.

— Et c'était vrai ? Vous la trompiez ?

Les tentations étaient nombreuses dans le monde des artistes, et Chase était un très bel homme.

— Pas cette fois-là, avoua-t-il en riant. Mais j'étais un peu fou, quand j'étais jeune. Je me suis calmé après avoir passé quelques années avec elle. Le jeu n'en valait pas la chandelle. Avant elle, je n'étais pas quelqu'un de bien. J'avais trente-deux ans quand nous nous sommes connus, et j'ai commencé à m'assagir après trente-cinq ans. Le problème, c'est qu'elle ne me croyait pas, elle pensait toujours que je la trompais. C'est une personne impétueuse, une tête brûlée. De son côté, elle n'a pas été fidèle non plus. Elle m'a quitté plusieurs fois, mais elle revenait toujours. À la fin, c'est moi qui ai décidé de tout arrêter. Je voulais une vie paisible, et avec elle ce n'était pas possible.

— Pourquoi vous remettiez-vous avec elle chaque fois qu'elle revenait ?

— Elle est très belle, j'avais du mal à lui résister. Mais j'ai fini par comprendre que ce n'était pas assez. J'avais besoin de quelqu'un avec qui discuter. Tamra était trop égocentrique pour écouter ce que j'avais à dire. Elle ne se soucie que d'elle-même. Pourtant, on chantait bien, tous les deux ensemble. Quand j'ai cessé d'enregistrer avec elle, j'ai cru que ma carrière allait en prendre un coup. Mais en réalité, mes albums se vendent mieux depuis qu'elle n'est plus avec moi. Je me trompais en croyant que nos fans avaient une préférence pour elle.

L'autobus les dépassa à plusieurs reprises sur la route. À chaque fois, les musiciens se penchaient à la fenêtre pour leur faire signe, en poussant des cris. Ils avaient sans doute déjà déjeuné dans le bus. Stephanie, elle, avait acheté des sandwichs à l'hôtel avant de partir, afin qu'ils ne soient pas obligés de s'arrêter. Chase mangea le sien tout en conduisant, puis Stephanie lui proposa de le remplacer pour qu'il puisse se reposer, mais il refusa. Bientôt, il ralluma la radio, et elle écouta la musique tout en regardant par la fenêtre. Elle finit par s'endormir. Quand elle s'éveilla deux heures plus tard, ils venaient de dépasser Gallup. Chase lui lança un regard en coin et sourit. Il voulait continuer de conduire jusqu'à la nuit tombée. Il y avait un motel à Elk City, en Oklahoma, où la troupe avait l'habitude de s'arrêter pour la nuit. L'établissement n'était pas luxueux, mais bien tenu.

— Quand vous repartirez pour San Francisco, je vous aiderai à établir un plan de route. Histoire que vous vous arrêtiez dans des endroits corrects, pas dans le genre de gargotes dont nous nous contentons pendant nos déplacements. Vous savez, je pourrais écrire un guide des pires hôtels du monde…

Ils venaient d'atteindre Albuquerque, au Nouveau Mexique. Stephanie avait l'impression de suivre une leçon de géographie. Elle aurait aimé visiter la ville, mais ils n'avaient pas le temps. Chase l'avait bien prévenue qu'ils allaient rouler quatorze heures par jour. Et ce, pendant deux jours d'affilée. Le voyage aurait été plus confortable dans l'autobus, car ils pouvaient s'allonger sur les canapés, manger dans la cuisine, utiliser la salle de bains, et marcher pour se dégourdir les jambes. Mais Stephanie aimait bien se retrouver seule avec Chase dans la voiture. À bord de l'autobus ils auraient été obligés de faire la causette avec les autres. Tandis que là, elle avait Chase pour elle toute seule.

Le soir, ils s'arrêtèrent pour dîner à Amarillo, au Texas. Les musiciens avaient tous l'allure un peu défaite, après la journée de voyage. Ils avaient regardé des films sur l'écran géant du salon, et Sandy avait dormi dans la chambre de Chase. Elle était la seule à avoir la permission d'utiliser sa cabine.

Après le dîner, quand ils sortirent du restaurant, Chase passa un bras sur les épaules de la jeune fille. Il était affectueux et paternel. Mais aussi sévère quand il pensait devoir l'être. En montant dans le bus, il dit à Sandy d'aller se coucher et de dormir. Ils devaient enregistrer dès leur retour à Nashville, et il ne voulait pas qu'elle arrive fatiguée.

Il discuta quelques minutes avec le conducteur de l'autobus, pour confirmer l'endroit où ils feraient étape pour la nuit. Pendant qu'il parlait, Alyson appela Stephanie sur son téléphone mobile. C'était la première fois de la semaine qu'elle se manifestait, ce qui jusque-là avait bien arrangé Stephanie.

— Oh, mon Dieu, Steph, je suis désolée. Les enfants étaient malades, j'ai vécu l'enfer. La varicelle s'est déclarée le soir où nous sommes rentrés de week-end. Ils sont couverts de boutons, et je suis sûre que le petit va l'attraper.

Henry, son dernier, n'avait que deux ans.

— Je n'ai pas mis le nez dehors depuis notre retour avec cette histoire. Mais toi, comment vas-tu ?

— Très bien, répondit Stephanie d'une voix enjouée. Mieux que toi, en tout cas...

— Qu'as-tu fait depuis notre retour ?

— Eh bien, grande nouvelle : je pars à Atlanta, rendre visite à Michael et à une vieille copine de faculté.

— Ah, mais c'est super ! Cela te fera du bien. Ça faisait si longtemps que tu ne sortais plus...

— Oui... Je viendrai te voir dès que je serai rentrée, promit Stephanie.

— Donne le bonjour à Michael. Tu pars quand ?

— Bientôt, répondit Stephanie d'un ton vague en voyant Chase revenir vers elle et le bus démarrer. Je t'appellerai.

Elle raccrocha vivement pour qu'Alyson n'entende pas la voix de Chase. Mais ce dernier était prudent. Il ne savait pas à qui elle parlait.

— Tout va bien ? s'enquit-il lorsqu'ils remontèrent en voiture.

Il leur restait encore quelques heures de route avant d'arriver à Elk City, où ils avaient prévu de passer la nuit.

— Oui, oui. Je parlais à Alyson, une de mes deux meilleures amies. Ses jeunes enfants viennent d'attraper la varicelle et elle a eu une semaine difficile.

Elle lui avait déjà parlé d'Alyson et de sa famille. Mais quand les mots franchirent ses lèvres, elle eut conscience d'avoir une vie très rangée et conventionnelle par rapport à lui. Mais tout était en train de changer. Sur la route de Nashville, avec Chase et ses musiciens, elle n'avait plus l'impression d'être une petite maîtresse de maison ennuyeuse. Elle lui jeta un coup d'œil et lui trouva l'air fatigué.

— Vous voulez que je conduise un peu ? proposa-t-elle. Je suis bien réveillée. Et j'aime conduire.

Il refusa d'un signe de tête, tout en s'engageant sur la route.

— Je me sens très bien. J'aime conduire, moi aussi. Cela me rappelle le temps où je prenais le volant de la camionnette quand nous partions en tournée, au début. Mais vous, vous n'en avez pas marre, de ne pas bouger ? Vous pouvez monter dans l'autobus, vous savez.

Stephanie sourit.

— Je préfère rester, j'aime parler avec vous. Quand nous sommes seuls, ajouta-t-elle avec un brin de timidité.

— Moi aussi, j'aime parler avec vous. Je n'arrête pas de me dire que c'est le destin qui nous a poussés l'un vers l'autre sur ce chemin de randonnée.

Ils avaient l'impression de se connaître depuis toujours. Elle lui avait avoué certaines choses, en particulier sur son mariage, dont elle n'avait jamais parlé à qui que ce soit. De son côté, il avait fait preuve de la même franchise, notamment sur sa relation avec Tamra.

— Le destin est une chose bizarre, continua-t-il. Je crois que certaines personnes entrent dans notre vie juste pour nous enseigner quelque chose.

— Je le crois aussi, dit-elle à mi-voix.

Cependant, elle ne voyait pas ce qu'elle pouvait bien lui apporter, à lui. Chase, en revanche, lui apprenait à être spontanée et à saisir les opportunités qui se présentaient. C'était lui qui l'avait décidée à partir pour Nashville.

— Vous avez mené une vie plus stable que moi, et vous avez passé du temps avec vos enfants. Alors que quand mon fils était petit, j'étais trop absorbé par ma carrière et mes tournées pour me soucier de lui. Le gosse a grandi sans moi. C'est étonnant, mais il ne m'en veut pas. Il vient régulièrement de Memphis pour me voir. Et il adore l'émission Grand Ole Opry, sur la musique country. En revanche, il ne veut pas entendre parler du métier de chanteur, même s'il a une belle voix... Il préfère le bâtiment.

— Il est marié ?

— Non, répondit-il en riant. C'est un mauvais garçon, comme moi à son âge. Il traîne toujours toute une ribambelle de filles dans son sillage, mais aucune n'a encore réussi à l'attraper. Il n'a pas envie de se caser, apparemment.

— Il faudrait qu'il en discute avec mon fils Michael. J'ai une peur bleue que cette fille ne le persuade de l'épouser alors qu'ils se connaissent à peine. C'est un garçon bien, équilibré, responsable. Il pourrait avoir envie de se marier trop vite.

— Il vous ressemble, dit Chase en la regardant à la lueur du tableau de bord.

Elle avait lâché ses cheveux, et son visage semblait très doux dans la pénombre.

— Vous êtes une personne équilibrée et responsable. Sur qui on peut compter. Je n'ai jamais eu de relation avec quelqu'un comme vous dans ma vie. J'ai toujours été attiré vers les filles écervelées et rigolotes. Il m'a fallu des années pour comprendre qu'elles m'apportaient principalement des ennuis. Elles ne sont jamais là quand vous avez besoin d'elles, et elles vous trompent à tout bout de champ.

— Équilibrée et responsable... cela me donne l'impression d'être ennuyeuse à mourir. Un peu comme une vieille voiture robuste, ou un cheval de trait.

— Ce sont les meilleurs. Ceux que vous aimez retrouver en rentrant à la maison. Alors que les autres donnent envie de fuir.

— C'est peut-être pour cela que Bill a eu une aventure. Parce qu'il savait que je serais toujours là, quoi qu'il advienne. Sa maîtresse n'était pas une fille délurée, juste une femme qui s'ennuyait avec son mari. Comme Bill avec moi, je suppose.

— Une femme raisonnable n'est pas forcément ennuyeuse, loin de là. Aujourd'hui, avec la maturité et si l'on me donnait le choix, j'achèterais une voiture rapide et aimerais une femme au caractère posé. Les femmes passionnées que j'ai connues étaient dangereuses. Je me suis brûlé les ailes à chaque fois.

— Je ne sais plus ce qui est vrai et ce qui ne l'est pas, avoua-t-elle en soupirant. Les mariages qui durent pour durer n'ont plus de sens pour moi. Mon amie Jean est mariée à un homme qui la trompe sans arrêt, et elle ne l'aime plus depuis des années. Elle reste avec lui uniquement parce qu'il a beaucoup d'argent. Elle préfère ça plutôt que d'être avec un homme aimant mais pauvre. Mon autre amie, Alyson, celle qui vient de m'appeler, est follement amoureuse de son mari. Mais elle se fait tellement d'illusions sur lui qu'ils me donnent l'impression d'être au bord de la catastrophe, à deux doigts de l'accident fatal. Comme Bill et moi. Je n'avais jamais imaginé qu'il pouvait me tromper, et il l'a fait.

— Vous auriez peut-être dû le quitter, si vous n'étiez plus amoureuse de lui. Malgré les enfants. Les enfants ne sont pas une raison suffisante pour rester avec quelqu'un.

— J'ai cru que mon devoir était de rester, dit-elle pensivement.

— Aviez-vous demandé à vos enfants ce qu'ils en pensaient ?

— Ils étaient trop jeunes. Nous ne leur avons pas parlé de ce qui s'était passé. Je ne voulais pas qu'ils détestent leur père.

— C'est une attitude très noble, Stevie. Surtout qu'ils n'étaient pas si jeunes que cela. Si je calcule bien, les deux aînés avaient dix-huit et seize ans à l'époque. Et votre Charlotte avait treize ans. À cet âge-là, on sait faire la différence entre le bien et le mal. Bon sang, moi, j'ai été père à l'âge qu'avait votre fils. Ce genre de choses oblige un homme à devenir adulte. De nos jours, les jeunes restent des enfants très tard. C'était une autre époque, dans un monde différent. Dans le Sud, les gosses se mariaient beaucoup plus jeunes, surtout les plus pauvres. Aucun de mes copains n'est allé à l'université. En sortant du lycée, on se mariait, et neuf mois plus tard on avait un bébé. Ou bien les filles tombaient enceintes et devaient se marier au plus vite. C'est pourquoi je tiens Sandy à l'œil. Je ne veux pas qu'elle se marie, et encore moins qu'elle tombe enceinte. Car elle a un bel avenir devant elle. Dans deux ans, quand elle sera prête, je veux qu'elle enregistre un album. C'est le plus beau cadeau que je puisse faire à son père. C'était un sacré musicien, son père... Il est mort d'une tumeur au cerveau, à peine six semaines après que son cancer a été diagnostiqué. Cela m'a donné une leçon de vie. Je sais maintenant que tout peut basculer très vite.

— Elle a de la chance de vous avoir, dit doucement Stephanie. Vous êtes quelqu'un de bien. Solide et responsable, vous aussi.

— Responsable, oui, admit-il en souriant. Mais beaucoup moins solide qu'autrefois. Je suis vieux et fatigué.

Ce n'était pas l'impression qu'il donnait. Il semblait encore jeune et il était très attirant. Stephanie se rendit compte qu'Alyson serait terriblement choquée de la voir avec lui. Sans parler de ses enfants. Ils n'étaient pas vraiment assortis. Elle, la petite femme au foyer de Pacific Heights, et lui, la star de la musique country.

— Je n'emploierais pas les termes « vieux et fatigué »

pour parler de vous, remarqua-t-elle en riant doucement.

— Eh bien, je peux vous dire aussi que vous ne cor-
respondez pas à l'image que l'on se fait d'une épouse
ennuyeuse. Votre mari était fou de vouloir aller voir
ailleurs si l'herbe était plus verte. Sans vouloir vous
offenser. Et si vous aviez bien voulu acheter la minijupe
en cuir noir que j'avais choisie pour vous, je serais à
l'heure actuelle obligé de chasser les hommes à coups
de balai pour les empêcher de vous sauter dessus.

Stephanie éclata de rire.

— Oui, et les flics m'arrêteraient pour tenue indécente ! Ma jupe blanche est bien assez courte.

En fait, il aimait la façon dont elle s'habillait. Elle
s'arrangeait pour être tout à la fois raffinée, convenable
et sexy. C'était le genre de femme que l'on avait envie
d'épouser, et non une compagne d'une nuit. Son mari
ne s'était pas rendu compte qu'il tenait un trésor.

Chaque fois qu'il avait quitté l'hôtel avec elle, Chase
s'était senti très fier. Elle n'était pas consciente de sa
propre beauté. Il admirait son innocence, son honnêteté. Tout, en elle, était rafraîchissant. Il était las des
femmes blasées qu'il rencontrait, des cinglées, de celles
qui voulaient absolument sortir avec lui parce qu'il
était Chase Taylor ou parce qu'il pouvait leur payer
des babioles. En revanche, il n'avait jamais rencontré
quelqu'un comme Stephanie. Il l'avait su à l'instant où
il avait croisé sa route.

— Vous savez ce que je pense, Stevie ? Je crois qu'il
faut attendre de trouver la bonne personne, même si,
pour cela, on doit patienter jusqu'à quatre-vingt-dix-huit
ans. Cela ne vaut pas la peine de perdre du temps avec
les autres. Ils vous brisent le cœur, ou vous gâchent la
vie. C'est pour cela que je ne cherche plus. Je suis passé

trop souvent par là. Et je me retrouve chaque fois à la case départ. J'en ai assez.

— Moi, ce qui me retient, confia-t-elle, c'est que j'ai toujours l'impression d'être mariée à Bill.

L'atmosphère de confessionnal qui régnait dans l'habitacle sombre incitait aux confidences.

— Cela durera sans doute quelque temps, répondit-il sans la regarder. C'est la preuve que vous étiez une bonne épouse. Vous n'avez rien à vous reprocher, Stevie. Je suis sûr que votre mari le savait.

— Peut-être. Mais tant de choses non dites subsistaient entre nous. Le matin de sa mort, nous avons juste parlé du temps qu'il faisait, et je lui ai souhaité une bonne journée. Le dernier mot qu'il a prononcé avant de partir, c'était « merci ».

— Il faut en tirer une leçon. La prochaine fois que vous tomberez amoureuse, vous saurez qu'il faut parler des choses importantes.

— Oui, je suppose.

Elle ne croyait cependant pas pouvoir tomber de nouveau amoureuse. Comme Chase, elle ne voulait pas avoir le cœur brisé. Bill lui avait fait du mal, et elle ne s'en était jamais vraiment remise. Pendant les sept dernières années de leur mariage, elle avait avancé en pilotage automatique, en quelque sorte. Peut-être était-ce même le cas avant la liaison de Bill.

Ils roulèrent en silence pendant un moment, puis Chase se mit à chanter a cappella et elle l'accompagna.

— Nous ne sommes pas mauvais du tout, tous les deux, lâcha-t-il au bout de trois chansons. Il faudra que nous fassions un enregistrement, quand vous m'aurez écrit des textes.

— Je ne vous écrirai pas de chansons. Elles seraient affreuses.

126

— Essayez, Stevie. Vous ne risquez qu'une chose : vous découvrir du talent.

Une intuition lui disait qu'elle ne serait pas aussi nulle qu'elle le croyait.

Ils arrivèrent à Elk City à onze heures du soir. Chase longea la rue principale et s'arrêta devant l'hôtel simple mais confortable où ils avaient l'habitude de descendre en revenant de Vegas. Les autres étaient justement en train de sortir leurs bagages de la soute du bus. Il leur fallait six chambres en tout, et Chase avait demandé à Charlie de réserver. Le réceptionniste les attendait et leur distribua les clés.

Les musiciens dormaient à deux par chambre, et Sandy et Delilah étaient ensemble. La chambre de Stevie et celle de Chase étaient contiguës, et il jeta un coup d'œil pour s'assurer qu'elle avait eu la meilleure de toutes. Il lui fit un petit signe.

— Dormez bien, mademoiselle Stevie. Et appelez-moi si vous avez besoin de quelque chose. Je ne vais pas m'endormir tout de suite.

Le groupe était parti prendre un petit casse-croûte dans le restaurant de l'hôtel, mais Chase n'avait pas faim. Et la seule chose dont Stevie avait envie, c'était un bain. La journée avait été fatigante, et ils avaient encore un long trajet à faire le lendemain. Ils avaient d'ailleurs décidé de laisser un des garçons conduire la voiture et de voyager dans l'autobus.

— Merci pour la jolie chambre, Chase.

Ce dernier avait insisté pour payer sa chambre.

— De rien. J'avais demandé qu'ils ajoutent un lit de camp dans la chambre de Sandy et Delilah, mais ils n'en avaient pas, répondit-il d'un ton malicieux.

— Je m'en serais contentée, vous savez. J'ai connu pire.

Il sourit et entra dans sa chambre, tandis qu'elle

refermait doucement sa porte. Un moment plus tard, il l'entendit se faire couler un bain et essaya de ne pas l'imaginer nue, dans l'eau. Ce genre de pensées finissait toujours par lui attirer des ennuis. Et Stevie n'était pas le genre de femme que l'on pouvait traiter avec légèreté. En outre, il ne voulait pas gâcher la confiance qui s'établissait entre eux. De toute évidence, elle se sentait en sécurité avec lui, et il ne voulait pas que cela change. Stephanie faisait ressortir ce qu'il y avait de meilleur en lui. Elle n'était pas du tout comme Tamra, ou les autres femmes qu'il avait connues. Stevie était une dame, on la respectait.

Il entra dans la salle de bains et se glissa sous la douche pour chasser la poussière du voyage. Puis, vêtu d'un short propre, il s'allongea sur le lit sans cesser de penser à elle. Au jour où il l'avait rencontrée, assise sur le banc, en train de contempler le Grand Canyon. Au chemin de randonnée qu'ils avaient parcouru ensemble. Et il y avait eu le soir où il l'avait vue, depuis la scène. L'émotion qu'il avait éprouvée à l'idée qu'elle était là. Il avait l'impression qu'elle avait toujours été dans sa vie, qu'elle y resterait toujours. Impossible de dire ce qu'ils deviendraient l'un pour l'autre. Peut-être juste des amis. Mais il savait que quelque chose d'important leur était tombé dessus ce jour-là, sur ce chemin. Quoi qu'il arrive plus tard, Chase savait que le destin les avait poussés l'un vers l'autre.

Quand il pensait à elle, il redevenait un gamin. Un gosse de la campagne. Une chanson prit forme dans sa tête. Il entendait déjà la musique. Et alors qu'il s'endormait, des paroles flottèrent à la limite de sa conscience.

« Le gars de la campagne et la dame de la ville... »

La musique était superbe. Il ne lui restait plus qu'à broder des mots autour de l'idée principale.

10

Le voyage en autobus, le jour suivant, fut moins fatigant. Deux musiciens du groupe se chargèrent de conduire la voiture de Stephanie à travers l'Oklahoma, puis l'Arkansas. Chase avoua qu'il faisait des cauchemars chaque fois qu'il pensait à cet État, où il avait passé son enfance. La ville minuscule où il avait grandi était étouffante. Il n'y avait aucun avenir possible là-bas, et ceux qui y restaient dépérissaient. Or, même enfant, il avait eu de grandes ambitions, lui avoua-t-il.

Sandy monopolisa l'attention de Stevie chaque fois qu'elle le pouvait, lui montrant des articles de magazines et des photos de robes qu'elle trouvait extraordinaires. Elle voulait connaître son opinion sur tout. Chase les observait en souriant, et finit par se porter au secours de Stephanie en l'invitant à aller regarder un film dans sa chambre. Ils s'installèrent sur le lit, adossés aux oreillers. Un des garçons leur proposa du pop-corn, et ils le mangèrent bien volontiers, tout en se laissant absorber par l'action du thriller choisi par Stephanie. Un peu plus tard, ils dégustèrent tous ensemble des pizzas. L'autobus était merveilleusement pratique, plus luxueux et confortable que bien des maisons modernes.

Dans la soirée, ils parvinrent en vue du Mississippi. Stephanie fut époustouflée par la dimension du fleuve et par l'activité qui régnait à sa surface. Ils le traversèrent à Memphis. Il restait encore trois heures et demie de voyage jusqu'à Nashville. Chase s'assit à côté de Stephanie et lui parla des endroits qu'il voulait lui faire visiter. Il serait obligé de travailler quelques heures le lendemain matin, mais il comptait passer la chercher vers midi pour faire le tour de la ville avec elle. Stephanie était impatiente de voir la copie grandeur nature du Parthénon, dont elle avait souvent entendu parler. Chase voulait lui montrer la maison de Andrew Jackson, qui était le symbole d'une des plus belles histoires d'amour du Sud. Le président avait lui-même dessiné les jardins pour sa femme, Rachel.

L'ambiance était très animée dans l'autobus. Tous étaient excités à l'idée d'arriver bientôt chez eux. Delilah trépignait d'impatience : elle allait voir ses fils ! Chase avait réservé une chambre pour Stevie à l'Hermitage, le meilleur hôtel de la ville. Cette fois, elle avait insisté pour payer, et il avait cédé. L'établissement se trouvait en plein centre, et il comprenait un excellent restaurant, où Chase aimait aller dîner.

Il était dix heures du soir quand l'autobus s'arrêta devant l'entrée de l'hôtel. Ils étaient enfin arrivés à destination. Les deux garçons qui avaient conduit la voiture de Stephanie laissèrent celle-ci au parking, afin qu'elle puisse en disposer. Chase surveilla le chasseur tandis qu'il déchargeait les bagages, puis escorta Stephanie dans l'élégant hall d'entrée. Il attendit qu'elle ait obtenu ses clés et monta avec elle afin de s'assurer que la chambre lui convenait. Stephanie était enchantée. L'hôtel avait la beauté et le raffinement qu'on s'attendait à trouver dans le Sud.

— Je suis désolé de vous quitter aussi vite, dit Chase d'un air de regret. Mais on se met au travail dès demain matin pour enregistrer la bande-son du prochain album. Je vous appellerai dans la matinée.

— Je vous remercie pour tout, Chase, dit-elle en posant légèrement la main sur son bras.

Chase fut touché par sa douceur et sa gentillesse. Toute la journée, il avait réfléchi en silence au début de chanson qu'il avait en tête. « Le gars de la campagne et la dame de la ville ». Mais il ne lui en avait pas soufflé mot.

— Nous n'avons encore rien fait, répondit-il en l'embrassant sur la joue. Attendez d'avoir visité la ville avec moi.

— Je meurs d'impatience. J'irai faire un tour dans les rues demain matin.

Il s'éloigna avec un signe de la main.

Les deux employés près de l'ascenseur le dévisagèrent avec stupéfaction. Ils avaient l'habitude de voir des têtes connues dans l'hôtel, mais Chase Taylor était la plus grande star de Nashville. Stephanie s'en amusa : il était si détendu et naturel qu'elle oubliait qu'il était célèbre.

Elle s'installa dans sa chambre, vida sa valise et se fit couler un bain. Soudain, heureuse d'avoir eu le courage d'accomplir ce voyage, elle décida d'appeler Jean en Californie.

— Comment ça se passe ? demanda son amie d'un ton de conspirateur. Il est là ?

— Non, il est reparti avec les musiciens. Jeannie, c'est fantastique. J'adore cet endroit. C'est... typiquement le Sud.

Elles éclatèrent de rire, puis Stephanie lui raconta les deux jours passés sur la route, les endroits qu'ils avaient traversés, la journée dans l'autobus, et enfin le superbe hôtel qu'il avait retenu pour elle.

— Merde. On n'arrivera jamais à te faire rentrer à San Francisco !

— Mais si, puisque j'y habite. Mais je m'amuse tellement ici !

— Je suis heureuse pour toi, dit Jean, émue.

Son amie avait vécu des moments si difficiles ces derniers mois qu'elle était sincèrement heureuse pour elle. Cette rencontre avec Chase Taylor était inespérée. En très peu de temps, il avait déjà fait changer sa vie. Et même si cela n'aboutissait à rien, c'était une expérience formidable. Stephanie avait une voix différente, elle semblait avoir repris espoir, elle était enthousiaste. Sa période de deuil était enfin terminée, elle recommençait à vivre.

Un peu plus tard, alors qu'elle sortait de son bain, une serviette drapée sur ses épaules, elle reçut un appel de Chase. Il venait de rentrer chez lui, après avoir déposé tous les autres. Son premier geste en refermant la porte derrière lui avait été de l'appeler.

— Je sais que je suis ridicule, dit-il, mais vous me manquez déjà. Vous êtes d'une compagnie très agréable, Stevie.

— Vous aussi. Et vous savez quoi ? Je pourrais facilement m'habituer à voyager dans votre autobus.

— Je devrais vous renvoyer en Californie avec lui. Les gars remorqueraient votre voiture, suggéra-t-il le plus sérieusement du monde.

— Si vous faites cela, je risque de ne jamais vous le rendre. Il vaut mieux que je rentre par mes propres moyens. De plus, mon fils serait un peu étonné que je lui rende visite en autobus ! ajouta-t-elle en riant.

— Tout se passe bien, à l'hôtel ? Vous avez commandé un repas ?

— J'étais en train d'y penser vaguement.

En fait, elle était presque trop fatiguée pour dîner. Le bain l'avait endormie.

— Ils ont le meilleur chef de la ville, reprit Chase. Vous verrez, nous dînerons au restaurant, un soir.

Il avait tant de choses à lui faire découvrir, il aurait

fallu qu'elle reste au moins un mois pour tout voir. Mais Chase devait aussi caser ses heures de travail dans la journée.

— Dormez bien. Demain, nous aurons beaucoup de choses à faire. Et le soir, je dois être au studio d'enregistrement. Vous viendrez ?

— Bien sûr, si vous m'acceptez.

— Les garçons ont décidé que vous étiez notre mascotte, et Sandy vous adore.

— *Mascotte*, c'est un mot poli pour dire *groupie* ?

— Oh non ! La mascotte porte-bonheur.

Il était toujours très respectueux et la traitait avec délicatesse. Stephanie appréciait beaucoup ses manières, imprégnées du raffinement des gens du Sud. En dépit de ses cheveux longs et de ses tatouages, c'était un vrai gentleman, et il était bien plus poli que beaucoup d'hommes qu'elle connaissait à San Francisco.

Il raccrocha à contrecœur. Stephanie commanda une infusion de camomille, qu'on lui servit sur un plateau d'argent, accompagnée de délicieux sablés au beurre. Cet hôtel décidément lui plaisait énormément. Elle envoya des messages par texto à ses enfants, puis elle appela Alyson pour prendre de ses nouvelles. Son amie semblait à bout de nerfs. Les enfants criaient et pleuraient derrière elle, et la communication ne put durer plus de deux minutes. Mais au moins Stephanie avait-elle fait son devoir.

Le lendemain matin, quand elle ouvrit les yeux, le soleil entrait à flots dans la chambre. Elle se leva, jeta un coup d'œil par la fenêtre et vit Legislative Plaza face au Capitole de l'État du Tennessee. Elle petit-déjeuna, puis fit un tour à pied dans le centre de la ville en attendant l'heure de son rendez-vous avec Chase. Celui-ci arriva peu après midi, l'air épuisé. Il avait eu beaucoup à faire chez lui, toute la matinée.

133

— Nous ne sommes partis qu'une semaine, mais tout va mal quand je ne suis pas là. Le système d'arrosage s'est cassé et j'ai trouvé un lac dans mon jardin. Un de mes chiens s'est échappé : il a probablement fait des petits pour la deuxième fois à la chienne du voisin. Mais ce n'est pas tout ! La gouvernante menace de rendre son tablier, et le jardinier s'est cassé le bras. Les gars sont arrivés en retard au studio ce matin, et Sandy pense qu'elle couve un rhume et qu'elle ne va pas pouvoir chanter.

— Vous êtes sûr de vouloir me faire visiter la ville ? Nous ne sommes pas obligés d'y aller aujourd'hui. Je me sens coupable d'accaparer votre temps, dit Stephanie.

— Nous ne sommes pas obligés, mais je *veux* y aller ! protesta-t-il avec un sourire éblouissant.

Ils quittèrent l'hôtel cinq minutes plus tard, et montèrent dans la Corvette vintage qu'il préférait à tous ses autres véhicules. Ils se rendirent d'abord au Parthénon, situé dans Centennial Park. Il lui promit de la ramener le soir, car les éclairages étaient somptueux. L'édifice avait été construit en 1897, pour l'Exposition internationale du centenaire du Tennessee. Chase était une vraie encyclopédie, il connaissait tous les détails historiques et raconta à Stephanie des anecdotes fascinantes.

Ensuite il l'emmena visiter l'Hermitage, l'ancienne propriété du président Andrew Jackson. Ils virent la cabane en rondins dans laquelle Jackson et sa femme avaient vécu de 1804 à 1820, la maison qu'ils avaient habitée par la suite, et les jardins que Jackson avait dessinés spécialement pour son épouse. La guide qui leur faisait accomplir la visite émaillait son récit d'une foule de détails étonnants. Elle leur expliqua qu'à l'époque cent cinquante esclaves travaillaient dans la plantation et que l'agriculture était la passion du président

Jackson. Stephanie trouva cette visite passionnante. Et Chase était heureux de revoir tout cela grâce à elle.

Pour déjeuner, ils se rendirent dans un petit restaurant de Music Valley Drive. Ensuite, Chase la conduisit sur une avenue bordée de salles de concert, dans un quartier dénommé Music Row. Là, il devenait évident que Nashville était une ville dédiée à la musique. Des musiciens jouaient dans chaque magasin qu'ils croisaient. Il lui montra les anciens bâtiments restaurés et les vieux hangars qui abritaient aujourd'hui les plus grandes sociétés musicales. Les studios d'enregistrement étaient innombrables, mais Chase confia à Stephanie qu'il préférait le sien, à présent. S'il habitait Nashville, c'était parce que le monde de la musique se concentrait en ce lieu. Il la mena jusqu'à Elliston Place, où étaient rassemblés les night-clubs, et elle remarqua en passant que des musiciens jouaient dans plusieurs cafés. Chase lui raconta que lui-même avait joué là quand il était plus jeune et que c'était l'endroit de Nashville où l'on pouvait écouter la meilleure musique. En retournant à l'hôtel, ils passèrent devant l'université Vanderbilt.

L'après-midi était déjà bien avancé, et ils s'arrêtèrent à l'Oak Bar, le bar de l'Hermitage, pour prendre un verre. Stephanie avait vu tant de choses que la tête lui tournait. La visite de la maison d'Andrew Jackson lui avait beaucoup plu. Elle trouvait l'histoire d'amour du président et de son épouse à la fois poignante et exaltante.

— Deux cents ans plus tard, on en parle encore... C'est incroyable, non ? Je ne crois pas que cela pourrait arriver aux couples de ma connaissance.

Chase avait commandé du champagne. Il porta un toast pour célébrer l'arrivée de Stephanie à Nashville.

— Mes histoires d'amour à moi ne valent pas grandchose non plus, admit-il en goûtant le champagne.

Dans la soirée, il comptait emmener Stephanie à Brentwood, le quartier où il habitait. Il n'y avait pas grand-chose à y voir, en dehors des splendides demeures où vivaient les habitants les plus riches de Nashville. Avant cela, il avait vécu à Franklin, une petite ville ancienne, mais il préférait sa nouvelle maison de Brentwood. Il y avait un petit cottage pour Sandy dans la propriété, ce qui leur donnait à chacun une certaine indépendance.

— Quelle ville merveilleuse, remarqua Stephanie. C'est tellement vivant.

— San Francisco n'est pas mal non plus...

Il s'y était rendu souvent. Il avait donné des concerts au Colisée d'Oakland, au Shoreline Amphitheatre de Mountain View et au HP Pavilion. Il avait aussi joué au Fillmore Auditorium, à l'époque où il attirait moins de monde. Il avait toujours aimé le décor années soixante de la salle. Mais à présent, ses concerts rassemblaient tellement de spectateurs qu'on lui réservait les plus grandes salles lors de ses tournées.

Il la quitta à contrecœur. Il devait retourner voir si tout se passait bien au studio d'enregistrement.

— Les gars sont comme des gamins, expliqua-t-il. Dès que j'ai le dos tourné, la discipline se relâche.

Son assistante devait venir chercher Stephanie à sept heures. La maison de Chase n'était qu'à vingt minutes du centre-ville, et il la raccompagnerait lui-même ensuite.

Stephanie avait passé un après-midi merveilleux. Et tant pis si Chase avait été sans cesse reconnu par des admirateurs. Il fallait bien en prendre son parti.

— Demain, je vous montre encore d'autres choses. Je vous réserve une surprise.

Il s'efforçait de s'occuper d'elle, sans cesser complètement de travailler. Elle savait que le groupe devait se produire dans six jours et que tous les billets étaient vendus depuis des mois.

Chase la quitta dans le hall de l'hôtel, et deux minutes plus tard elle entendit la Corvette s'éloigner en pétaradant. Grâce à Chase, elle avait passé une journée fabuleuse, songea-t-elle en remontant dans sa chambre.

Elle enfila un jean et des vêtements confortables pour la soirée au studio. Elle avait hâte de voir la maison de Chase. Elle savait à quel point il l'aimait, car il en parlait beaucoup et avait passé du temps à la faire rénover. C'était une ancienne maison de style colonial, entourée par un vaste jardin. Elle faisait partie d'une plantation qui avait été divisée en plusieurs lots. Chase avait acheté la maison principale et les terrains qui l'entouraient. Les bâtiments des esclaves avaient été détruits lorsque la propriété avait été fractionnée.

Stephanie eut à peine le temps de consulter ses e-mails avant l'heure du rendez-vous. L'assistante de Chase l'attendait devant l'hôtel, dans une camionnette rouge cerise des années quarante, dont il lui avait montré la photo sur son téléphone. Il y tenait énormément et avait lui-même refait le moteur. Wanda, son assistante, était une jeune fille de Savannah, du même âge que Michael. Elle travaillait pour Chase depuis trois ans et lui vouait une admiration sans bornes. Pendant tout le trajet jusqu'à Brentwood, elle ne cessa de chanter ses louanges. De toute évidence, les jeunes aimaient travailler pour lui.

En arrivant, Stephanie fut impressionnée par la maison. C'était une demeure immense et très imposante, qui semblait tout droit sortie du film *Autant en emporte le vent*. Il y avait d'autres bâtiments encore plus vastes dans le parc, mais la maison de Chase était de loin la plus belle de toutes.

— Waouh ! fit Stephanie en regardant Wanda.

Elle ne s'attendait pas à cela.

— C'est joli, n'est-ce pas ? dit Wanda avec une simplicité désarmante.

— *Très* joli, oui !

Stephanie suivit Wanda à l'intérieur. La camionnette rouge cerise détonnait un peu dans l'allée, mais dans un sens, elle s'accordait très bien avec la personnalité de Chase. La maison était d'une élégance discrète. De superbes antiquités côtoyaient des meubles modernes, le tout formant un ensemble harmonieux. Les couleurs douces donnaient une impression de paix et de sérénité. Rien n'était m'as-tu-vu ou clinquant. Stephanie remarqua quelques tableaux qui lui plaisaient. Visiblement, Chase avait consacré du temps et de la réflexion à sa demeure. En dépit de ses origines modestes, il avait un goût raffiné, et désormais il avait aussi l'argent qui lui permettait de l'exprimer. La maison, à la fois feutrée et grandiose, était à son image.

Wanda la fit entrer dans une immense cuisine ultra-moderne, alliant des boiseries claires à des comptoirs de granit noir. De la fenêtre, on avait une vue magnifique sur les jardins parfaitement entretenus, à l'arrière de la maison. Au milieu de la pièce trônait une énorme table ronde.

Tout dans la demeure était superbe, bien plus beau que ce à quoi elle s'attendait. Mais elle commençait à connaître Chase, elle savait que rien n'était destiné à épater la galerie. Il avait choisi le décor de cette maison pour y vivre confortablement, entouré de belles choses, et pour y accueillir les gens qu'il aimait.

Les deux femmes traversèrent la cuisine pour pénétrer dans l'univers high-tech du studio, où avaient lieu les enregistrements. Chase avait fait ajouter cette pièce sur le côté, à l'extérieur de la maison. En passant, Stephanie aperçut au fond du jardin le cottage de Sandy.

Il ressemblait à une maison de conte de fées. Un décor parfait pour la jeune fille.

Dans le studio, Chase était occupé à expliquer aux musiciens et aux techniciens ce qu'il voulait changer dans le mixage audio. Le ton de sa voix était patient, et il était si concentré sur le problème qu'il ne vit même pas Stephanie entrer. Wanda s'éclipsa discrètement. Elle travaillait pour Chase, mais n'avait rien à voir avec l'aspect musical de son activité.

Quand il vit Stevie, le visage de Chase s'éclaira.

— Vous êtes là !

Elle hocha la tête, encore un peu troublée par tout ce qu'elle voyait.

— C'est magnifique chez vous, dit-elle, admirative.

Une fois de plus, elle se rappela qu'il était une grande star, ce qu'il parvenait toujours à vous faire oublier. Il était si normal, si humain dans ses rapports avec les gens, qu'elle avait du mal à le croire célèbre. Mais Jean elle-même lui avait rappelé que Chase Taylor était une immense vedette. Sa maison en était la preuve. Les tableaux représentaient à eux seuls une fortune, de même que les antiquités.

— Votre maison est extra, dit-elle.

Il parut enchanté.

— Je vous présente Frank, dit-il, alors qu'un gros golden retriever venait lui lécher la main. George doit dormir quelque part en haut.

George, elle le savait déjà, était un bouledogue anglais qu'il avait ramené d'Europe après une tournée. Une balle dans la gueule, Frank remuait la queue pour attirer leur attention. Elle tendit la main vers la balle.

— Surtout pas ! lança Chase. Si vous commencez à jouer, il ne vous lâchera jamais. C'est une obsession. Il me suit toute la journée avec sa balle. Il sait chanter, aussi. Chaque fois que nous jouons, il se met à hurler.

Je ne peux pas le garder ici pendant les enregistrements, on n'entendrait que lui.

Les autres se mirent à rire, car ils savaient que c'était vrai. Stephanie caressa la tête du chien. Elle n'en avait plus depuis que Charlotte était partie à l'université. Leur labrador était mort trois ans plus tôt, et Bill n'avait pas voulu le remplacer. Il trouvait qu'un animal leur donnait trop de travail et que cela n'avait plus de sens, maintenant que les enfants n'étaient plus à la maison. Pourtant, la présence d'un chien manquait à Stephanie, et elle avait envie d'en reprendre un autre. Quand elle vit Frank, visiblement en adoration devant son maître, son envie se fit plus forte...

— Quand pourrai-je faire la connaissance de George ? s'enquit-elle.

Chase lui promit de l'emmener à l'étage quand ils auraient fini de travailler.

Frank fut gentiment chassé du studio. Après quoi Chase ferma la porte et poussa un tabouret vers Stephanie. Le siège, très haut et confortable, lui permettait de voir tout ce qui se passait dans la pièce. Il lui tendit des écouteurs afin qu'elle puisse écouter la musique et le mixage. Tous ses albums étaient enregistrés ici. Ce lieu high-tech était au cœur de sa vie.

Ils travaillèrent pendant quatre heures sans interruption. Puis soudain, sur un signe de Chase, tous cessèrent ce qu'ils étaient en train de faire.

— Allons manger, lança-t-il à la cantonade.

Le moment était venu de faire un break.

— Que pensez-vous de tout ça ? demanda-t-il à Stephanie alors qu'ils sortaient du studio.

Son ton était presque grave. Elle n'y connaissait pas grand-chose, mais elle pouvait dire qu'il était fort méticuleux. Aucun détail ne lui échappait, et il faisait recommencer le même morceau aux musiciens jusqu'à ce qu'il soit parfait. Il était tout aussi exigeant envers lui-même, et se montrait un maître impitoyable pour Sandy. Celle-ci jusque-là avait chanté à merveille. Son rhume semblait oublié.

— J'ai trouvé cela fabuleux, répondit Stephanie.

— Nous avons encore beaucoup à faire, nous ne pourrons pas finir ce soir, malheureusement.

Elle le suivit dans la cuisine et vit qu'un abondant buffet avait été servi sur les comptoirs de granit. Du poulet frit, de la viande grillée, des pâtes, de la salade, des sashimis et du homard. Les musiciens affamés se jetèrent sur les assiettes. Ils avaient travaillé dur. Stephanie les imita, prenant soudain conscience qu'elle aussi avait faim. De plus, les plats étaient trop succulents pour qu'on leur résiste. Surtout le gâteau au chocolat et le cheesecake…

Ils parlèrent travail, et Chase expliqua ce qu'il tenait absolument à finir dans la soirée. À peine une heure après le début du repas, ils étaient de retour dans le studio.

Il était trois heures du matin quand ils arrêtèrent. Ils semblaient tous plus exaltés qu'épuisés. Ils adoraient leur travail et admiraient Chase. Charlie le considérait comme un génie.

Les musiciens partirent rapidement. Ils revenaient bosser dès le lendemain matin. Chase leur dit qu'il ne se joindrait à eux que dans l'après-midi, puis il regarda Stephanie d'un air mystérieux.

— Nous allons quelque part demain, ajouta-t-il.

Personne ne trouva à redire. Ils pouvaient avancer seuls de toute façon. Chase leur avait distribué diverses tâches et avait ordonné à Sandy de laisser sa voix se reposer.

Ils se retrouvèrent seuls tous les deux dans la cuisine.

— Vous voulez bien monter une minute ? demanda-t-il avec un air malicieux.

Elle eut un bref instant d'hésitation, puis accepta, certaine qu'il voulait simplement lui montrer la maison et qu'il ne franchirait jamais les limites avec elle. Jusqu'ici, il s'était montré très respectueux et l'avait traitée comme une amie. Elle n'était d'ailleurs pas disposée à laisser les choses aller plus loin, quoi qu'en pense Jean. Contrairement à son amie, elle n'envisageait nullement de coucher avec lui juste pour le plaisir, ou parce qu'il était beau et célèbre. Si leur relation devait aller au-delà de l'amitié, elle voulait plus que cela. Même avant d'épouser Bill, lorsqu'elle était encore à l'université, Stephanie n'avait pas multiplié les partenaires. En fait, Bill était le seul homme avec qui elle avait couché, et elle ne se sentait pas prête à tenter de nouvelles expériences. Comme elle l'avait confié à Chase, elle avait toujours l'impression d'être mariée à Bill.

Chase lui fit traverser un long corridor, orné de nombreux tableaux, et ils entrèrent dans sa chambre. C'était une pièce immense, sobrement meublée, dont les fenêtres ouvraient sur le jardin. Elle entendit George avant même de le voir. Allongé de tout son long sur le lit de Chase, la tête sur l'oreiller, les yeux clos et la langue sortant légèrement sur le côté, il ronflait plus fort qu'un homme. Il offrait l'image même du bonheur. Prenant conscience de leur présence, il ouvrit un œil, l'air renfrogné, jeta un regard dédaigneux à Stephanie et se laissa retomber sur les coussins avec un ronflement sonore, comme pour leur reprocher de l'avoir dérangé.

— Voilà George, dit Chase, avec une affection toute paternelle.

Le chien avait le genre de tête que seule une mère peut trouver joli, et Stephanie de rire :

— Il est magnifique, dit-elle avec une sincérité absolue.

— Il est très mal élevé, et très peu hospitalier. Il déteste que j'aie des invités. Frank adore voir de nou-

142

velles têtes, mais George ne descend jamais quand il y a du monde. En plus, comme vous avez dû le remarquer, il ronfle : je l'ai emmené une fois à l'hôtel avec moi, mais les voisins se sont plaints. L'hôtel n'a jamais voulu que je revienne avec lui. Il fait autant de bruit qu'un 747 au décollage. Bref, c'est un personnage, chez les chiens ; je voulais que vous fassiez sa connaissance.

— Si c'est un test, il n'a pas l'air très impressionné par ma personne.

— Ne vous inquiétez pas, c'est son comportement normal. Si vous ne lui plaisiez pas, il aurait grogné. Mais là, il ronfle tranquillement. Le matin, je suis obligé de le réveiller, sinon il ne se lèverait jamais. C'est le chien le plus paresseux du monde. Frank le tire par la laisse pour lui faire faire le tour du parc, et George a horreur de cela. Il préférerait rester au lit. Et comme il mange comme quatre, je crains qu'il ne devienne trop gros.

C'était déjà le cas, mais Stephanie ne dit rien. Ils regardèrent le chien dormir pendant quelques minutes, puis Chase lui passa un bras sur les épaules et ils sortirent de la chambre.

— Bon, je vais vous raccompagner à votre hôtel, dit-il, tout heureux de lui avoir présenté son chien.

— Vous devez être fatigué, Chase, je vais appeler un taxi, proposa-t-elle.

— Non, je me sens bien, j'ai l'habitude. Il n'est pas question que vous preniez un taxi, ajouta-t-il d'un ton péremptoire.

En retournant à l'hôtel, il passa devant le Parthénon pour qu'elle le voie illuminé. Le bâtiment était encore plus beau qu'en plein jour. Quelques minutes plus tard, ils arrivèrent devant l'hôtel, et Chase descendit pour lui ouvrir.

— Votre présence m'a fait plaisir, Stevie, je vous remercie d'être venue ce soir.

Il lui donnait l'impression qu'elle lui avait fait une faveur en venant, et non l'inverse.

— Tout le plaisir était pour moi, Chase. Je n'aurais manqué cette soirée pour rien au monde. Et je suis heureuse d'avoir fait la connaissance de Frank et de George. Surtout de George, même si je crains de ne pas avoir fait sa conquête.

— Je lui en parlerai demain matin. Il faut qu'il apprenne à mieux se comporter avec les visiteurs. Surtout ceux que j'apprécie particulièrement. Mais il n'a pas encore l'habitude, précisa-t-il en lui coulant un regard de côté.

Le portier se détourna discrètement, et Stephanie, émue, ne sut quoi répondre.

— Merci, finit-elle par chuchoter alors qu'il lui soulevait le menton du bout du doigt.

Elle aurait bien aimé qu'il l'embrasse, et cependant cela l'effrayait un peu.

— Je pense vraiment ce que j'ai dit, Stevie. Mais bien sûr… je ne ferai rien sans votre permission. Ce n'est que le début de notre histoire ; nous avons tout le temps.

Elle répondit d'un hochement de tête, les larmes aux yeux. Chase l'embrassa sur la joue et pénétra avec elle dans le hall. Devant l'ascenseur, elle le remercia de nouveau. Elle n'aurait su dire pour quoi elle le remerciait. Le dîner, la visite, la soirée chez lui, dans le studio ? Ou bien juste parce qu'il était une personne extraordinaire ?

Quand elle entra dans sa chambre, éblouie par sa soirée, elle se rendit compte que c'était pour tout cela à la fois. Cinq minutes plus tard, elle se coucha et s'endormit, enveloppée par un sentiment de paix et de bien-être.

Elle ne s'était jamais sentie aussi bien qu'avec lui.

11

Le lendemain, le mobile de Stephanie sonna dès dix heures : Chase voulait lui parler de la « surprise » à laquelle il avait fait allusion la veille. Il ne lui révéla pas de quoi il s'agissait, annonçant simplement qu'il viendrait la chercher dans une heure.

— Comment dois-je m'habiller ? questionna-t-elle, perplexe.

— Oh, voyons... que diriez-vous d'une robe du soir ? Une tenue sexy... Non, je plaisante, Stevie ! Mettez ce que vous voulez, un short, un jean, pourvu que ce soit confortable.

— Des chaussures de sport ? De randonnée ?

— N'importe quoi fera l'affaire. Venez pieds nus, si cela vous chante.

Elle se décida pour un short en jean blanc, un tee-shirt rose et des sandales. À l'heure dite, elle descendit dans le hall de l'hôtel. Quand elle vit le remue-ménage que causait l'arrivée de la Corvette de Chase, elle courut à l'extérieur. Déjà, une petite foule s'agglutinait autour de la voiture. Elle se faufila entre les fans, ouvrit la portière et sauta sur le siège. Chase démarra en trombe, faisant un petit signe de la main à ses admirateurs déçus.

— Désolée. Je suis sortie aussi vite que possible. Un peu plus, et une de vos fans prenait ma place.

Sa remarque fit rire Chase. Il avait l'habitude d'être assailli. Surtout ici, à Nashville. Les gens venaient exprès là pour voir des musiciens de country célèbres. Stephanie n'arrivait toujours pas à croire qu'elle traversait Nashville en voiture, avec une vedette de la chanson. Pour elle, il était Chase, tout simplement.

Il s'engagea sur l'autoroute, en direction de l'aéroport, et lui désigna Opryland au passage. Mais où l'emmenait-il ? Juste avant l'aéroport, il tourna à droite et s'arrêta devant un hangar, où stationnait un petit jet privé. C'était un Falcon. Le pilote, le copilote et l'hôtesse sourirent en les voyant approcher. Chase se gara.

— Nous allons prendre cet avion ? s'exclama Stephanie.

— Oui. Il faut absolument que vous voyiez cela. Ce n'est pas le Grand Canyon, je vous l'accorde, mais c'est un élément important de l'histoire et du folklore du Tennessee.

Une lueur malicieuse brillait dans ses prunelles quand ils grimpèrent à bord de l'appareil. Celui-ci était encore plus luxueux que l'autobus... Dire qu'il l'avait réservé tout spécialement pour elle ! Cela dépassait tout ce qu'elle pouvait imaginer.

Il était midi quand ils décollèrent. L'hôtesse lui proposa du café, du thé, des sodas, ou du champagne. Stephanie venait juste de finir sa tasse de café et ses croissants quand le pilote avertit la tour de contrôle de Memphis qu'ils allaient atterrir. Ils volèrent en cercle pendant cinq minutes, avant d'être dirigés vers une piste disponible. L'avion atterrit sans le moindre heurt, après quoi ils furent conduits par une navette jusqu'à un hangar similaire à celui de Nashville. Là, un SUV avec chauffeur les attendait. Stephanie mourait de curiosité.

— Je vous en supplie, Chase, dites-moi où nous allons ! s'exclama-t-elle en montant dans la voiture.

— Patience, patience… Vous verrez bien, répondit-il, entretenant le mystère à plaisir.

Impossible de deviner ce qu'il avait en tête.

Ce n'est que quelques minutes plus tard, lorsqu'ils s'engagèrent dans Elvis Presley Boulevard, qu'elle commença à se douter de quelque chose. Ils s'arrêtèrent devant une grande maison au porche garni de hautes colonnes blanches, typique des belles demeures du Sud. Deux lions blancs semblaient monter la garde, assis chacun sur un piédestal. Quand elle vit le panneau *Graceland,* elle comprit enfin qu'elle se trouvait devant la célèbre demeure d'Elvis Presley, à Memphis.

— Comme c'est drôle ! s'écria-t-elle, enchantée. Dire que je n'avais pas deviné ! Mais c'est extra, Chase !

— Il fallait que vous voyiez cela. Je vous aurais bien emmenée en voiture, mais il y a trois heures et demie de route, et nous n'avions pas le temps. D'où cette idée de l'avion.

Il avait dû dépenser une fortune. C'était un geste extrêmement généreux.

Ils prirent un guide audio pour visiter le rez-de-chaussée de la maison. La bande-son comprenait des commentaires de Lisa Marie, la fille du King, et des extraits de ses chansons.

L'étage était fermé au public. Même si personne ne vivait plus dans la maison, cette partie de la demeure était privée par respect pour la famille. Ils ne voulaient pas que des fans aillent traîner dans la salle de bains où Elvis était mort. Au rez-de-chaussée, en revanche, on pouvait voir le salon, la salle de musique, la chambre des parents d'Elvis, la salle à manger et la cuisine. À l'entresol se trouvaient la salle de télévision (où trois postes se côtoyaient), la salle de jeu (avec un billard) et la fameuse *Jungle Room.*

La couleur dominante dans la chambre était le blanc,

avec un couvre-lit violet foncé. L'armoire de sa mère était fermée par des vitres qui permettaient de voir ses vêtements. La chambre d'Elvis, située à l'étage, ne faisait pas partie de la visite. L'escalier qui y menait était garni de miroirs et de vitraux colorés représentant des perroquets. Certaines parties de la maison étaient décorées de couleurs criardes, et on leur rappela pendant la visite qu'Elvis avait acheté cette demeure à l'âge de vingt-deux ans.

Après la maison principale, ils visitèrent le musée et la salle des trophées, où se trouvaient sa collection de disques d'or et de platine, le smoking de son mariage, et la robe de mariée de Priscilla. Ils traversèrent le bureau de son père, virent le stand de tir et le terrain de squash, qui abritait quelques-uns de ses costumes les plus extraordinaires, des combinaisons couvertes de sequins dorés, et ses tenues de scène. La collection était étonnante.

Ils virent également trente-trois de ses véhicules, dont la célèbre Cadillac rose, une Ferrari de 1975, une Cadillac Eldorado de 1956, une MG rouge, plusieurs Stutz Blackhawk, des motos Harley-Davidson, et bien d'autres encore. Ils conclurent leur visite par le Jardin de méditation, où Elvis était enterré à côté de ses parents et de sa grand-mère.

Stephanie trouva la visite fascinante ; pour rien au monde elle n'aurait voulu manquer cette expérience étrange. Si une grande partie de cette maison était une sorte d'hommage au mauvais goût, elle était aussi le symbole d'une époque. Elvis Presley avait énormément apporté à la culture populaire américaine, il avait été l'idole de plusieurs générations.

— J'ai adoré cette visite. Merci tout plein, Chase, dit-elle doucement alors qu'ils regagnaient la voiture.

Pénétrer dans la maison de personnes décédées,

approcher leur vie privée, laissait une certaine impression de malaise. Cependant, Elvis et sa famille avaient voulu que les gens puissent voir cette maison, afin de perpétuer son souvenir. Et, en quelque sorte, de le garder en vie.

Une demi-heure plus tard, ils étaient à bord de l'avion, en route vers Nashville. De l'appareil, elle admira le Mississippi tout en mangeant quelques sandwichs. À quatre heures et demie, ils étaient de retour chez Chase, à Brentwood.

Tandis qu'il allait travailler dans son bureau, elle s'allongea au bord de la piscine et songea à tout ce qu'elle avait vu depuis son arrivée. Jusqu'à présent, le lieu qu'elle préférait était l'Hermitage, la maison d'Andrew Jackson. Mais Chase avait raison, Graceland était un must. Et leur visite s'était faite dans des conditions idéales.

Un peu avant l'arrivée des musiciens, Chase la rejoignit à la piscine, puis ils dînèrent rapidement dans la cuisine. À sept heures, tout le monde était rassemblé dans le studio pour modifier les arrangements, enregistrer Sandy et les deux nouvelles chansons de Chase. Ce dernier n'était toujours pas content du mixage et ils effectuèrent plusieurs corrections au cours de la soirée. Chase était un perfectionniste, et Stephanie découvrait le travail colossal que représentait la fabrication d'un album.

Cette nuit-là, ils finirent à deux heures du matin, et Chase la raccompagna de nouveau à l'hôtel. La journée avait été longue et il avait l'air fatigué. Stephanie le remercia encore en descendant de la voiture et le dispensa de la raccompagner jusqu'à l'ascenseur, car il était très tard.

— J'ai beaucoup de travail de bureau à faire demain, et je dois encore améliorer cette dernière chanson. Les paroles ne me satisfont pas. Mais venez tout de même passer la journée à la maison. Vous pourrez profiter de la piscine.

— Je ne voudrais pas m'imposer, répondit-elle, hésitante.

— Au contraire ! J'adore savoir que vous êtes là, dit-il avec le genre de sourire ravageur qui faisait succomber toutes les femmes. Prenez votre maillot, ensuite nous passerons une soirée tranquille. J'ai donné congé aux musiciens, et je préparerai le repas.

L'invitation était tentante, elle accepta.

— Venez quand vous voudrez. Vous n'avez qu'à appeler Wanda, elle viendra vous chercher.

Stephanie avait sa voiture, mais Chase préférait qu'elle se fasse conduire. Elle regagna sa chambre d'hôtel, en proie à un sentiment de profond bonheur. Tout lui semblait fantastique à Nashville, et surtout Chase.

Le lendemain, elle le prit au mot et appela Wanda. Celle-ci arriva à midi dans la Chevrolet vintage rouge, la conduisit chez Chase, lui offrit quelque chose à boire, puis s'éclipsa discrètement. Stephanie s'installa dans une chaise longue au bord de la piscine, avec un livre et quelques magazines. À trois heures, alors qu'elle somnolait après avoir fait quelques brasses, Chase mit le nez hors de la maison. Pieds nus, vêtu d'un jean déchiré et d'un tee-shirt blanc, il vint s'asseoir dans un transat à côté d'elle. Il faisait chaud, et elle n'avait pas fini son verre de thé glacé.

— Coucou, dit-elle avec un sourire paresseux. Votre travail avance bien ?

Il avait des feuilles de musique sous le bras, et une pile de courrier à la main.

— Je n'en ai toujours pas fini avec ces paroles, mais j'avais beaucoup de choses à faire, aujourd'hui.

Du moins avait-il la chance de travailler chez lui, dans un cadre idyllique. Stephanie aimait l'atmosphère paisible et le silence qui régnaient dans le jardin. Chase s'allongea dans le transat, griffonna quelques notes, et lui tendit une feuille.

— Qu'en pensez-vous ? Il me manque deux vers pour le refrain. Je ne suis pas écrivain, mais musicien. Je peine à trouver les mots.

Stephanie ferma les yeux, réfléchit un moment, puis lui emprunta son stylo pour écrire sur la feuille.

— Je ne suis pas écrivain non plus. Mais que pensez-vous de cela ? demanda-t-elle en la lui rendant.

Il lut, hocha la tête, et la regarda en souriant.

— Vous êtes plus forte que vous ne le croyez. C'est très bon.

Il chanta le refrain a cappella. Oui, c'était bien.

— Le rythme est parfait. C'est primordial ; il faut que les vers contiennent le même nombre de syllabes. Et les paroles me plaisent. Vous êtes engagée.

Sur ces mots, il posa les papiers, ôta son jean et son tee-shirt et plongea dans la piscine. Il nagea jusqu'à l'autre extrémité et revint vers elle.

— Stevie, c'est trop sympa que vous soyez venue. Et en plus, vous savez écrire les paroles des chansons.

— Merci, Chase. Moi aussi, je me sens bien ici.

Ils passèrent le reste de l'après-midi à lire au bord de la piscine. Vers sept heures, il demanda à Stephanie si elle avait faim. Il lui avait promis de préparer le dîner, et ils allèrent voir ce que contenait le réfrigérateur. Une gouvernante s'occupait de la maison et faisait les courses, mais Chase n'aimait pas avoir du personnel chez lui le soir. Sauf lorsqu'il travaillait et avait besoin d'aide pour servir les repas.

Ils se décidèrent pour des steaks et de la salade. Chase venait juste de mettre le gril à chauffer quand ils virent Bobby Joe traverser le jardin, pour se rendre au cottage de Sandy. Celui-ci avait une entrée indépendante, mais Bobby Joe connaissait le code qui ouvrait le portail principal et passait souvent par là.

— Maudit gamin. J'ai beau lui répéter de prendre l'autre entrée, il n'écoute jamais.

Quelques minutes plus tard, Sandy apparut devant la porte du cottage et leur fit un signe de la main. Stephanie s'aperçut cependant que Bobby Joe faisait la tête. Quelque chose l'avait contrarié. Sandy, elle, semblait contente. Elle envoya un baiser à Stevie du bout des doigts, puis contourna la maison pour aller à sa voiture.

— Bobby Joe n'a pas l'air content, fit remarquer Stephanie.

— Il ne l'est jamais. J'ai déjà expliqué mille fois à Sandy qu'il était jaloux. Il sait qu'elle ira très loin, bien plus loin que lui. Il n'est pas mauvais, mais il n'a pas ce qu'il faut pour réussir. Et il n'accepte pas la situation. Il voudra toujours lui faire payer le fait d'être meilleure que lui. Il va continuer de bouder, de la punir d'être ce qu'elle est, jusqu'à ce qu'un jour elle en ait assez. Elle finira par comprendre. Bobby Joe n'est pas méchant, il est juste médiocre, c'est un crétin. Sandy mérite mieux. Il lui faut quelqu'un qui soit fier d'elle et lui donne confiance en elle. C'est ce dont nous avons tous besoin.

Chase sourit à Stephanie et déposa les steaks dans un plat.

— Une telle personne est plus difficile à trouver que vous ne semblez le croire, dit-elle.

Bill était souvent critique à son égard, et elle n'aimait pas cela. Elle détestait aussi entendre les réflexions agressives que Fred et Jean s'envoyaient au visage. Ces coups bas étaient trop faciles.

— C'est vrai, reconnut Chase.

Il avait disposé des sets en lin sur la table, ce que, de son propre aveu, il ne faisait que lorsqu'il avait des invités.

— Je n'ai jamais eu ce problème avec Tamra. Elle n'était pas du genre à faire des allusions vexantes. Elle préférait me donner un coup sur la tête, c'était plus direct, ajouta-t-il en riant.

Stephanie imagina ce qu'avait dû être la vie avec cette fille de la campagne au tempérament vif, qui réglait les problèmes à coups de poing.

— Un jour, elle m'a poursuivi avec une poêle à frire. Je suis trop gentil, et elle en profitait, avoua-t-il.

Stephanie s'assombrit tout à coup.

— Vous croyez que Bobby frappe Sandy ?

Il lui avait paru très fâché, quelques minutes plus tôt. Et elle se souvenait qu'une fois, dans l'autobus, il s'était mis en colère parce que la jeune fille avait trop de travail pour l'accompagner au casino.

— Non, je ne crois pas, répondit Chase. Je le foutrais dehors sur-le-champ s'il le faisait. C'est uniquement avec des paroles et sa mauvaise humeur qu'il lui fait du mal. Elle finira bien par s'en lasser.

Les steaks étaient délicieux, et Stephanie le complimenta.

— J'aime cuisiner, répondit-il simplement. Je n'ai pas souvent le temps, mais ici, dans cette cuisine ultra-sophistiquée, je peux pratiquement faire tout ce que je veux. En général, je me contente de faire griller des steaks et des côtelettes. Comme un vrai gars du Sud. Je fais aussi des épis de maïs, mais il faut être du Sud pour les apprécier. On ne peut pas nourrir une Yankee avec du maïs.

— Je devrais goûter, pendant que je suis là ! répliqua-t-elle en riant.

— Vous n'aimeriez pas. Les Yankees n'aiment jamais.

Elle oubliait quelquefois les origines sudistes de Chase, mais elle aimait bien ses bonnes manières, sa galanterie un peu surannée, et son élégance. Une élégance qui contrastait avec ses cheveux longs et ses tatouages. Il était tellement beau qu'il pouvait même se permettre de ne pas se raser pendant quelques jours, il n'en était que plus sexy.

Ils s'attardèrent dans la cuisine en parlant de son travail de la semaine et du concert que ses musiciens et lui allaient donner ce week-end.

— Demain, j'irai à Atlanta pour voir Michael, annonça-t-elle. Je l'ai appelé ce matin, et il sera libre le soir. Je vais être obligée de me coltiner aussi Amanda. L'un ne va pas sans l'autre.

— Vous pourriez les inviter au concert de ce week-end. J'aimerais beaucoup faire la connaissance de Michael et de sa belle.

— Elle est spéciale, dit Stephanie.

Cela faisait trois ans qu'Amanda était en couple avec Michael. Celui-ci l'avait connue à son arrivée à Atlanta, et il n'avait pas eu d'autre flirt, depuis. Elle avait le même âge que lui. Pour Stephanie et sa fille Louise, c'était une manipulatrice qui, en dépit d'une politesse excessive, n'avait pas du tout l'air sincère et ne pensait qu'à prendre Michael dans ses filets.

— Il rencontrera probablement quelqu'un d'autre ? suggéra Chase avec optimisme.

— Je ne crois pas. C'est un garçon très loyal, il ne regarde jamais les autres filles. Il n'avait que vingt-deux ans quand il l'a rencontrée, c'est trop tôt pour se fixer. Amanda a trouvé l'oiseau rare, et elle le sait. Elle ne le laissera pas filer.

— Vous aussi, vous étiez très jeune quand vous vous êtes mariée, fit observer Chase.

— Oui, mais je suis une fille. Et le père de Michael avait vingt-six ans.

Ce qui ne lui faisait qu'un an de plus que Michael actuellement. Stephanie fut un peu effrayée à cette idée.

— Invitez-le au concert, j'ai envie de le rencontrer. J'espère qu'un jour vous aussi ferez la connaissance de mon fils.

Chase avait songé à passer le voir à son travail la veille, lors de leur visite à Memphis, mais il était pressé par le temps.

— Je l'espère aussi, dit Stephanie en se promettant de transmettre l'invitation à Michael.

— Combien de temps allez-vous rester à Atlanta, Stevie ?

— Juste une nuit. Michael est trop occupé, je ne veux pas l'encombrer. L'équipe des Braves lui prend tout son temps. Il ne vient plus à San Francisco, sauf pour Thanksgiving et pour Noël.

— C'est toujours comme ça, quand ils grandissent, remarqua Chase avec philosophie. Vous allez me manquer, Stevie. Comment vais-je faire, une fois que vous serez retournée en Californie ?

Stephanie ne savait pas très bien non plus ce qu'elle ferait. Elle était tellement bien, avec lui ! À partir d'une simple invitation à un concert, ils avaient construit une relation amicale qui durait depuis neuf jours. Quelle aventure ! De toute façon, elle ne retournait pas tout de suite à San Francisco. Puisqu'elle était venue jusqu'ici, elle envisageait de passer par New York pour voir Louise. Elle n'en avait pas encore parlé à sa fille. Peut-être celle-ci était-elle trop occupée pour la recevoir ? Louise travaillait beaucoup, comme son frère.

— Moi aussi, j'appréhende le retour chez moi, admit-elle.

— Alors ne partez pas, Stevie.

Il l'entoura de ses bras et la serra contre lui. Stephanie ne fit pas mine de s'écarter. Elle se sentait bien dans ses bras.

— Je suis bien obligée, protesta-t-elle.

— Non, répliqua-t-il, le visage tout près du sien. Vous pouvez faire ce que vous voulez, Stevie.

— Mais pourquoi resterais-je ici ? chuchota-t-elle.

La ville lui plaisait et Chase était son ami, mais elle n'avait pas de vie ici.

— Vous pourriez écrire les paroles de mes chansons par exemple... ou n'importe quoi d'autre.

Avant qu'elle ait pu répondre, il l'embrassa doucement sur les lèvres. Elle sentit la tête lui tourner. La caresse de ses lèvres était aussi légère que le frémissement des ailes d'un papillon. En même temps, son baiser était fort, intense. Quand il s'écarta et la regarda avec tendresse, elle sentit la respiration lui manquer.

— Je suis fou de toi, Stevie.

Sans s'en rendre compte, il l'avait tutoyée. Elle n'y prêta même pas attention. Cela semblait si naturel...

— Je n'ai pas envie que tu partes. Je sais que dès que tu auras tourné le dos, tu me manqueras terriblement. Cela ne m'était encore jamais arrivé.

— À moi non plus.

Il l'embrassa de nouveau, et cette fois la passion prit le pas sur la tendresse. Chase avait envie d'elle, mais il craignait de l'effrayer, il savait que tout cela était nouveau pour elle. Pourtant, blottie dans ses bras, elle ne semblait pas effarouchée par leur étreinte.

— Je ne veux pas que tu partes, répéta-t-il.

— Je suppose que nous pourrions réfléchir à une solution.

Pour l'instant, elle ne voyait vraiment pas laquelle. Elle avait une maison, des amis, une histoire à San Francisco. Ses enfants venaient l'y retrouver pour les vacances ou pour les réunions de famille. Quant à Chase, sa vie et sa carrière étaient à Nashville. Ils n'étaient plus des enfants, ils vivaient chacun à un bout du pays, dans des mondes complètement différents. De plus, ils se connaissaient à peine ; elle ne pouvait pas jeter sa propre vie aux orties au bout de dix jours passés avec lui.

Ils s'embrassèrent de nouveau, puis il lui proposa un film. Ils allèrent s'allonger sur le lit *king size* en compagnie de George et de Frank. George ronflait si fort qu'ils durent augmenter le son, ce qui les fit beaucoup rire.

Stevie aimait même les chiens de Chase. Alors que la plupart de ses petites amies les détestaient et prétendaient qu'ils auraient dû dormir dehors... Tamra était allergique, et il avait été obligé de les exiler dans le jardin jusqu'à ce qu'elle s'en aille.

Ce soir-là, il n'essaya pas de lui faire l'amour. Il resta juste allongé à côté d'elle, un bras passé sur ses épaules. Ils s'embrassaient de temps en temps, c'était agréable et innocent. Rien ne pressait, même si elle était consciente de son corps puissant et de la passion qui l'animait quand il l'embrassait. Mais il ne perdit jamais le contrôle. Stephanie se sentait en parfaite sécurité dans les bras de cet homme sensible et délicat.

— De toute façon, il n'y a pas de place pour moi dans ton lit, dit-elle en désignant les chiens avec un sourire.

Frank allongeait ses pattes et la poussait vers Chase, tandis que George ronflait à qui mieux mieux.

— Cela devrait pouvoir s'arranger. J'en parlerai avec eux, affirma Chase. Nous essaierons de négocier un partage du lit, selon les heures.

Ils s'embrassaient avec toujours plus de passion, et Chase mourait d'envie de sentir son corps nu contre le sien. Toutefois, l'attente était enivrante ; ils décidèrent que ce serait encore mieux plus tard.

— J'espère que nos enfants sont aussi raisonnables que nous, avant de s'engager dans une relation, dit Chase en riant.

— Cela m'étonnerait.

— J'avoue que c'est la première fois que ça se passe ainsi pour moi, lâcha-t-il.

Dans le passé, il avait toujours été très impulsif dans ses relations, aussi bien sexuelles que sentimentales, ce qui ne lui avait attiré que des ennuis. Cette fois, c'était différent.

Ils quittèrent le lit à regret. Chase la reconduisit à son hôtel et ils s'attardèrent dans la voiture, pour s'embrasser encore. Il lui avait indiqué un bon hôtel à Atlanta. Elle lui promit de l'appeler en arrivant. Il y avait quatre heures de route depuis Nashville, et elle avait envie d'explorer la ville, de faire du shopping et peut-être de visiter un musée, avant de retrouver Michael et Amanda le soir.

— Nous dînerons ensemble à ton retour. Je connais d'excellents restaurants en ville. D'ici là, amuse-toi bien à Atlanta, dit-il avant de l'embrasser une dernière fois. Dois-je te répéter à quel point tu vas me manquer ?

Il la fixa intensément, et elle sourit.

— Je t'appellerai demain.

Elle courut vers l'entrée de l'hôtel et lui fit au revoir de la main. Il fallait encore qu'elle prépare un petit sac de voyage pour sa nuit à Atlanta. Le reste de ses affaires l'attendrait ici, c'était plus simple.

Chase l'appela alors qu'elle était sur le point de s'endormir. À l'autre bout du fil, elle entendit le ronflement d'un moteur.

— Tu sais quel effet cela fait, d'entendre les ronflements de George à côté de toi ? s'exclama-t-elle en riant.

Chase rit aussi, lui souhaita une bonne nuit, et ils raccrochèrent.

Stephanie s'endormit en pensant aux moments qu'elle avait passés blottie entre ses bras. Cela faisait bien longtemps qu'on ne l'avait plus embrassée ainsi.

12

Stephanie s'éveilla à sept heures du matin. Quitta l'hôtel une demi-heure plus tard et effectua le long trajet jusqu'à Atlanta. Là, elle descendit à l'hôtel recommandé par Chase, le Ritz-Carlton, dans Peachtree Street. L'établissement était charmant ; de sa chambre, elle avait une très belle vue sur la ville. Elle passa l'après-midi à se promener dans Atlanta et visita le High Museum puis retrouva les enfants à six heures dans le hall de l'hôtel.

Michael était en costume et cravate, et Amanda l'accompagnait, aussi élégante que lui. La jeune femme avait un poste de rédactrice dans une agence de publicité. Elle avait fait ses études à l'université de Duke et c'était une fille brillante et ambitieuse, mais son esprit à la fois vif et retors déplaisait à Stephanie. Amanda était exigeante avec Michael. Ils avaient chacun un appartement, mais en réalité, depuis deux ans, ils dormaient tous les deux chez Michael. De temps à autre, ce dernier laissait entendre qu'ils allaient louer un appartement ensemble mais, au grand soulagement de Stephanie, ils n'en avaient encore rien fait. Elle espérait en fait qu'ils finiraient par rompre, et dans ce cas il serait plus simple que chacun ait son chez-soi.

Amanda avait un programme tout tracé. Cela faisait déjà quelque temps qu'elle poussait Michael à chercher un job mieux rémunéré, afin qu'ils puissent acheter une maison. Mais Michael adorait son travail avec l'équipe des Braves. Et depuis trois ans qu'il avait fini ses études, il s'était bien débrouillé. Stephanie était contente pour lui et trouvait qu'Amanda aurait dû le laisser libre de ses choix. La mère de celle-ci gagnait très bien sa vie dans l'immobilier et son père travaillait dans une banque. Son frère et sa sœur aînés avaient bien réussi professionnellement et étaient tous deux mariés. Dans sa famille, l'argent était une question fondamentale.

— Où aimeriez-vous dîner ? demanda Stephanie.

Amanda proposa le Bacchanalia, un restaurant très chic. Michael préférait les ambiances plus simples, mais il céda devant les exigences de sa compagne. Cinq minutes n'étaient pas passées qu'Amanda agaçait déjà profondément Stephanie...

Au cours du repas, Michael demanda à sa mère ce qu'elle faisait dans la région. Son coup de fil et sa visite inattendue l'avaient beaucoup surpris.

— Je suis un peu désœuvrée en ce moment, dit-elle en soupirant. Une amie de l'université m'a invitée à Nashville. Je ne l'avais pas revue depuis des années, et j'ai pensé que ce serait une bonne idée de venir. Cela me permet de te voir par la même occasion.

Michael ne sut quoi répondre. Ce long voyage à travers le pays, juste pour rendre visite à une amie perdue de vue, ne ressemblait pas du tout à sa mère. Elle ne s'aventurait jamais loin de chez elle, et encore moins toute seule. Même du vivant de son père, ses parents ne faisaient que de modestes voyages à Tahoe, Santa Barbara, Los Angeles, Palm Springs, ou New York quand ils voulaient voir ses sœurs. Vraiment, il n'imaginait pas sa mère prenant le volant pour se rendre seule à Nashville, dans le Tennessee. Néanmoins, elle avait bonne mine et se disait satisfaite de son voyage.

— Hier, nous sommes allées à Graceland.

— Graceland ? répéta-t-il, éberlué. Depuis quand tu t'intéresses à Elvis ?

Du plus loin qu'il se souvienne, elle n'avait jamais spécialement apprécié sa musique. Ses goûts la portaient plutôt vers les ballades, les crooners, ou même le rap qu'ils lui faisaient écouter quand ils étaient adolescents.

— C'est mon amie qui m'a proposé cette visite... C'est extraordinaire de voir comment vivait un artiste de cette dimension. Et Nashville est une ville tellement vivante, avec toute cette musique country. Oh, cela me rappelle quelque chose. Par le plus grand des hasards, j'ai fait la connaissance de Chase Taylor, grâce à mon amie. Il donne un concert samedi et vous êtes invités tous les deux. Vous aurez des billets VIP, des laissez-passer pour les coulisses et tout le toutim. Je crois que ça vous plaira. Je viendrai avec vous, si vous voulez.

— Combien de temps vas-tu rester à Nashville, maman ?

— Encore quelques jours. Jusqu'à samedi, si vous venez au concert. La semaine prochaine, je voudrais passer à New York pour voir Louise, ensuite je rentrerai à la maison.

— Toute seule ? s'exclama-t-il, sidéré. Tu es devenue une vraie routarde, depuis la mort de papa.

Il semblait légèrement inquiet. Stephanie se garda bien de lui parler de son séjour à Las Vegas et de sa randonnée dans le Grand Canyon.

— Je n'ai pas grand-chose à faire à San Francisco, en dehors de mon travail de bénévole au foyer, qui est un peu épisodique. Vous avez tous les trois quitté la maison... et papa aussi. Tous mes amis sont mariés, ils ont leur vie. J'aimerais vraiment trouver un travail.

Les yeux de Michael se voilèrent un instant.

— Je suis désolé, maman, dit-il doucement.

Sa ressemblance avec elle était saisissante. Il était grand, mince, athlétique, avec des cheveux blonds et les yeux bleus. Une version masculine de Stephanie. Les gens le lui faisaient toujours remarquer, mais elle en prit réellement conscience à cet instant, tandis qu'il la dévisageait d'un air apitoyé. Il venait de comprendre à quel point sa mère devait se sentir seule pour traverser tout le pays dans le seul but de rendre visite à son fils et à une ancienne camarade de classe.

— Ne t'inquiète pas, Michael. Je m'amuse bien. Alors, que pensez-vous de ce concert? Samedi soir. Chase Taylor est très sympa, et c'est une grande vedette.

Par chance, Michael ne lui avait pas demandé le nom de son amie de faculté. Il aurait fallu qu'elle improvise.

— Oui, on sait, bien sûr. Et tu es fan de country?

C'était un aspect de la personnalité de sa mère qu'il ignorait.

— Pas vraiment, reconnut-elle.

Son fils la connaissait trop bien pour qu'elle lui mente sur ce point. Cependant, elle était obligée de déguiser légèrement la vérité. Michael n'aurait pas compris cette rencontre dans le Grand Canyon, ni l'importance que Chase était en train de prendre dans sa vie. La mort de son père était encore trop récente pour qu'un autre homme prenne place dans leur univers.

— En tout cas, j'ai l'impression que tout Nashville ne vit que par cette musique, ajouta-t-elle. Vous devriez venir, tous les deux.

L'idée semblait plaire à Amanda, surtout à cause des laissez-passer pour les coulisses. Peut-être espérait-elle aussi gagner les faveurs de la mère de Michael... Ce dernier, quant à lui, n'était pas encore décidé.

— Je te donne une réponse demain, maman. L'équipe est en déplacement ce week-end, mais je crois que nous avions des projets.

— Bien sûr, mon chéri. Il n'y a rien qui presse.

— J'aimerais bien rencontrer ta camarade de cours aussi, ajouta-t-il d'un ton chaleureux.

Ah... Bon, elle trouverait une excuse pour justifier l'absence de son amie imaginaire. Elle dirait à Michael qu'elle était malade... s'il venait à Nashville, ce qui n'était pas encore sûr. Pourtant, elle aurait aimé le présenter à Chase. Elle était fière de son fils. Elle lui sourit, puis regarda Amanda. Ses yeux et ses cheveux foncés contrastaient avec ceux de Michael. Elle était jolie, mais une expression de détermination durcissait ses traits... Était-ce parce qu'elle voulait contrôler Michael ? En tout cas, cela la faisait paraître plus vieille que son âge.

Ils se quittèrent peu après. Ils avaient passé un agréable moment au restaurant. Sur le chemin du retour, Michael parla de sa mère avec Amanda.

— Je me fais du souci pour elle. Elle tente de donner le change, mais je vois bien qu'elle est triste. Depuis que mon père n'est plus là, elle est perdue.

— Ne sois pas idiot. Elle n'a jamais eu l'air aussi en forme. C'est une jolie femme et en un rien de temps elle aura retrouvé un homme. Je parie qu'elle se remariera.

Ce n'était pas du tout ce que Michael avait envie d'entendre.

— Tu ne connais pas ma mère. Elle aimait profondément mon père, elle lui était entièrement dévouée. Je suis sûr qu'elle ne se remariera pas.

— À quarante-huit ans ? Tu rêves. Elle est belle et

elle a de l'argent ; dans moins d'un an, elle aura de nouveau un amoureux.

Michael regarda droit devant lui, les mains crispées sur le volant, les lèvres serrées.

— De plus, elle est très indépendante, poursuivit Amanda. Elle a traversé tout le pays, seule en voiture.

— Il fallait qu'elle soit vraiment désespérée pour faire une chose pareille, répondit-il. Quand je pense qu'autrefois elle ne voulait même pas aller à Tahoe toute seule.

— Une page s'est peut-être tournée après la mort de ton père. Je trouve que c'est super. Regarde, tous les gens qu'elle rencontre. Que penses-tu du concert de samedi ?

— Je ne suis pas fou de musique country. Et toi ?

— On s'en fiche. On aura des billets VIP, et on pourra aller voir Chase Taylor dans sa loge. C'est génial.

— Oui, peut-être...

— J'ai envie d'y aller, moi, insista Amanda. En plus, ce serait bien de revoir ta mère, non ?

— Je l'appellerai demain, concéda-t-il d'un air malheureux.

De son côté, Stephanie était arrivée à son hôtel et discutait au téléphone avec Chase.

— Comment ça s'est passé, alors ? demanda-t-il.

— Très bien avec Michael, moins bien avec Mlle Contrôle-Tout. J'ai vraiment l'impression qu'elle le tient au collet et qu'elle décide de sa vie.

— Tu les as invités au concert ?

— Michael me rappelle demain pour me donner sa réponse. Amanda veut venir, en tout cas. Donc, il y a de fortes chances qu'ils viennent.

— Très bien. Comme ça je ferai leur connaissance. Et je te dirai ce que je pense de cette fille.

— OK... Je serai de retour à Nashville demain, à l'heure du déjeuner.

— Très bien, je passerai te chercher dans l'après-midi.

— Super. À demain, dit-elle avec chaleur.

Quand elle raccrocha, ses pensées se reportèrent sur son fils. Amanda avait beau être polie et agréable, elle ne l'en aimait pas davantage. Et Michael agissait toujours selon la volonté d'Amanda.

C'était elle qui menait la barque.

À peine arrivée à l'hôtel à Nashville, Stephanie reçut un appel de Michael. Ils avaient décidé de venir assister au concert, et il lui avoua sans détour qu'Amanda voulait rencontrer Chase.

— Pas de problème, chéri. C'est quelqu'un de très sympa ; il te plaira, à toi aussi. Et j'aime vraiment sa musique.

Elle s'abstint de lui révéler qu'elle l'avait aidé à écrire les paroles d'une chanson, qu'elle avait assisté à l'enregistrement d'un album, ou qu'elle avait fait le voyage jusqu'à Nashville avec lui. Michael ignorait encore beaucoup de choses...

Il lui dit qu'ils arriveraient à Nashville le samedi après-midi, avant le concert, et elle promit de les retrouver à l'hôtel. Elle leur y avait réservé une chambre. Chase chanterait au Bridgestone Arena, où avaient lieu chaque année les Country Music Association Awards.

En début d'après-midi, Chase vint la chercher. À l'approche de sa maison, il parut agacé de voir une douzaine de touristes groupés devant le portail, en train d'examiner une carte. L'office du tourisme et le Ernest Tubb Record Shop vendaient des plans indiquant l'emplacement des demeures des stars de la ville. Chase passa devant la maison sans s'arrêter, tourna et entra à l'arrière de la propriété, près de l'entrée du cottage de Sandy. La voiture de la jeune fille n'était pas là, elle devait être sortie. Il aurait été plus facile pour Chase de vivre dans une résidence sécurisée, derrière de hauts murs, mais il aimait cette maison. Cela valait la peine de supporter de temps en temps des touristes curieux, ou des autobus qui ralentissaient devant son jardin. De toute façon, les gens ne pouvaient rien voir de la rue, les volets de la façade étaient toujours tenus fermés. Avant son emménagement, Chase avait fait équiper les fenêtres de vitres à l'épreuve des balles. C'était le prix à payer quand on était célèbre.

Ils bavardèrent dans la cuisine pendant qu'il consultait ses e-mails et répondait à certains d'entre eux. Wanda passa en coup de vent et fit la causette à Stevie. Celle-ci était devenue du jour au lendemain une habituée de la maison. Wanda l'aimait bien, et il ne lui avait pas échappé que Chase était sous son charme.

Les musiciens arrivèrent, et la répétition put commencer. Ils jouèrent jusqu'à minuit, ne s'arrêtant que brièvement pour dîner. Chase avait écrit une nouvelle chanson pour Sandy, et deux pour lui-même, qu'il chanterait le lendemain pour la première fois. Le concert était puissant et dynamique, et les nouvelles chansons plurent à Stephanie. Chase lui avoua qu'il avait écrit *Le gars de la campagne et la belle dame* en pensant à elle. Elle avait été sa source d'inspiration.

Après la répétition, il la ramena à son hôtel en voiture. La passion les enflammait comme des adolescents, et ils eurent bien du mal à se quitter.

Le jour suivant, elle attendit à l'Hermitage l'arrivée de Michael et Amanda. Celle-ci était surexcitée à l'idée d'assister au concert, et Michael était heureux de voir sa mère. L'après-midi, ils firent le tour des boutiques, écoutèrent les musiciens qui jouaient un peu partout dans les rues et les cafés, puis Michael questionna Stephanie sur son amie de l'université, dont il était impatient de faire la connaissance. Stephanie, qui se découvrit à cette occasion des talents d'actrice, fit la moue.

— Pas de chance. Elle a attrapé la grippe et elle est malade comme un chien, obligée de rester au lit. Je suis tellement déçue. J'aurais aimé que tu la voies, même si elle raconte des choses sur moi, à l'époque où nous étions étudiantes, que je préfère que tu n'entendes pas.

Michael sourit, et elle enchaîna :

— Elle a appelé Chase Taylor, qui nous fera passer les billets. Ici, tout le monde connaît tous les musiciens. Nous n'aurons donc aucun problème pour ce soir.

— Je regrette qu'elle soit malade, dit Michael sans le moindre soupçon.

Il n'aurait jamais imaginé que sa mère puisse lui mentir ou avoir une relation avec une star de country. Pour lui, c'était totalement impensable, et Stephanie éprouva un brin de culpabilité. Elle espéra qu'elle ne se trahirait pas involontairement tout à l'heure, quand elle retrouverait Chase. Tous deux étaient convenus d'un nom pour l'amie imaginaire : Laura Perkins.

Ce soir-là, Michael, Stephanie et Amanda dînèrent au Capitol Grill, le restaurant de l'hôtel. À huit heures, ils partirent pour Bridgestone Arena, où Chase avait passé une bonne partie de la journée. Il ne faisait pas confiance aux producteurs ni aux directeurs de salles, et supervisait toujours les préparatifs lui-même. Il avait envoyé une voiture et un chauffeur à Stephanie, et Michael crut que c'était elle qui avait tout arrangé. Ils montrèrent leurs billets et furent conduits au premier rang, à quelques pas de Chase et de la scène. Amanda gloussait de joie, elle appela une copine juste pour lui dire où ils se trouvaient.

— Je ne savais pas que tu aimais autant Chase Taylor, fit remarquer Michael, un peu déconcerté.

— Tu plaisantes ? Il est magnifique, répondit-elle avec son fort accent du Sud.

Elle aimait répéter que les hommes du Sud étaient plus beaux que les Yankees. « À l'exception de Michael, bien entendu. » Mais ce compliment ne paraissait pas totalement sincère.

Stephanie bavarda avec elle, pendant que Michael regardait les scores de baseball sur son BlackBerry. Les Braves jouaient à Philadelphie, et il était content de ne pas avoir été obligé d'y aller. Il assistait à beaucoup de matchs en dehors de la ville, et Amanda adorait l'accompagner, surtout lorsqu'ils descendaient dans des hôtels de luxe, payés par l'équipe. Leur chambre à l'Hermitage avait d'ailleurs beaucoup plu à la jeune femme. Elle trouvait tout naturel que la mère de Michael soit aussi généreuse.

La salle était comble. Le concert, qui était prévu pour vingt heures trente, ne commença qu'à neuf heures. Stephanie se demanda quelle était la raison de ce retard, mais elle ne pouvait pas passer derrière le rideau pour se renseigner. Sandy ne s'était pas sentie très bien dans la journée, et elle espéra qu'elle n'était pas malade. Lorsqu'elle avait eu Chase au téléphone, avant le dîner, il lui avait pourtant dit que tout allait bien. Alors qu'elle commençait à s'inquiéter, les lumières s'éteignirent et le groupe qui passait en vedette américaine entra sur scène. Bobby Joe et ses musiciens ne firent qu'une apparition éclair.

Puis ce fut au tour du groupe de Chase. Le chanteur apparut quelques instants après ses musiciens, plus charismatique que jamais. En quelques secondes, il subjugua le public. Les fans criaient son nom. Il garda sa chanson sur Stephanie pour la fin, et quand il la chanta, le public était en transe.

Stephanie vit qu'Amanda était fascinée et que Michael n'était pas loin de l'être, lui aussi. Le public applaudissait et en redemandait. Chase chanta trois chansons supplémentaires, avant de saluer et de quitter la scène. Amanda trépignait en tapant des mains, lorsqu'un jeune homme apparut et leur demanda de le suivre dans les coulisses. Chase avait à plusieurs reprises regardé Stephanie droit dans les yeux au cours du concert. Un regard qui en disait long sur ses sentiments pour elle. Les spectateurs croyaient que cela faisait partie du show et qu'elle était juste chanceuse de se trouver là, devant lui. Stephanie, elle, savait exactement ce que cela voulait dire.

Ils suivirent le jeune garçon sur la scène, passèrent derrière le rideau où les techniciens s'affairaient, puis s'engouffrèrent dans une caravane presque aussi luxueuse que l'autobus. Amanda gravit les marches, les yeux écarquillés, et Stephanie présenta les deux jeunes gens à Chase.

— Merci d'être venus, leur dit-il.

— Oh, c'est nous qui vous remercions pour l'invitation, répondit Michael. Le concert était vraiment génial !

Ils parlèrent un peu de baseball et Chase révéla au jeune homme qu'il était un supporter des Braves. Rien dans son expression ni dans ses paroles ne pouvait trahir la relation spéciale qu'il avait nouée avec Stephanie. Il pensa même à dire qu'il était désolé que Laura n'ait pas pu venir. Stephanie était en train de lui expliquer qu'elle avait la grippe quand Sandy surgit dans la caravane, hors d'elle. Elle marcha droit vers Chase, sans prêter attention à Michael, à Amanda ou à Stephanie. Le regard de Michael s'attarda un instant sur elle. La jeune fille portait sa tenue de scène, une chemise à sequins et un jean très serré. Ses longs cheveux blonds lui balayaient le dos.

— Bobby Joe n'est qu'un connard ! s'écria-t-elle, furieuse. Il m'a dit que j'avais une voix uniforme et que je n'étais pas dans le ton quand nous avons chanté la nouvelle chanson.

Chase s'efforça de demeurer imperturbable. C'était une attitude typique de Bobby Joe. Le garçon la rabaissait continuellement.

— Tu as été magnifique, Sandy, dit-il pour la rassurer. Crois-moi, si tu n'avais pas été dans le ton, je ne me serais pas gêné pour te le dire. Bobby Joe est jaloux, parce que nous devions caser les nouvelles chansons et qu'il est resté moins longtemps sur scène. Il est contrarié, c'est tout.

Il se tourna un instant vers Michael.

— Sandy, reprit-il, nous avons des invités. Voici Michael, le fils de Stephanie, qui vit à Atlanta, et son amie Amanda.

Il lui lança un regard grave, l'avertissant en silence de ne pas trop parler. Elle comprit aussitôt.

— Oh, bonsoir, dit-elle d'un air un peu gêné. Désolée, je ne vous avais pas vus. Mon petit ami trouve que je chante mal, expliqua-t-elle.

Soudain, elle ne pouvait quitter Michael des yeux. Elle n'avait jamais vu un homme aussi beau. À part Chase, peut-être.

— Pour moi, vous avez été fantastique, répondit Michael en soutenant son regard.

Stephanie eut l'impression très nette de voir des étincelles jaillir de leurs yeux. Un sourire se dessina sur ses lèvres. Amanda, heureusement, tournait le dos à Michael et ne vit rien de son échange avec Sandy. Mais celui-ci n'échappa ni à Chase ni à Stephanie.

Quelque chose venait de se passer entre les deux jeunes gens.

— Il faudra que je répète cette chanson, dit Sandy d'un air vague, comme si elle avait la tête ailleurs. Vous vivez à Atlanta, comme ça ?

— Oui, je travaille pour l'équipe des Braves.

— Oh ! J'adore le baseball ! s'exclama-t-elle.

— Il faudra que vous veniez assister à un match, un jour, répondit Michael, oubliant totalement la présence d'Amanda.

— Oh, oui, ça me plairait beaucoup !

À ce moment, d'autres personnes entrèrent dans la caravane, Chase fut appelé pour une urgence, Sandy dut répondre à quelqu'un qui lui posait une question, et Stephanie ressortit avec Michael et Amanda. Son fils semblait ébloui. Amanda ne cessait de chanter les louanges de Chase, mais il n'entendait pas un mot de ce qu'elle disait. Il posa sur sa mère un regard sans expression, comme si quelqu'un lui avait lancé un sort à l'instant où Sandy avait fait son apparition. Elle semblait être beaucoup plus jeune que lui, mais cela lui était complètement égal. C'était la fille la plus belle et la plus séduisante qu'il avait jamais vue.

Avant de se coucher, ils prirent un verre à l'Oak Bar, à l'hôtel. Michael restait silencieux.

— Tu te sens bien, mon chéri ? demanda sa mère.

Il hocha la tête.

— Oui, très bien. Nous avons perdu ce soir, à Philadelphie.

— Oh, je suis désolée.

Elle se doutait qu'il s'en moquait éperdument. Allait-il la questionner, au sujet de Sandy ? Il ne pouvait pas, devant Amanda, et en plus il ignorait que sa mère la connaissait très bien.

Bientôt, il annonça qu'il était fatigué et disparut dans

sa chambre. Amanda remercia abondamment Stephanie et s'éclipsa à son tour.

Deux heures plus tard, alors que Stephanie allait se coucher, Chase l'appela. Il avait laissé les musiciens remballer le matériel, et il rentrait chez lui. Il avait travaillé quatorze heures de suite et semblait épuisé.

— C'était magnifique, Chase. Vraiment ! lui dit-elle.

— Oui, c'était super. Je crois que la soirée a été magique.

Chase avait rabattu le toit décapotable de la Corvette. La soirée était douce, le ciel illuminé par la pleine lune.

— J'ai adoré notre chanson, poursuivit-elle.

Il ne l'avait pas quittée des yeux en la chantant.

— Moi aussi. Mais ce n'est pas ce que je voulais dire. Je pensais à ce qui s'est passé ensuite, dans la caravane. Ton fils a manqué s'évanouir quand Sandy est entrée. J'ai cru entendre les oiseaux chanter et les violons se mettre à jouer. Ils étaient comme ensorcelés, tous les deux. Tu as vu comme j'ai réussi à détourner l'attention de Mlle la Gêneuse ?

— Moi qui croyais qu'elle t'avait séduit ! s'exclama Stephanie en éclatant de rire.

— Pas de risque. Je vois ce que tu voulais dire, à son sujet. Je connais ce genre de filles. C'est une arriviste. En deux secondes, on voit qu'elle ne s'intéresse qu'à l'argent, elle ne parle que de cela, de ce que les autres possèdent.

— Le problème, c'est que Michael lui est absolument fidèle. Il se laisse dominer. C'est terrible, car je ne suis même pas sûre qu'il l'aime.

— Mais il s'est passé quelque chose avec Sandy ce soir, répéta Chase. J'avais l'impression de regarder un film. Je suis certain qu'il est tombé raide dingue amoureux, et elle aussi. Elle lui a dit qu'elle aimait le baseball, mais en réalité elle ne fait même pas la différence entre une balle et une batte !

Stephanie rit de plus belle. Une idylle entre Sandy et Michael semblait improbable, cependant on avait déjà vu des choses plus étranges se produire. Elle avait bien rencontré Chase, elle !

— Tu ne pourrais pas passer le numéro de Sandy à Michael ?

— Je ne vois pas comment. Sous quel prétexte ?

— Demande-lui de l'inviter à un match, suggéra Chase.

— Tu veux provoquer une histoire d'amour entre mon fils et ta pupille ?

— Tout à fait. Et si ça marche, tu me remercieras.

— C'est vrai. Je te devrai une fière chandelle !

— Je ne manquerai pas de te le rappeler.

Le lendemain matin, Stephanie prit son petit déjeuner avec Michael et Amanda, avant qu'ils ne repartent à Atlanta.

Son fils était préoccupé et silencieux, tandis qu'Amanda ne tarissait pas d'éloges sur Chase. Elle le trouvait beau, charmant, et le concert avait été génial. Elle remercia longuement Stephanie, puis remonta dans sa chambre pour boucler son sac, laissant Michael quelques minutes en tête à tête avec sa mère.

— Maman…, commença-t-il d'un ton grave.

Elle craignit tout à coup qu'il ne cherche à savoir comment elle avait fait la connaissance de Chase, mais il enchaîna :

— … tu n'aurais pas le numéro de téléphone de sa fille, par hasard ?

Il ne voyait pas trop pourquoi elle l'aurait eu, mais

il fallait tout de même qu'il lui pose la question, juste au cas où.

— C'est drôle, mais si, je l'ai. Elle était là quand mon amie Laura m'a présenté Chase, et elle m'a donné son numéro. Ce n'est pas sa fille, en réalité. Chase est son tuteur. Ses parents sont morts, et son père l'a confiée à Chase quand elle avait quinze ans.

— Quel âge a-t-elle ?

Sandy avait l'air si jeune, il craignait qu'elle n'ait pas plus de seize ou dix-sept ans.

— Dix-huit ans.

— Ah...

Il sembla soulagé. Stephanie ne répondit pas, mais elle était aux anges. Chase avait raison, il y avait bien eu un coup de foudre entre les deux jeunes gens, la veille. Elle chercha le numéro de Sandy dans son portable et l'envoya par texto à son fils. Sur ce, Amanda réapparut avec les bagages.

Stephanie les raccompagna jusqu'à la voiture et serra Michael dans ses bras.

— Je suis content d'être venu, dit-il en la regardant droit dans les yeux.

Elle hocha la tête et le serra de nouveau contre elle. Elle ne pouvait rien dire devant Amanda, mais elle espéra de tout son cœur qu'il appellerait Sandy. Cependant, elle n'avait pas le droit de s'en mêler. Michael était un homme, c'était à lui de faire ses choix.

Elle croisa simplement les doigts. Michael avait toute la vie devant lui, et il ne fallait pas qu'il la passe avec une femme qui ne voyait en lui qu'un bon parti.

Elle leur fit un signe de la main quand ils s'éloignèrent, et remonta dans sa chambre. Un peu plus tard, Chase l'appela et elle se rendit à Brentwood pour passer la journée avec lui, au bord de la piscine.

Dans l'après-midi, il aborda le sujet douloureux du départ.

— Quand comptes-tu t'en aller, Stevie ?

Il savait que le moment de la séparation approchait. Maintenant que Stephanie avait vu son fils et assisté au concert, elle n'avait plus de raison de repousser son départ. Elle avait appelé Louise, et celle-ci n'avait qu'un seul jour de libre pour la voir. C'était le jeudi. Ce qui signifiait que Stephanie devrait quitter Nashville au plus tard mardi, car il y avait deux jours de route jusqu'à New York. Elle n'avait donc plus qu'un jour à passer avec Chase... Ensuite, il faudrait reprendre pied dans la réalité.

Chase n'avait qu'une idée en tête : trouver un prétexte pour la faire revenir. Très vite. Et si ce n'était pas possible, il irait en Californie. Il ne pouvait plus imaginer la vie sans elle.

— Je partirai mardi, annonça-t-elle d'un ton morne. Louise aura un peu de temps à me consacrer jeudi, et je reprendrai la route vendredi.

— Tu ne veux vraiment pas faire le voyage en autobus ? Nous ferons remorquer ta voiture.

Il était inquiet de la savoir seule sur les routes.

— Je suis une grande fille, tu sais. Jusqu'ici, je n'avais jamais voyagé seule, mais je tiens à le faire. Cela me donnera du temps pour réfléchir.

À lui, à sa vie, à ce qu'elle allait faire à présent.

— Tu pourrais revenir ici après New York, suggéra-t-il, tout en sachant qu'elle ne le ferait pas.

Il était prêt à lui laisser le temps et l'espace nécessaires pour faire le point sur ses désirs, mais il espérait malgré tout qu'elle prendrait des décisions rapidement. Elle était devenue si importante pour lui. Elle faisait partie de sa vie, de son être, de son cœur.

— Je reviendrai à Nashville, promit-elle. Mais je ne sais pas encore quand.

175

— Je peux aussi venir te voir à San Francisco.

— Ce serait bien, répondit-elle doucement.

Cela lui permettrait de le voir dans sa vie réelle et quotidienne, et non comme une sorte de rêve ou de fantasme. La vérité était tout de même difficile à croire. À la suite d'une erreur d'itinéraire, elle était partie à Las Vegas, avait rencontré une vedette de country dans le Grand Canyon, et l'avait suivie jusqu'à Nashville. À vrai dire, elle n'avait jamais été aussi heureuse de sa vie. Toutefois, il fallait d'abord qu'elle rentre chez elle et tente de comprendre qui elle était sans Bill. Avant d'ouvrir les bras à Chase, elle devait faire son deuil de son mari. Certes, elle était en train de tomber amoureuse de cet homme, mais pour l'instant elle ne savait pas encore ce que cela signifiait, ni si cela pouvait marcher entre eux.

Elle avait vécu si longtemps pour son mari et ses enfants qu'elle n'avait plus d'identité sans eux. Or elle voulait devenir une vraie personne avant d'aller vers Chase, elle ne se contenterait pas de vivre simplement dans son ombre. Elle avait l'impression que les choses qui avaient donné de la valeur à son existence n'étaient plus réelles. Ses rôles d'épouse et de mère étaient morts ou derrière elle. Elle n'avait pas non plus de carrière professionnelle. Plus personne n'avait besoin d'elle. Elle vivait dans une maison vide, et quand elle était avec ses amis, elle était comme la cinquième roue du carrosse.

Cependant, elle ne voulait pas s'enfuir, pour se glisser dans la vie très remplie de Chase, à Nashville. Maintenant qu'elle était une femme libre, il fallait d'abord qu'elle trouve qui elle était, quelle était sa vraie identité. Ce dernier le comprenait très bien, mais il parut un peu effrayé quand elle lui expliqua tout ceci le soir, pendant le dîner.

— Bien... Je t'attendrai, déclara-t-il calmement, s'efforçant de paraître plus serein qu'il ne l'était en réalité.

Qu'adviendrait-il si elle décidait qu'elle préférait son ancienne vie, avec ses vieux amis, sans lui, dans la ville qu'elle connaissait le mieux ?

Chase avait envie de tout partager avec elle. Mais c'était une femme fière, qui voulait donner un sens à sa vie. C'était aussi pour cela qu'il l'aimait. Il aimait tout ce qu'elle représentait. Et il espérait de tout son cœur qu'elle trouverait son chemin dans ce dédale compliqué et reviendrait vers lui.

Pour l'instant, il n'en demandait pas davantage.

13

Le lundi, la journée s'écoula paisiblement. Stephanie savait que Chase avait beaucoup à faire, mais il déclara qu'il préférait rester avec elle. Ils emmenèrent les chiens faire une longue promenade dans Centennial Park. George, qui détestait marcher, s'arrêtait tous les dix mètres en leur lançant des regards de reproche. Ils bavardèrent avec légèreté, évitant de songer à l'avenir. Tout ce qu'ils savaient, c'était que ces deux dernières semaines avaient été géniales et qu'ils avaient eu un immense coup de chance. À quelques minutes près, ils auraient pu ne jamais se rencontrer dans ce chemin du Grand Canyon. Stephanie aurait pu décider de rentrer directement à San Francisco, de ne pas retourner à Vegas, ou bien de ne pas aller visiter le Grand Canyon. Mais ils avaient saisi au vol chaque opportunité, et le résultat était merveilleux.

À présent, ils n'avaient plus qu'à se débrouiller pour que l'aventure continue, malgré la vie survoltée de Chase et l'éloignement. Quant à Stephanie, il fallait qu'elle se trouve et qu'elle regagne un peu d'assurance avant de s'engager avec lui.

Ce soir-là, ils restèrent enlacés pendant un long moment, et elle fut vraiment tentée de faire l'amour avec lui. Mais cela risquait de brouiller les cartes. Une fois qu'ils auraient fait l'amour, son attirance pour lui balayerait toute tentative de pensée rationnelle. Elle devait rester le plus lucide possible pour réfléchir. De son côté, Chase ne voulait pas s'immiscer dans sa réflexion, même s'il mourait de désir pour elle. Il fit un effort surhumain pour ne pas trop le lui montrer. Jamais auparavant il n'avait eu autant envie d'une femme. Ils s'endormirent l'un contre l'autre, s'embrassant de temps à autre dans un demi-sommeil. À quatre heures et demie du matin, elle s'obligea à se lever et à rentrer à l'hôtel.

— Tu sais quoi, finalement ? dit-il pour la taquiner. On devrait faire l'amour, juste pour mieux dormir ensuite.

Dans la voiture, le cœur de Stephanie se serrait de plus en plus tandis que Chase l'embrassait : elle ignorait quand elle le reverrait. Ils n'avaient pas d'autre solution que de faire confiance à la Providence comme ils l'avaient fait jusqu'à présent. Chase était l'homme qu'elle rêvait d'épouser, et c'était réciproque. S'ils s'étaient connus jeunes, leur union n'aurait peut-être pas duré, mais maintenant ils se sentaient prêts à s'engager. Sauf qu'ils ne pouvaient prendre une telle décision après seulement deux semaines.

Stephanie usa de toute sa volonté pour se soustraire à son étreinte. Elle pénétra dans le hall de l'hôtel, monta dans sa chambre et se jeta sur son lit. Le soleil ne tarda pas à se lever. Elle n'avait pratiquement pas dormi.

Quand elle quitta Nashville, passant pour la dernière fois devant le Parthénon, Chase avait fini par s'endormir entre ses deux chiens. Il était très tôt, et la ville avait un aspect magique sous le ciel d'un bleu pastel. Elle prit l'autoroute pour Knoxville, qui menait vers l'embranchement de Roanoke. Chase avait promis de l'appeler dans la journée.

Elle reçut son premier coup de fil à midi. Sa voix emplit l'habitacle.

— Ma chérie, Stevie... Comment se passe le voyage ?

La journée était très chaude et Stephanie avait allumé la climatisation. Elle venait juste de dépasser Fall Branch, dans le Tennessee.

— Tout va bien. Tu me manques.

Elle avait l'impression que les deux dernières semaines n'avaient été qu'un rêve. Mais non, elle pouvait l'entendre, il lui parlait.

Il lui racontait ce qu'il allait faire dans la journée. Il avait une réunion avec sa maison de disques et devait auditionner de nouveaux batteurs. Charlie avait reçu une offre d'un groupe de Vegas et le quittait après cinq ans de collaboration. Elle savait que Chase était bouleversé par ce changement dans le groupe.

Il la rappela à trois heures de l'après-midi, après la réunion, puis vers six heures alors qu'elle venait d'arriver à l'hôtel de Roanoke qu'il lui avait recommandé. Et une dernière fois pour lui souhaiter une bonne nuit. Il venait juste de terminer les auditions, et il n'avait pas trouvé de batteur pour remplacer Charlie.

Stephanie quitta Roanoke à sept heures le lendemain matin, alors que Chase dormait encore. Leurs vies empruntaient déjà des chemins différents et ils n'avaient plus le même rythme. Quand il l'appela, elle passait à la hauteur des montagnes Blue Ridge et n'avait pas de réseau. Elle continua sa route, sans s'arrêter pour déjeuner. Plus tard dans l'après-midi, elle acheta un sandwich dans un relais de routiers et le mangea tout en conduisant. Elle finit par atteindre le George Washington Bridge et traversa l'Hudson à six heures et demie. Quand elle appela Chase pour lui annoncer qu'elle était arrivée, il était en réunion et ne pouvait pas parler avec elle. Il lui manquait terriblement.

Ce soir-là, Louise n'était pas libre : elle devait participer à une vente d'art importante chez Sotheby's. Alors que Stephanie approchait de l'hôtel Carlyle, où elle descendait habituellement, elle reçut un appel de Sandy. Bobby Joe était toujours aussi désagréable avec elle.

— Il n'arrête pas de me dire que je n'ai pas de voix et que Chase ne me garde dans le groupe que parce qu'il a pitié de moi.

— C'est ridicule ! s'emporta Stephanie, furieuse.

Bobby Joe n'était qu'un sale petit prétentieux.

— Chase fait une grande carrière, et il ne prendrait pas le risque de tout gâcher en gardant une mauvaise chanteuse, juste par compassion. Bobby Joe est jaloux, voilà tout.

Elles bavardèrent encore quelques minutes, mais Stephanie n'osa pas demander à la jeune fille si Michael l'avait appelée... Elle l'espérait en tout cas. Elle s'engagea dans la circulation dense de West Side Highway. Elle traversa ensuite la ville en longeant Central Park, pour atteindre l'hôtel Carlyle sur Madison Avenue. C'était un établissement élégant, où elle était connue, car elle y descendait toujours lorsqu'elle rendait visite à ses filles. Charlotte lui avait envoyé un e-mail la veille pour lui dire qu'elle partait à Paris avec des amis. Elle devait rentrer à la fin du mois et ne semblait pas enthousiaste à l'idée de retrouver San Francisco pour l'été. En août, elle repartirait à l'université de New York pour sa dernière année d'études.

Stephanie prit sa chambre à l'hôtel, se fit couler un bain et commanda un plateau pour le dîner. Elle était allongée sur son lit quand Chase l'appela. Il était content d'entendre sa voix et soulagé qu'elle soit arrivée sans encombre à New York. De son côté, il pensait avoir enfin trouvé un batteur, mais il n'était pas encore certain de l'engager. Ce soir, il répétait avec ses musiciens. Il lui dit qu'elle lui manquait, mais elle ne voyait vraiment pas comment il trouvait le temps de penser à elle. Sa vie était si remplie ! Surtout par rapport à la sienne. Elle avait d'ailleurs confié ses inquiétudes à Jean par téléphone, pendant qu'elle traversait le New Jersey.

« Cesse de chercher des problèmes, lui avait dit son amie. Tu as rencontré un gars exceptionnel, et tu essayes juste de trouver des raisons pour que ça ne marche pas.

— Ces raisons ne sont pas imaginaires, nous avons des vies totalement différentes. Chase vit à cent à l'heure, et moi je stagne. Il me faudrait une activité bien à moi, pour ne pas être en reste.

— Tu trouveras quelque chose. Et il n'est pas tombé amoureux de ta carrière professionnelle. Il est amoureux de toi. N'oublie pas cela.

— Le problème, c'est que je ne vois pas ce qui lui plaît chez moi. Je suis ennuyeuse à mourir.

— C'est faux. Tu es une femme très intéressante, et il t'aime.

— Il dit qu'il m'aime, mais qu'est-ce qu'il en sait ?

— Arrête, Stephanie ! ordonna Jean en riant. Je n'arrive pas à croire que tu n'as pas couché avec lui. Moi, à ta place, je l'aurais fait.

— Il faut que je réfléchisse avant de faire le grand saut.

— Tu es beaucoup trop raisonnable, et beaucoup trop noble. Vis un peu. Nous n'avons qu'une vie, Steph. Le plat ne repasse pas deux fois. L'occasion est unique.

— J'essaye juste de ne pas gâcher ma vie et la sienne, répondit Stephanie avec sincérité.

— Tu ne gâcheras rien. Et lui, que dit-il ?

— Qu'il m'aime.

— Saute sur l'occasion, je te dis. Sinon, donne-moi son numéro. »

Elles avaient éclaté de rire et raccroché peu après...

Stephanie se coucha tôt ce soir-là. Le lendemain, elle se rendit au Metropolitan Museum, puis traversa Central Park à pied jusqu'à l'hôtel Plaza, avant de remonter Madison Avenue et de revenir à l'hôtel Carlyle. Elle avait rendez-vous à sept heures avec Louise.

Quand elle arriva chez sa fille, celle-ci venait à peine de rentrer du travail et avait l'air harassée. Une autre vente d'objets d'art avait lieu le lendemain, et la pauvre avait encore du travail pour la préparer. De plus, ils avaient trouvé une erreur dans le catalogue, et elle craignait d'en être tenue pour responsable.

Avec ses cheveux bruns et ses yeux bleus, Louise ressemblait à son père. En fait, elle était le portrait craché de la mère de Bill.

La jeune fille se détendit un peu lorsqu'elles arrivèrent au restaurant, un petit bistrot français situé non loin de chez elle. Louise ne cacha pas qu'elle trouvait étrange que sa mère se soit mise à voyager seule, comme une âme en peine. Quelques jours plus tôt, elle avait confié son étonnement à Michael, et celui-ci lui avait avoué qu'il craignait que leur mère ne se sente très seule.

— Mais non, pas du tout ! rétorqua Stephanie. J'ai rendu visite à une amie. Je n'avais rien d'autre à faire, et cela me donnait l'occasion de vous voir, Michael et toi.

— Et maintenant, tu vas repartir seule en Californie ? Maman, mais c'est de la folie. On fait ce genre de choses quand on est étudiant, pas à ton âge.

Avec sa fille aînée, Stephanie avait toujours l'impression de devoir se justifier pour le moindre de ses actes. Louise, à son adolescence, avait pris l'habitude de la critiquer sur tout. Et à vingt-trois ans, elle continuait.

— J'imagine que Michael est toujours avec son monstre. Elle est venue à Nashville avec lui ?

— Oui, elle l'a accompagné. Le concert lui a beaucoup plu.

Stephanie ne fit pas allusion à Sandy. Elle ne voulait pas avoir d'explications à donner sur sa relation avec elle.

— Encore une chose bizarre, maman. Depuis quand aimes-tu la musique country ?

Louise prenait toujours un air soupçonneux pour questionner sa mère. Pour une fois, ses soupçons étaient justifiés…

— Mon amie Laura habite à Nashville, et elle m'a présenté Chase Taylor. Il nous a offert des billets pour le concert.

— Pourquoi ?

— C'est ce que font les vedettes de rock et de country avec leurs connaissances, je suppose. On a tous adoré le concert.

— Cela me paraît complètement fou. Pourquoi tu ne pars pas plutôt en Europe, pour voir Charlotte ?

— Ta sœur a mieux à faire que se promener à Rome avec moi. En plus, elle a l'intention de voyager avec ses amis avant de revenir à San Francisco. La dernière chose qui lui ferait plaisir, c'est de me voir débarquer chez elle.

De fait, Louise n'avait pas l'air spécialement ravie non plus de la visite de sa mère. Elle était sur la défensive, comme si elle se sentait espionnée. En revanche, elle avait toujours été heureuse de voir son père. Avant la fin du dîner, elle se mit à chanter ses louanges. Bill était le père qui avait toujours été là pour elle, ainsi que pour son frère et sa sœur. Il lui avait appris tout ce qu'elle savait, c'était l'homme le plus patient, le plus généreux, le plus affectueux du monde. Louise semblait avoir complètement oublié qu'en réalité c'était Stephanie, et uniquement Stephanie, qui s'était occupée d'eux.

— La vie ne sera plus jamais la même sans papa, dit-elle tristement, tandis que de grosses larmes roulaient sur ses joues.

— Je sais, ma chérie. Mais papa ne voudrait pas que tu pleures à cause de lui. Tu verras, dans quelques mois, tu te sentiras moins triste.

— Et toi, maman ? Tu te sens mieux ?

Son ton était légèrement accusateur.

— Parfois. Il me manque tout le temps, mais j'essaye de remettre ma vie sur des rails. Nous ne pouvons pas le pleurer éternellement, il faut apprendre à vivre sans lui.

Stephanie prononça ces mots d'une voix douce, mais ferme.

— Ce n'est plus pareil, maman. Qui va veiller sur nous, à présent ?

Cette question faisait écho à l'angoisse que Stephanie avait elle-même éprouvée avant de se rendre compte que, du vivant de Bill déjà, elle n'avait toujours compté que sur elle-même.

— Je suis là. Et papa vous a mis à l'abri du besoin.

— Ce n'est pas une question d'argent, protesta Louise. Je pouvais l'appeler n'importe quand, si j'avais un problème.

Non, tu ne pouvais pas ! Stephanie eut-elle envie de hurler. Bill n'avait jamais été là pour les écouter. Quand par hasard elle lui téléphonait au bureau pour lui parler, il ne cachait pas son agacement. Et une fois que les enfants étaient partis à l'université, il n'avait pas eu plus de rapports avec eux. Comment Louise avait-elle pu transformer la réalité à ce point ? En fait, depuis que Bill était mort, elle avait créé dans sa tête l'image d'un père idéal, et par la même occasion elle avait oublié tout ce que Stephanie avait fait pour elle.

Mais celle-ci n'avait pas envie de discuter. Elle n'allait tout de même pas se disputer avec sa fille pour savoir lequel d'eux deux avait été le meilleur parent. Étant donné l'état d'esprit dans lequel se trouvait Louise, la bataille était perdue d'avance.

— Est-ce que tu sors avec quelqu'un en ce moment ? demanda-t-elle pour changer de sujet.

— Non, répondit Louise avec brusquerie.

Elle était très jolie, mais aussi trop sérieuse, et elle avait tendance à se laisser absorber par son travail.

— Cela fait des mois que je n'ai rencontré personne d'intéressant. Et depuis la mort de papa, je ne suis pas d'humeur à sortir pour faire la fête.

— Il faut pourtant que tu te détendes, protesta gentiment Stephanie. Tu ne peux pas passer tout ton temps au bureau.

— Pourquoi pas ? C'est ce que faisait papa. Tu ne peux pas comprendre, maman, tu n'as jamais travaillé, ajouta-t-elle d'un ton péremptoire.

— Quand j'avais ton âge, j'avais un job. Je l'ai quitté quand j'ai été enceinte. Après la naissance de Michael, papa a voulu que je reste à la maison, et puis je vous ai eues, Charlotte et toi.

Encore une fois, elle devait se défendre face à sa fille. Ce qui de toute façon ne servait à rien.

— Je cherche un job, à présent, déclara-t-elle.

— Quoi ? Et que voudrais-tu faire ? s'exclama Louise comme si l'idée était ridicule.

— Je n'ai pas encore décidé, admit Stephanie.

— Tu pourrais entrer comme bénévole dans la Junior League, ou quelque chose comme ça.

Selon elle, sa mère n'était bonne qu'à aller déjeuner avec de riches *jet-setters*, pour organiser des ventes de charité. Stephanie était certaine que ces gens faisaient un excellent travail, mais elle avait plus d'ambition que cela.

— Je voudrais une occupation plus importante. J'aime bien ce que je fais au foyer, expliqua-t-elle. Mais je préférerais avoir un poste rémunéré.

— Tu n'en as pas besoin.

De guerre lasse, Stephanie laissa la conversation s'éteindre. Le dîner terminé, elle raccompagna Louise à pied jusque chez elle.

— Veux-tu que nous déjeunions ensemble, demain ?

Louise refusa d'un signe de tête. Le chagrin semblait la ronger. Elle mettait toute son énergie à entretenir l'image de son père idéal, et, pour la consolider, elle rejetait sa mère. Stephanie comprenait. Mais recevoir comme ça de plein fouet la colère de sa fille n'était pas chose facile.

— J'ai du travail pour préparer la vente de demain soir, répondit Louise. Je ne peux pas.

— Comme tu voudras. Dans ce cas, je partirai demain matin.

Un jour, peut-être, les choses s'arrangeraient entre elles, songea Stephanie. Du moins, elle l'espérait.

— Merci d'être venue, maman.

Elles étaient arrivées devant la porte de son immeuble. L'adresse n'était pas spécialement chic, mais le bâtiment était neuf et propre, et il y avait un gardien dans le hall, ce qui était rassurant.

— Je suis désolée, tu sais, reprit-elle. Je ne me suis pas remise de la mort de papa, je ne sais pas comment faire.

— Tu devrais en parler à quelqu'un. C'est ce que je fais, et cela m'aide beaucoup.

— Même si je vais consulter un psy, cela ne le ressuscitera pas.

Louise fondit en larmes en prononçant ces mots et

s'effondra dans les bras de sa mère. C'était le premier signe d'affection qu'elle lui donnait depuis le début de la soirée. Stephanie la laissa sangloter sur son épaule, regrettant de ne pas pouvoir l'aider davantage. Seul le temps apaiserait son chagrin. Louise était beaucoup trop jeune pour perdre son père. Ils l'étaient tous les trois, mais Louise était plus proche de Bill que son frère et sa sœur.

— Réfléchis tout de même à cette possibilité, ma chérie, dit-elle avec douceur.

— Je n'ai pas le temps, je suis trop occupée. Toi, tu n'as rien d'autre à faire. Moi, je travaille, ajouta-t-elle.

Ainsi, elle ne résistait pas à lancer une dernière pique à sa mère.

— Tu pourrais trouver du temps à l'heure du déjeuner, ou le soir. Je suis sûre que cela t'aiderait.

Louise haussa les épaules et essuya ses larmes.

— Ne t'inquiète pas, je vais bien. Il me manque, c'est tout.

— À moi aussi.

C'était la vérité, mais Bill l'avait laissée avec beaucoup de questions en suspens. C'était d'ailleurs la raison pour laquelle elle ne voulait pas aller vers Chase tout de suite. Elle devait d'abord faire le vide et remettre les compteurs à zéro. Comme Louise, elle avait besoin de temps.

— Prends soin de toi, ma chérie. Je t'aime, dit-elle en serrant sa fille contre elle.

Louise lui fit un petit signe de la main et entra dans le hall de son immeuble. La soirée n'avait pas été facile, mais rien ne l'était avec Louise. Surtout depuis la mort de Bill.

De retour à son hôtel, Stephanie raconta sa soirée à Chase, qui se montra compatissant. D'après lui, les filles étaient toujours plus compliquées que les garçons, même si Sandy ne lui avait pas donné trop de mal. Mais elle n'était pas sa fille, ce qui faisait toute la différence.

— Et je suis probablement plus coriace que toi.

Stephanie était une personne très douce. Sans doute trop douce avec sa fille, qui selon lui aurait mérité un bon coup de pied au derrière. Histoire de se ressaisir et de cesser d'accabler sa mère de reproches. Louise ne lui inspirait aucune sympathie. Tout le monde subissait des coups durs dans la vie, et il n'y avait aucune raison de s'en prendre à son entourage.

— C'est vrai que je suis lasse de l'entendre dire à quel point Bill était un père fabuleux...

— Apparemment, elle a besoin d'une bonne dose de réalité concernant son père.

— C'est trop tard. On ne peut pas critiquer les gens lorsqu'ils sont morts.

— Et donc il doit passer à la postérité comme un saint ?

— Apparemment oui, admit Stephanie.

— Quand quittes-tu New York ? s'enquit Chase, changeant brusquement de sujet.

— Demain matin à la première heure.

Il s'inquiétait toujours à l'idée qu'elle fasse le trajet seule en voiture, plutôt que de se faire conduire dans l'autobus.

— Appelle-moi si tu as le moindre problème, OK ?

— Tu crois que tu pourras changer une roue à distance ? répondit-elle en riant.

— Non, mais n'essaye pas de le faire toi-même. Si tu tombes en panne, appelle un dépanneur.

— C'est promis.

Elle avait hâte de rentrer, malgré la distance que ce voyage mettait entre eux. Mais plus vite elle aurait repris sa vie en main, plus vite elle pourrait le retrouver.

Ce soir-là, Stephanie se coucha en pensant à Louise ; elle regrettait de ne rien pouvoir faire pour elle. Mais Louise ne désirait qu'une chose, et c'était de retrouver son père.

La situation était sans issue.

La balle était donc dans le camp de Louise. Puisqu'elle ne voulait pas de l'aide de sa mère, c'était à elle de trouver une solution. Par elle-même.

14

À leur retour de Nashville, Michael et Amanda traversèrent une période difficile. Le jeune homme était taciturne, préoccupé. Et Amanda était stressée par une nouvelle campagne publicitaire que sa société lui avait confiée.

Tous les jours, lors de sa pause déjeuner, Michael regardait le numéro que sa mère lui avait envoyé par texto le dimanche précédent. Il ne trouvait pas d'excuse plausible pour appeler Sandy. Le seul fait d'envisager cet appel lui paraissait malhonnête vis-à-vis d'Amanda. En trois ans, il ne l'avait jamais trompée, sauf une fois au tout début de leur relation.

Et pourtant, le mercredi, après une soirée tendue avec Amanda, la veille, il se décida à téléphoner à Sandy.

Celle-ci venait de terminer une répétition avec le groupe, et Bobby Joe, toujours aussi agréable, lui avait dit qu'il n'aimait pas sa nouvelle chanson.

— Allô ? lança-t-elle d'un ton exaspéré, en répondant au numéro inconnu qui s'affichait.

— Bonjour, dit Michael, avec l'impression d'avoir de nouveau treize ans.

Il marqua un temps d'hésitation. Il avait perdu l'habitude de téléphoner à des jeunes filles.

— C'est Michael Adams, reprit-il. Nous nous

sommes rencontrés au concert, le week-end dernier. J'étais avec ma mère... Stephanie.

Il voulait lui rafraîchir la mémoire, mais c'était inutile. À l'instant où elle entendit sa voix, elle sut qui il était.

— Bonjour, Michael ! Comment vas-tu ?

Elle semblait contente de l'entendre. Sa voix douce, un peu haletante, plut à Michael.

— Très bien. Je voulais prendre de tes nouvelles. Le concert était génial, et toi, tu étais excellente. Vraiment.

— Merci. Je suis justement en train de travailler la nouvelle chanson que Chase a écrite pour moi. Je ne suis pas encore au point, répondit-elle en songeant aux critiques de Bobby Joe. Qu'est-ce que tu as fait, depuis samedi dernier ?

— Ben, j'ai travaillé, tu sais. Je t'ai dit que je travaillais pour l'équipe des Braves d'Atlanta ?

— Ce doit être super, pour un mec, dit-elle en riant. Je ne connais rien au baseball, moi, malgré ce que je t'ai dit l'autre soir. Je suis trop prise par la musique. Chase est un professeur très exigeant, mais c'est le meilleur. Et comme il pense que j'ai du talent, il est assez dur avec moi.

— Je suis de son avis, tu es super-douée.

Michael se détendait peu à peu. La voix à l'autre bout du fil était jeune, légère, sexy.

— Tu chantes comme un ange, en fait.

— C'est ce que disait mon père. Mais tout le monde n'est pas de cet avis, ajouta-t-elle en pensant à Bobby Joe. J'adore chanter. C'est formidable, de faire ce qu'on aime vraiment. Et toi, tu aimes ton boulot ?

— Je l'adore. Un jour, je dirigerai une équipe moi-même. Je n'ai pas encore assez d'expérience pour le faire, et il faudra que je suive une formation. Tu aimerais venir voir un match ?

Au moment où il posa la question, Amanda surgit dans son esprit. Celle-ci n'assistait pas à chaque match, mais elle passait tout de même tous les week-ends avec lui. Que ferait-il de Sandy, quand elle viendrait ?

— Cela me ferait très plaisir ! répondit la jeune fille avec enthousiasme.

Elle aussi se demanda vaguement ce qu'en penserait sa petite amie... Puis les musiciens lui firent signe qu'ils reprenaient.

— Ah, il faut que je retourne travailler. Nous sommes en pleine répétition. Rappelle-moi quand tu voudras.

— Oui, très volontiers.

Il était à la fois gêné et content d'avoir osé l'appeler. Il l'imaginait sur la scène, avec ses longs cheveux blonds et ses grands yeux bleus, hypnotisant le public.

Il pensa à elle tout l'après-midi. Quand il rentra le soir, Amanda était encore de plus mauvaise humeur que la veille. Elle lui expliqua pourquoi pendant le dîner, qui consistait en plats tout prêts qu'il avait achetés sur le chemin de la maison. Amanda ne cuisinait pas. Elle préférait aller dans les bons restaurants.

— Je dois partir ce week-end à Houston pour voir de nouveaux clients. C'est des cons, si tu veux mon avis : ils ont refusé toute notre présentation et veulent faire une séance de remue-méninges avec nous.

— Ah... Moi, je suis obligé de rester. L'équipe joue ici.

— Je hais Houston, ajouta Amanda d'un ton maussade.

— Quand pars-tu ?

— Vendredi matin. Ils nous envoient un avion. Je ne serai pas de retour avant dimanche soir.

Michael hocha la tête en silence. Ce soir-là, allongé dans le lit près d'Amanda, il pensa longuement à Sandy. C'était malhonnête vis-à-vis d'Amanda, mais une force irrésistible le poussait. Le lendemain, il rappela Sandy et l'invita au match de samedi, lui suggérant même de venir à Atlanta le vendredi soir. Il promit de lui réserver une chambre d'hôtel.

Sandy songea à Bobby Joe avant de donner sa réponse. Ce serait bien fait pour lui. Elle en avait assez de ses critiques incessantes. Cela faisait des mois qu'il se montrait désagréable, et c'était de pire en pire. De toute façon, elle ne faisait rien de mal en partant à Atlanta. Et Michael avait une femme dans sa vie. Ils pouvaient juste devenir de bons amis.

— C'est d'accord, je viens, dit-elle, le souffle un peu court. Mais je n'aime pas conduire seule, je prendrai l'avion.

Il ne lui restait plus qu'à trouver une excuse pour Bobby Joe. Elle allait devoir jouer serré, si elle disparaissait un week-end entier.

Dans la journée, elle demanda à Wanda de lui prendre son billet d'avion. Wanda le fit, puis en parla à Chase. Après tout, Sandy ne lui avait pas dit que c'était un secret.

— Atlanta ? s'exclama-t-il, perplexe. Que va-t-elle faire à Atlanta ?

— Je ne sais pas, elle ne me l'a pas dit.

Soudain, Chase eut un soupçon. Il lui en toucha un mot le soir.

— Tu vas à Atlanta, comme ça ? la questionna-t-il en la regardant dans les yeux.

Sandy acquiesça d'un signe de tête.

— Tu vas voir quelqu'un que je connais ?

Bien qu'elle ne fût plus une enfant, il souhaitait être tenu au courant de ses allées et venues. Malgré ses dix-huit ans, il ne la lâchait pas des yeux.

— Peut-être, concéda-t-elle d'une petite voix.

— Serait-ce, par hasard, Michael Adams ?

Nouveau signe de tête.

— Bobby Joe est au courant ?

— Non, je ne lui ai rien dit. Je ne vais rien faire de mal, Chase. Juste voir un match de baseball et passer un peu de temps avec lui. Il est très sympa.

Sa mère aussi, ajouta Chase en lui-même. Mais ce n'était pas la question... Bien sûr, il n'était pas contre que Sandy voie Michael, mais il n'avait pas envie que cela se termine mal et qu'elle en souffre. Michael avait une petite amie, et Sandy avait Bobby Joe, même si Chase ne l'appréciait pas du tout.

— Fais attention, ma chérie. Cela m'a l'air compliqué, tout ça.

Puis il ajouta une remarque à laquelle elle ne s'attendait pas.

— Mais tu as peut-être raison, parfois il faut saisir l'occasion, quitte à réfléchir plus tard. *Carpe diem.* Savoure l'instant. Mais fais bien attention à toi. Et dis-toi que si tu tombes enceinte, ça sera une autre histoire ! Beaucoup moins drôle, conclut-il avec sérieux.

— Je vais dormir à l'hôtel, Chase. Je ne ferai rien de mal. Je ne connais même pas ce gars.

— À votre âge, on fait connaissance très rapidement.

— Oui, comme Stevie et toi, lui renvoya-t-elle du tac au tac.

Un grand sourire éclaira le visage de Chase. Il était bon joueur et acceptait les taquineries.

— Mêle-toi de ce qui te regarde, ma petite. Et donne le bonjour de ma part à Michael. Que vas-tu raconter à Bobby Joe ?

— Je ne sais pas encore. Je n'aime pas mentir.

— Tu n'as qu'à lui dire que je t'ai envoyée en éclaireur voir une salle. En tout cas, amuse-toi bien. Tu le mérites. Quelque chose me dit que ce garçon est quelqu'un de bien. Et tu as eu l'air de sacrément lui plaire, samedi dernier.

— Il m'a plu aussi, avoua-t-elle.

— J'ai vu. Mais ne t'emballe pas. Tu ne voudrais pas devenir sa maîtresse cachée, n'est-ce pas ?

— Non, ne t'inquiète pas, répliqua-t-elle avec assurance.

Sur ce, elle se jeta à son cou et le remercia. Tout de suite après, elle appela Michael pour lui dire qu'elle arriverait le vendredi, à l'heure du dîner.

Michael raccrocha, la mine radieuse. Tout s'arrangeait à la perfection. Amanda partait à Houston, et Sandy venait à Atlanta. Que se passerait-il entre eux ? Il ne le savait pas, mais il était confiant. Il se sentait prêt à se lancer dans une nouvelle vie.

Il n'appartenait pas à Amanda.

Lorsque Sandy arriva à l'aéroport, Michael l'attendait. Il avait l'air un peu nerveux.

La jeune fille n'avait emporté qu'un petit sac de voyage à roulettes, dans lequel elle avait mis une jolie robe, au cas où ils sortiraient, et quelques shorts de rechange. Michael lui prit son sac des mains, l'emmena jusqu'au Hyatt Place, dans le centre d'Atlanta, où il lui avait réservé une chambre, puis au restaurant, comme prévu.

De toute évidence, elle était aussi nerveuse que lui. Elle parlait beaucoup, et posait sur lui de grands yeux écarquillés. Michael, de son côté, était fasciné. Sandy était la plus belle fille qu'il ait jamais vue. Elle était petite, mais de parfaites proportions, et elle paraissait plus mûre que les filles de son âge.

Au dessert, ils commencèrent à se détendre. Elle lui expliqua qu'elle avait beaucoup changé depuis la mort de son père, et qu'elle était chanteuse depuis l'âge de quatorze ans. Elle aurait aimé aller à l'université, mais elle n'avait pas le temps. Chase la faisait beaucoup travailler.

La conversation dévia sur le chanteur. Selon elle, c'était un type formidable, qui s'occupait d'elle depuis trois ans et lui avait même offert une maison rien que pour elle, dans sa propriété.

Ils retournèrent à l'hôtel à pied. Cette fois, ils se sentaient à l'aise l'un avec l'autre. Sandy était impatiente d'assister au match de baseball le lendemain, qui avait lieu à midi. Ensuite, Michael projetait de lui faire visiter la ville puis de l'emmener dîner au Top Floor, un des plus beaux restaurants d'Atlanta. Après cela, ils iraient peut-être danser. Michael était conscient de se comporter comme s'il n'avait pas eu de petite amie, mais c'était plus fort que lui. Sandy était extra : il la trouvait douce et amusante. Elle avait une conversation intéressante, et elle semblait très impressionnée de se trouver avec un garçon plus âgé qu'elle.

— Tu aimes danser ? demanda-t-il, plein d'espoir.

— J'adore, avoua-t-elle avec un sourire timide.

Michael lui souhaita bonne nuit dans le hall de l'hôtel. Tel un parfait gentleman, il n'essaya pas de l'embrasser. Il était déjà si heureux. D'après tout ce qu'il avait vu et entendu ce soir, c'était une fille merveilleuse. Il y avait chez elle une adorable naïveté enfantine. Elle était à la fois raisonnable et innocente. D'une certaine façon elle lui rappelait un peu sa mère, et il comprenait pourquoi celle-ci aimait bien Sandy.

Le jour suivant, ils passèrent un excellent moment à regarder le match – d'autant que les Braves gagnèrent –, puis à manger des hot dogs et des bretzels. Il lui offrit aussi une glace, et se moqua gentiment d'elle quand elle en fit couler sur son menton. À l'issue du match, ils se promenèrent longuement, tout en discutant. En fait, ils se ressemblaient beaucoup et tombaient d'accord sur tout.

Avant d'aller plus loin, il y avait toutefois un point que Michael souhaitait éclaircir avec elle. Amanda. Celle-ci lui avait envoyé deux messages dans la journée, pour lui dire qu'elle détestait ses nouveaux clients. Ce qu'il savait déjà, elle le lui avait dit... Elle ne lui avait pas demandé où il était, ni ce qu'il faisait, et c'était très bien ainsi. Il n'avait pas envie de mentir, ou plutôt de devoir taire la présence de Sandy. C'était lui qui l'avait invitée à Atlanta. C'était sa responsabilité, et il ne pourrait pas le nier.

— J'ai quelque chose à te dire, Sandy, annonça-t-il alors qu'ils prenaient place sur un banc du Centennial Olympic Park.

La jeune fille eut aussitôt l'air inquiète.

— J'ai une petite amie depuis trois ans. Tu as dû la voir, elle m'accompagnait au concert, à Nashville. Nous ne vivons pas ensemble, mais elle est souvent chez moi. Notre relation est assez sérieuse. Mais je me rends compte que nous n'avons pas les mêmes aspirations dans la vie. Elle voudrait que nous habitions ensemble, que nous achetions une maison, et même que nous nous mariions. Je ne suis pas prêt à franchir ce pas. Pour être honnête, je ne crois pas qu'elle soit la femme de ma vie. Le problème, c'est que je ne le lui ai pas encore dit, ce qui rend la situation un peu délicate pour nous. Je réalise maintenant que je n'avais pas le droit de te demander de venir ce week-end. Je pensais que nous pourrions simplement nouer une relation amicale, mais je sens bien qu'autre chose me pousse vers toi.

Le jeune homme rougit légèrement et baissa les yeux. Sandy fit de même.

— Il faut donc que j'éclaircisse les choses avec Amanda, reprit-il. Voilà... je voulais que tu saches que c'est un peu compliqué pour moi. Je ne veux pas me comporter comme un salaud. Il faut que je trouve le bon moment pour lui dire la vérité. Ensuite, je serai libre si... si tu veux bien me revoir.

Sandy avait les yeux rivés sur lui. Cette confession si franche la poussa à parler elle aussi.

— Moi, c'est pas mieux. J'ai menti à mon copain. Cela fait quelque temps que je sors avec lui. Mais j'ai dit à Chase ce que je faisais ce week-end, et il était d'accord. Personne n'aime ce garçon, à part moi jusque-là, faut croire. En fait, c'est un goujat. Au début il était gentil, mais maintenant il est agressif avec moi. D'après Chase, il est jaloux. Il me dit des choses méchantes et il me rabaisse tout le temps. Je ne le supporte plus. Je suis venue parce que tu m'as plu quand nous nous sommes vus ; je pensais aussi que nous pourrions être amis. J'aime beaucoup ta mère, elle est adorable.

Elle n'ajouta rien au sujet de Chase et Stephanie. Il valait mieux être discrète. Elle ne savait pas si Michael était au courant de la situation, et en général les garçons étaient assez susceptibles quand il s'agissait de leur mère.

— Je suis un peu dans la même situation que toi, alors, reprit Michael. Il faut vraiment que je parle à Amanda.

— Et moi, à Bobby Joe.

Ils échangèrent un sourire, et elle enchaîna :

— Nous devrions nous détendre et nous amuser. Nous n'avons pas à prendre de décision tout de suite. Chase m'a dit quelque chose, du style : *Carpe diem*. Savoure l'instant. Faisons cela, et nous verrons bien quelle sera la suite des événements.

Michael lui prit la main, et ils repartirent en direction de l'hôtel de Sandy. Tous deux se sentaient mieux, après cette conversation. Ils avaient été sincères l'un envers l'autre, à défaut de l'être avec Bobby Joe et Amanda.

Lorsqu'il revint la chercher pour dîner, un peu plus tard, il manqua tomber à la renverse en la voyant. Elle avait revêtu une robe rouge, courte et moulante, et des chaussures à talons. Elle était éblouissante, encore plus belle que dans sa tenue de scène.

— Bon sang, Sandy ! Tu es splendide !

La jeune fille sourit. Cela la changeait agréablement des critiques incessantes de Bobby Joe. Ils parlèrent beaucoup pendant le repas, puis dansèrent jusqu'à trois heures du matin. Lorsqu'il la ramena à l'hôtel, Sandy lui dit qu'elle ne s'était jamais autant amusée de sa vie. Il lui donna un baiser chaste sur la joue et lui promit de l'appeler le lendemain matin pour l'emmener prendre un petit déjeuner, avant son départ.

Il ne lui proposa pas d'aller chez lui, ne suggéra pas de monter avec elle dans la chambre d'hôtel. Ils avaient passé un week-end merveilleux, sans aucun stress ni souci. En fait, tout s'était passé encore mieux qu'ils ne s'y attendaient, ce qui créait une nouvelle complication. S'ils voulaient se revoir, ils allaient devoir régler les problèmes avec leurs partenaires respectifs. Il n'était pas question de leur mentir.

Le lendemain, au moment de lui dire au revoir à l'aéroport, Michael sourit doucement.

— Merci d'être venue, Sandy. C'était génial.

— Et toi, merci d'avoir été aussi gentil.

Elle portait une robe de coton rose et des chaussures plates. Avec ses longs cheveux blonds, elle ressemblait à Alice au pays des merveilles.

— C'est très facile, d'être gentil avec toi.

— Tu crois que tu viendras à Nashville, bientôt ?

200

Elle était triste de le quitter. Quand allaient-ils se revoir ? Et qu'allait-il se passer ?

— Oui, c'est promis. Je t'appellerai ce soir.

Au moment où les mots franchissaient ses lèvres, il se souvint qu'Amanda serait rentrée de Houston et qu'elle serait vraisemblablement chez lui. Il allait devoir prendre une décision.

— Merci pour tout, dit-elle en se haussant sur la pointe des pieds pour l'embrasser sur la joue.

Sans réfléchir, il la prit dans ses bras et l'embrassa sur les lèvres. Ils échangèrent un long baiser sensuel, et quand ils se séparèrent, elle le contempla d'un air surpris.

— Je croyais que nous n'étions pas censés faire cela, murmura-t-elle dans un souffle.

— Je sais. Moi aussi, je le croyais. Écoute, je viendrai à Nashville dans une quinzaine de jours. L'équipe a programmé quelques matchs à l'extérieur, je serai libre.

Pendant quelques secondes, Sandy eut l'impression de sortir avec un homme marié, et cette pensée lui déplut. Michael le vit dans ses yeux.

— Tu ne devrais pas venir tant que nous n'avons pas rompu, chacun de notre côté, dit-elle.

Il hocha la tête. Elle avait raison. Sandy était jeune, mais elle était sage.

Il la suivit des yeux jusqu'à ce que sa robe rose et ses longs cheveux blonds aient disparu. Après quoi il rentra chez lui et passa le reste de la journée à penser à elle. Il ne savait pas comment faire, pour Amanda.

15

Stephanie reprit la route vers l'ouest le jour où Sandy s'envola pour Atlanta. Chase l'appela sur son téléphone portable. Elle répondit par le dispositif Bluetooth.

— Comment vas-tu ? s'enquit-il.

Elle avait allumé la radio et posé à côté d'elle un sac plein de bouteilles d'eau et de biscuits salés à grignoter.

— Jusqu'ici, tout va bien.

— Je voulais te parler de quelque chose qui ne me regarde sans doute pas, mais je tiens à ce que tout soit limpide entre nous. C'est important que nous puissions nous faire confiance.

— Ouh là ! Tu as l'air très sérieux, répondit-elle tout en se faufilant dans les files de voitures qui quittaient New York.

— Ce n'est rien de grave, mais selon la tournure que prendront les événements, cela deviendra peut-être important. Sandy est partie passer le week-end à Atlanta.

— Vraiment ? Tu devrais lui dire d'appeler...

Elle s'interrompit brusquement, comprenant le sous-entendu de sa phrase.

— Elle va voir Michael, c'est ça ?

— Oui, c'est ça.

— Qu'a-t-il donc fait d'Amanda ?

— Je crois qu'elle s'est absentée pour le week-end.

— Eh bien ! Je pense que Michael n'avait encore jamais fait cela. Ce n'est pas son genre. Il doit être fou de Sandy pour prendre de tels risques.

Chase savait très bien qu'elle n'aimait pas la petite amie de son fils, et elle ne fit pas semblant d'être peinée pour elle.

— En tout cas, la situation se corse. Je me demande ce que va faire Michael.

— Bobby Joe est dans le même cas qu'Amanda, remarqua Chase. S'il découvre ce qui se passe, il fera une crise.

— Ils sont jeunes, et leur relation n'est pas aussi sérieuse que celle de Michael avec Amanda.

— C'est vrai. Quoi qu'il en soit, nous ne pouvons rien faire, juste regarder de l'extérieur comment les événements évoluent. Je voulais te mettre au courant pour que tu ne penses pas que je te cachais quelque chose.

Stephanie était contente qu'il lui en ait parlé. Cela renforçait la confiance qu'ils se portaient mutuellement.

— Oui, merci de me l'avoir dit, Chase.

Ils se demandaient tous les deux sur quoi la situation allait aboutir. Encore un des mystères de la vie.

Le premier jour, Stephanie parcourut sept cents miles et traversa quatre États. Elle conduisit pendant onze heures, ne s'arrêta que pour acheter des sandwichs qu'elle mangea en route. Ses membres étaient tout ankylosés quand elle finit par faire halte dans un joli motel de South Bend, en Indiana. Elle téléphona aussitôt à Chase pour lui dire où elle se trouvait. Aucun de ses enfants ne lui avait demandé d'en faire autant. Michael n'y pensait pas, et Louise, absorbée par la préparation de la vente aux enchères, lui avait juste envoyé un texto ce matin pour la remercier du repas de la veille. Elle n'avait sans doute pas accordé une seconde pensée à sa mère pendant le reste de la journée.

— Mets la chaîne de sécurité sur la porte, dit Chase.

L'idée de la savoir dans un motel au bord de la route ne l'enchantait pas, mais c'était plus simple que de chercher un hôtel en ville.

Stephanie ne se sentait pas du tout en danger. Une des chambres voisines était occupée par deux vieilles dames, et l'autre par une famille dont les enfants dormaient dans des sacs de couchage à même le sol. Elle alla donc se coucher sans aucune appréhension. Malgré ses nombreuses occupations, Chase l'avait appelée plusieurs fois dans la journée pour prendre de ses nouvelles. Cela la touchait beaucoup. Bill n'avait jamais été aussi attentionné, même au début de leur mariage. À la fin, il était devenu complètement indifférent. Il l'estimait capable de prendre soin d'elle et des enfants, et de fait il ne se trompait pas. Mais elle aimait que Chase la traite comme une personne précieuse et importante pour lui. Cela faisait des années qu'un homme ne lui avait pas manifesté autant de sollicitude.

Elle s'endormit rapidement et s'éveilla à l'aube. Après une douche rapide, elle reprit la route et s'arrêta dans un McDonald pour petit-déjeuner. Ce jour-là, elle traversa l'Illinois et l'Iowa, ne s'arrêtant qu'une fois dans l'après-midi pour se dégourdir les jambes. Heureusement, Chase l'appelait. Il était son seul contact avec le monde ; sinon elle aurait perdu la notion du temps. Et puis, elle l'entendait aussi à la radio... À chaque fois, elle éprouvait un frisson. Elle chantait avec lui, et la voix de Sandy résonnait en arrière-plan. La jeune fille lui manquait. Comment allait-elle ?

Le troisième jour, un incident se produisit. Qui aurait pu être dramatique... Alors qu'elle sortait du restaurant où elle s'était arrêtée pour dîner, trois hommes la suivirent à l'extérieur. Elle sentit leur présence derrière elle, mais ne fit pas attention à eux jusqu'à ce que l'un d'eux lui agrippe le bras, la ramenant brutalement vers lui. Il parvint à la soulever littéralement du sol, sous les rires de ses acolytes. Ils étaient jeunes, avaient l'air de brutes, et conduisaient d'énormes camions frigorifiques. Il n'y avait personne en vue pour lui venir en aide.

— Allez, ma jolie, je t'emmène visiter mon camion, lâcha celui qui la tenait par le bras.

Pendant quelques secondes, elle fut pétrifiée par la peur. Puis elle comprit qu'elle ne pouvait compter que sur elle-même. Si elle ne se défendait pas, ces types allaient la violer, ou pire encore. Les trois hommes l'encerclaient, dardant sur elle des regards terrifiants.

La salle du restaurant, fréquentée principalement par des routiers, était pleine à craquer. Mais il n'y avait personne dehors. Stephanie hésita longuement, sans quitter des yeux son agresseur. Et soudain, elle lui décocha un formidable coup de poing en plein visage. Du sang jaillit, l'homme hurla en pressant les mains contre son nez, qui était sûrement cassé. Un des deux autres lui agrippa les cheveux et la tira en arrière. Avec des réflexes et un cran qu'elle ignorait posséder, elle lui donna un coup de coude dans le cou, au niveau de la pomme d'Adam. Il la relâcha aussitôt en émettant un drôle de gargouillis. Le troisième homme, le seul à être indemne, se mit à hurler en soutenant son copain au nez cassé.

— Qui tu es, putain ? Un flic ?

Elle avait instinctivement utilisé des tactiques de défense apprises autrefois à l'université. Les gestes lui étaient revenus automatiquement. Les trois brutes sautèrent dans leurs camions et mirent les moteurs en route. Un instant plus tard, les engins quittaient le parking. Deux hommes sortirent du restaurant et la virent assise sur le trottoir, tremblant de tous ses membres. Allait-elle devoir recommencer ?

Mais non, ces deux-là étaient plus âgés et un peu bedonnants. L'un d'eux se baissa pour l'aider. Stephanie éprouva une soudaine nausée et se rendit compte qu'elle était couverte de sang. C'était celui du type, qui s'était répandu sur son jean, son tee-shirt, et même sur ses chaussures.

— Vous êtes tombée ? demanda l'inconnu. Vous avez besoin d'un médecin ?

Stephanie secoua la tête, encore étourdie et pâle comme une morte. Il lui fallut une minute pour recouvrer l'usage de la parole.

— Je vais bien, parvint-elle à articuler. Ces types m'ont suivie et m'ont agressée, ajouta-t-elle en désignant les lourds camions qui gagnaient l'autoroute en bringuebalant.

Les deux hommes hochèrent la tête, consternés.

— Vous ne devriez pas prendre la route seule, la nuit.

Ils la ramenèrent dans le restaurant et lui firent boire un verre d'eau. Puis la serveuse l'aida à nettoyer ses vêtements dans les toilettes.

— C'est incroyable ! Vous auriez pu vous faire violer ! dit la jeune femme d'un ton grave.

Stephanie en était certaine. Elle se demandait même comment elle avait pu faire fuir ces brutes. Car les types étaient bâtis comme des montagnes...

Une deuxième serveuse lui apporta un verre de soda au gingembre et des cookies pour la réconforter. Ses mains tremblaient encore. Le personnel du bar lui conseilla un hôtel Best Western à quarante miles de là. Elle reprit le volant dix minutes plus tard et se calma peu à peu, en se concentrant sur la conduite. Chase l'appela peu après. Il se rendit immédiatement compte à sa voix que quelque chose n'allait pas.

— Tu as eu un accident ?

— Presque, répondit-elle d'un ton bref.

— Je t'avais pourtant dit de t'arrêter pour te reposer. Que s'est-il passé ? Et pourquoi roules-tu encore à une heure pareille ?

Il semblait mort d'inquiétude, désemparé.

— J'avais envie de pousser un peu plus loin ce soir, puisque j'avais dormi un moment dans l'après-midi. Je me suis arrêtée dans un restaurant pour dîner. Trois types m'ont suivie quand je suis repartie, et l'un d'eux m'a attrapée par le bras.

Elle lui raconta l'agression et la façon dont elle avait réagi. Il y eut un long silence à l'autre bout de la ligne.

— Tu as fait ça ?

Il ne parvenait pas à croire qu'elle avait eu le cran de frapper ces deux hommes, et surtout, il était horrifié à la pensée de ce qui serait arrivé si elle ne s'était pas défendue. Elle aurait pu être enlevée, ou tuée et abandonnée n'importe où sur la route.

— Très bien, fini de rire, reprit-il. Branche ton GPS et dirige-toi vers l'aéroport le plus proche. Abandonne ta voiture, tu enverras quelqu'un la chercher plus tard. Je veux que tu prennes l'avion pour rentrer.

— Sincèrement, tout va bien, Chase, protesta-t-elle.

Elle ne tremblait plus ; elle éprouvait même une certaine euphorie à l'idée d'avoir su riposter. Elle avait fait montre d'un cran certain.

— Tu te sens peut-être bien, Stevie, mais moi non. Je vais être malade d'inquiétude tant que tu ne seras pas arrivée chez toi. Je veux que tu prennes un avion pour San Francisco.

L'idée était séduisante, mais elle ne voulait pas abandonner après avoir déjà fait trois jours de route. Traverser le pays d'est en ouest était une sorte d'épreuve d'endurance ; elle voulait aller jusqu'au bout.

— J'ai fait la moitié du chemin, ce serait stupide de prendre l'avion maintenant.

Mais ce qui était encore plus étrange, c'était de penser qu'elle aurait pu accomplir ce trajet en six heures par avion, alors qu'il fallait six jours en voiture, avec tous les dangers et la fatigue que cela impliquait.

— Je suis à bout de nerfs, Stevie. Je ne vis plus depuis que tu as quitté Nashville. Je t'en prie, sois raisonnable. Trouve un hôtel correct pour ce soir, pas un horrible motel sur le bord de la route, et prends l'avion demain.

— On m'a conseillé un Best Western à Rawlins. Ce n'est qu'à quelques miles d'ici.

Elle aperçut les panneaux et quitta l'autoroute tout en continuant de lui parler. L'hôtel était plus attrayant que ceux qui se trouvaient le long de la route. Elle vit le manager dans son bureau, par la fenêtre, et dit à Chase qu'elle le rappelait dans cinq minutes.

Stephanie obtint une jolie chambre, s'allongea sur son lit et rappela Chase. Il s'émerveilla encore de son courage et de sa présence d'esprit face à ses agresseurs.

— Je n'aurais jamais dû te laisser partir en voiture. J'aurais dû t'obliger à prendre l'autobus.

— Mais j'avais envie de le faire. C'était important, pour moi, de voir si j'en étais capable. J'ai toujours eu envie de traverser le pays.

— D'accord, mais pas seule.

Elle avait atteint le Wyoming, à présent. Chase songea à ses tournées d'autrefois, quand il allait d'une ville à l'autre en pleine nuit, après un concert. Mais il y avait toujours une demi-douzaine de personnes qui l'accompagnaient. C'était ce qui l'avait poussé à acheter l'autobus, dès qu'il avait eu assez d'argent pour cela. Même lui, qui était un homme, n'avait jamais traversé le pays seul, en voiture.

L'incident qui était survenu ce soir l'avait sérieusement secoué, et ils discutèrent longuement, jusqu'à ce que Stephanie soit presque endormie. Il lui recommanda de l'appeler dès qu'elle serait réveillée, ou même au milieu de la nuit si elle ressentait le besoin de parler.

Le soleil transperçait les voilages quand elle s'éveilla, neuf heures plus tard. Elle était épuisée, engourdie, et elle remarqua un hématome sur son bras, à l'endroit où le camionneur l'avait empoignée. Elle n'avait donc pas rêvé, l'agression était bien réelle. Son coup de fil réveilla Chase, mais il était content d'entendre sa voix.

— Je veux que tu m'appelles toutes les heures, Stevie. Si tu ne le fais pas, j'alerte la police de chaque État que tu traverses pour savoir s'il ne t'est rien arrivé.

— Ne t'inquiète pas, dit-elle, rassurante.

Cependant, elle aussi était secouée par l'incident de la veille. Elle ne sortirait plus seule d'un restaurant, la leçon lui avait suffi.

Elle reprit la route et s'arrêta dans un bel établissement pour prendre son petit déjeuner. Elle commanda des œufs brouillés, des toasts et du café, et acheta quelques sandwichs pour plus tard. Elle ne conduisit pas très longtemps ce jour-là, encore fatiguée par l'incident de la veille. À la nuit tombée, elle atteignit l'Utah et fit étape dans un hôtel Denny. Elle avait parlé avec Chase toutes les heures.

Le cinquième jour, elle traversa l'Utah et le Nevada. Le sixième jour, elle décida de rouler jusqu'à chez elle, peu importait l'heure à laquelle elle arriverait. À minuit, elle se gara enfin dans son allée, et demeura là quelques instants, immobile, devant son volant. Elle avait l'impression d'être partie depuis des mois. La maison était sombre et silencieuse. Elle sortit sa valise du coffre, gravit les marches du perron, et entra. Chase l'appela alors qu'elle désactivait l'alarme. Pour lui, il était deux heures du matin.

— Tu ne dors pas, chéri ? J'allais t'envoyer un message, pour ne pas te réveiller.

— Ah, Stevie ! Tu es arrivée ! Je t'en prie, ne refais plus jamais une chose pareille ; et je me fiche de savoir ce que tu veux prouver.

Néanmoins, elle avait le sentiment d'avoir accompli quelque chose de très important. À présent, elle savait qu'elle pouvait surmonter seule bien des épreuves. Elle se sentait moins vulnérable.

— Comment c'est, chez toi ? demanda-t-il.

— Tout est en ordre, vide et silencieux. Et tu n'es pas là, dit-elle d'une voix douce.

Qui aurait pu croire que cette femme délicate avait cassé le nez d'un routier ?

— Ce n'est pas aussi joli que chez toi, poursuivit-elle. J'ai l'impression que c'est une demeure surgie du passé, qu'elle appartient à une autre vie.

Ses enfants avaient grandi dans cette maison, son mariage y avait battu de l'aile, et elle vivait là quand Bill était mort. Les souvenirs s'entremêlaient et la submergeaient.

— Il est temps que je reparte en voyage, dit-elle sur le ton de la plaisanterie.

— Ce n'est pas drôle, marmonna Chase. À moins que tu ne consentes à prendre l'avion. Va dormir maintenant, nous parlerons demain.

Elle n'en doutait pas un instant. Il l'avait accompagnée pendant tout le voyage, tel un ange gardien, jusqu'à ce qu'elle soit bien en sécurité chez elle. Elle traîna non sans mal son gros sac de voyage au premier étage et le posa dans sa chambre.

Tout en faisant le tour de la pièce du regard, elle songea aux trois camionneurs et sut qu'elle n'aurait plus jamais peur.

16

Stephanie avait hâte de voir ses amis. Dès le lendemain, elle téléphona à Jean et à Alyson. Jean, qui savait qu'elle avait entrepris le voyage de retour en voiture, attendait son appel avec impatience. Alyson commençait juste à sortir la tête de l'eau après la varicelle des enfants et ignorait tout des pérégrinations de son amie. Il lui paraissait incroyable que Stephanie se soit absentée pendant trois semaines. Cette idée était encore plus ahurissante pour Stephanie elle-même, dont la vie venait de basculer. À présent, elle était revenue au point de départ, après avoir rencontré des gens nouveaux, fait des choses nouvelles, s'être introduite dans l'univers de Chase à Nashville, et avoir traversé tout le pays, seule au volant de sa voiture. Elle était devenue une personne différente.

Les trois femmes convinrent de se retrouver pour déjeuner le lendemain dans Union Street. Stephanie avait l'impression qu'il serait impossible de raconter à ses amies tout ce qu'elle avait fait, ni pourquoi elle l'avait fait. Déjà, elles n'avaient pas idée de la sensation de solitude et de vulnérabilité qui l'avait enveloppée à la mort de Bill. Celle-ci expliquait en partie pourquoi Stephanie avait eu désespérément besoin de savoir si elle pouvait se débrouiller seule dans la vie. Le soir où elle avait été agressée par ces trois brutes, elle avait compris qu'elle en était capable. Cela lui avait donné confiance en elle, et, pour la première fois de sa vie, elle se sentait à la fois indépendante et en sécurité.

Quand elle entra dans le restaurant, ses deux amies l'attendaient en bavardant tranquillement. Alyson était vêtue d'un jean et d'un tee-shirt. Ses cheveux étaient en désordre, et des cernes trahissaient sa fatigue. Jean, en revanche, sortait de chez l'esthéticienne et était passée chez le coiffeur pour un brushing. Elle était splendide, et portait une tenue décontractée en cachemire de chez Chanel. Stephanie avait revêtu un des tee-shirts roses achetés à Las Vegas et un jean effrangé. Avec ses cheveux coiffés en queue-de-cheval, ses yeux bleus lumineux comme un ciel d'été et sa mine resplendissante, elle paraissait très jeune. Il y avait longtemps que Jean n'avait pas vu une telle étincelle briller dans ses prunelles.

— Bonjour, mes belles ! s'exclama-t-elle avec un grand sourire.

— Bienvenue à la maison, répondit Jean, agréablement surprise.

Elle avait immédiatement remarqué le changement chez son amie.

— Je suis désolée pour ma tenue, dit Alyson. J'allais me changer, quand le chien s'est mis à vomir. Il a fallu que je le dépose chez le vétérinaire avant de venir.

Sa vie se partageait entre les enfants, les chiens, la maison, les activités périscolaires à organiser, et son mari qui attendait d'elle qu'elle se consacre à lui tous les soirs. Il ne lui restait jamais de temps pour elle. Stephanie avait mené exactement le même genre d'existence pendant vingt-six ans. Elle avait cru que sa vie de famille lui manquait, mais en voyant Alyson elle prit conscience des avantages que lui offrait sa liberté.

— Toi, tu es superbe, Stephanie ! s'écria Alyson. Je

n'arrive pas à croire que tu es revenue seule de New York en voiture. Pourquoi as-tu fait cela ?

Les trois femmes savaient déjà ce qu'elles allaient commander. Elles prenaient toujours la même salade, avec du thé glacé pour Stephanie et Alyson, et un verre de vin blanc pour Jean.

— Eh bien, disons que je trouvais cela excitant. J'avais décidé de rendre visite à Laura Perkins, une ancienne copine d'université qui vit à Nashville.

Stephanie parlait si souvent de cette amie imaginaire qu'elle était presque devenue réelle.

— Je voulais aussi voir Michael à Atlanta. Et à la dernière minute, j'ai décidé de passer à New York pour voir Louise. Et je me suis retrouvée là, avec ma voiture. L'idée de l'embarquer sur un train pour la ramener me semblait idiote, et comme j'avais toujours eu envie de faire le voyage, j'ai sauté sur l'occasion. Cela m'a pris six jours, c'était formidable.

Stephanie passa sous silence l'incident avec les routiers. Ses amies auraient été terrifiées si elle leur en avait parlé. Et finalement, elle avait eu de la chance, même si elle avait eu une grande frayeur. Chase lui avait dit d'un ton admiratif qu'elle avait *des tripes*.

— Et vous deux ? Qu'avez-vous fait, ces derniers temps ?

— Je me suis inscrite dans le comité qui organise le Bal contre le diabète en septembre, répondit Jean. Et bien sûr, je dépense l'argent de Fred aussi vite que je peux. J'ai acheté un nouveau manteau. Je le mettrai quand nous irons à New York, à l'automne prochain.

— Brad vient d'obtenir une récompense du Conseil des chirurgiens orthopédiques, annonça Alyson fièrement.

Et toi ? eut envie de demander Stephanie. Mais elle tint sa langue. Alyson et elle avaient à peu près le même âge, mais Stephanie venait de gagner sa liberté. Avec ses jeunes enfants, Alyson n'aurait pas de temps disponible pour elle avant des années.

— OK, raconte-nous tout, exigea Jean alors qu'on leur apportait les salades. Qui as-tu rencontré ? Tu as vu des hommes intéressants à Nashville et à New York ?

Elle était au courant, bien sûr, mais ne voulait rien dire devant Alyson.

— Jean ! s'exclama cette dernière, choquée. Il n'y a que quatre mois et une semaine que Bill a disparu. Je suis sûre que Stephanie n'aura pas envie de rencontrer quelqu'un d'autre avant au moins un an. Et encore !

Stephanie songea aux longs baisers qu'elle avait échangés avec Chase. Mais elle ne pouvait reprocher à Alyson de réagir ainsi, alors qu'elle-même ne s'était pas du tout attendue à cette rencontre. C'était une sorte d'aberration, et elle considérait encore Chase comme un simple ami, même si une liaison semblait se profiler.

— Ne sois pas ridicule, déclara Jean en prenant une gorgée de vin. Tu ne crois tout de même pas qu'elle va rester seule toute sa vie ? Regarde-la, elle paraît à peine trente ans. Un type va nous l'enlever avant qu'on ait eu le temps de dire ouf. Et ce sera très bien comme ça.

— Ah bon ? Tu as l'intention de sortir avec quelqu'un ? demanda Alyson à Stephanie, abasourdie.

— Non, pas vraiment... je ne pense pas. Je ne sais pas.

Elle était un peu embarrassée.

— Un jour, peut-être, reprit-elle. Mais je ne suis pas encore prête. Les vêtements de Bill sont encore dans l'armoire, j'ai laissé ses pantoufles près du lit et ses lunettes dans un des tiroirs de la cuisine.

Surtout, Bill était toujours dans sa tête. À présent,

Chase y était aussi, mais elle n'avait pas envie de le dire à Alyson.

— En fait, j'ai l'impression d'être encore mariée. Si j'avais une aventure, j'aurais le sentiment de tromper Bill, en quelque sorte.

— Ces scrupules ne l'ont pas arrêté de son vivant, remarqua Jean.

Alyson remua sur sa chaise, mal à l'aise. Mais Jean parlait d'autant plus librement qu'elle avait un peu bu. Alyson, elle, n'aurait jamais prononcé un mot susceptible de rappeler à Stephanie cette épreuve douloureuse. De plus, elle était persuadée que Bill n'avait pas recommencé, puisqu'ils étaient restés ensemble. Stephanie n'avait pas avoué à Alyson que leur mariage était mort à partir de ce moment-là. D'ailleurs, elle-même n'avait pas voulu l'admettre.

— Les hommes sont ainsi, ajouta Jean. Ils n'éprouvent aucun remords à nous tromper. Mais si nous leur rendons la pareille, c'est la fin du monde. Pourquoi pensent-ils être différents de nous ? Nous aussi, nous aimons les beaux mecs. Nous sommes juste trop timorées pour aller plus loin. Eux, non. Ils ne pensent jamais aux conséquences quand ils ont envie d'une femme.

Alyson détestait les théories de Jean sur les hommes et changea de sujet.

— Et sinon, ta Charlotte rentre-t-elle bientôt à la maison ?

— Oui, la semaine prochaine normalement, mais je ne sais pas encore quel jour. Elle a visité toute l'Europe avec ses amies, et elle va s'ennuyer à mourir en revenant. Mais ces deux mois de vacances lui feront du bien. Elle me manque, en tout cas.

Ce serait sans doute le dernier été de Charlotte à San Francisco. La jeune fille obtiendrait son diplôme à la fin de l'année suivante et se mettrait à travailler, probablement dans une autre ville, comme Michael et Louise.

— Ça a été très sympa de voir Michael, à Atlanta. Il va bien, mais Amanda s'accroche à lui. Je crains qu'elle ne finisse par lui mettre la bague au doigt.

— J'espère que non ! s'exclama vivement Jean. C'est un garçon adorable. Et elle, une peste !

— Elle voudrait acheter une maison avec lui... Pour le coup, Michael serait vraiment coincé, même s'ils ne se marient pas tout de suite.

— Je suis sûre que c'est ce qu'elle a en tête, dit Jean, suspicieuse. Espérons aussi qu'elle ne prépare pas une grossesse.

— Ne m'en parle pas ! dit Stephanie en levant les yeux au ciel.

Jean saisit la note sur la table. Généralement, elles payaient chacune à leur tour, mais aujourd'hui Jean avait envie de les inviter. Le téléphone de Stephanie sonna à ce moment-là. C'était Chase.

— Bonjour, dit-elle en baissant discrètement la voix. Je déjeune avec des amies. Peux-tu me rappeler plus tard ? Nous allons partir.

— Bien sûr. Désolé, Stevie.

— Pas de souci. Je t'appelle en rentrant chez moi.

Sa maison n'était qu'à quelques centaines de mètres. Quand elle raccrocha, elle vit qu'Alyson l'observait.

— Qui était-ce ? Ton expression a complètement changé quand tu as répondu.

Jean sourit en son for intérieur.

— C'était Laura, balbutia Stephanie.

Visiblement, Stephanie n'était pas prête à parler de Chase avec Alyson. Celle-ci ne comprendrait pas. Elle serait choquée, si peu de temps après la mort de Bill. Tout du moins, c'est ce que croyait Stephanie.

— C'est bizarre, tout ça, reprit Alyson. Depuis quand

cette Laura est-elle devenue importante au point de te faire traverser tout le pays ? Je ne t'avais jamais entendue prononcer son nom. Et quand nous étions à Santa Barbara, tu ne nous as même pas dit que tu allais faire ce voyage.

— J'ai pris la décision à la dernière minute, quand elle m'a invitée par téléphone, répondit Stephanie d'un ton vague.

Son expression avait-elle vraiment changé quand elle avait parlé à Chase ? Elle était toujours tellement contente d'entendre sa voix.

— Nous étions amies à l'université et nous nous sommes retrouvées récemment. Elle aussi vient de perdre son mari. Nous sommes toutes les deux un peu seules.

L'histoire s'étoffait et les mensonges surgissaient spontanément, comme malgré elle. Laura était l'excuse qui lui avait permis de mieux connaître Chase, de découvrir son univers.

— Eh bien, je suis contente pour toi, dit gentiment Alyson. Parfois, je me sens coupable d'être aussi occupée avec les enfants. J'ai souvent envie d'aller te voir, mais alors il se passe quelque chose à la maison, et je ne peux pas.

Elle avait l'air vraiment désolée.

— Pourquoi tu ne demandes pas à Laura de te rendre visite, puisqu'elle est seule, elle aussi ?

— Elle le fera probablement. Nous avons passé de bons moments ensemble. Nous sommes même allées à Graceland.

— C'est bien que tu aies quelqu'un avec qui sortir, dit Alyson.

Les trois femmes s'embrassèrent à la sortie du restaurant en se promettant de se revoir bientôt.

— Dis bonjour pour moi à Laura, chuchota Jean à l'oreille de Stephanie.

Ainsi, *Laura* devenait le nom de code pour *Chase*.

— C'est promis.

Stephanie regagna sa voiture, heureuse d'avoir vu ses amies. Cinq minutes plus tard, de retour chez elle, elle rappela Chase.

— Désolée, je ne pouvais pas parler devant Jean et Alyson, expliqua-t-elle en montant l'escalier.

— Tu me manques, Stevie. J'entre dans le studio d'enregistrement d'ici quelques minutes. J'aimerais tant que tu sois avec moi.

— Moi aussi. Je n'ai rien à faire, ici. Je regrette un peu d'être revenue.

Heureusement, Charlotte allait arriver dans quelques jours, et il fallait qu'elle prépare la maison pour la recevoir. Pendant le voyage de retour, elle avait décidé de ranger les vêtements de Bill, et il fallait qu'elle le fasse avant que Charlotte ne soit là. Sa fille aurait été bouleversée de la voir vider les placards.

— Tu peux revenir quand tu veux, tu le sais.

Stephanie sourit.

— J'aimerais beaucoup, oui.

Ils n'avaient pas encore fait de projets précis, mais elle espérait qu'il viendrait à San Francisco.

— Bon, je te téléphone dès que l'enregistrement est fini.

Elle entendit les voix des musiciens qui l'appelaient, et ils raccrochèrent. Stephanie demeura un long moment immobile, le combiné à la main, à penser aux heures qu'elle avait vécues à Nashville avec lui, blottie dans ses bras. Elle tressaillit quand le téléphone sonna de nouveau.

C'était Charlotte, de retour à Rome après un court voyage à Paris.

— Tu sais quel jour tu arrives, ma chérie ?

Il y eut un silence à l'autre bout du fil. Pendant un instant, Stephanie crut que la communication était coupée.

— En fait… c'est pour cela que je t'appelle, maman. Tout le monde part dans le sud de la France la semaine prochaine, et je suis invitée à Saint-Tropez et en Corse. Tu crois que… que je peux rester un mois de plus ? Je te promets de rentrer fin juillet et de passer le mois d'août avec toi.

Stephanie fut un peu déçue. Mais il est vrai qu'elle n'avait rien d'extraordinaire à proposer à Charlotte. Le temps était toujours déplorable en été, à San Francisco. Il faisait froid, il y avait du vent ou du brouillard, et Charlotte n'aurait rien de spécial à faire. Difficile dans ces conditions de rivaliser avec la Corse ou Saint-Tropez.

— Je suppose que c'est possible, oui, ma chérie, dit-elle doucement.

Elle regrettait à présent d'avoir quitté Nashville. On ne pouvait jamais rien prévoir, avec les enfants. Même quand ils fixaient une date, ils changeaient d'avis au dernier moment.

Elle rappela à sa fille qu'elle devait quitter la chambre que l'université lui avait fournie, dans un appartement qu'elle partageait avec quatre autres étudiantes.

— Oui, maman, merci en tout cas ! Je suis si contente d'aller à Saint-Tropez !

Et de ne pas venir à San Francisco…, songea Stephanie. Après avoir raccroché, cette dernière resta allongée sur son lit, désœuvrée. Il fallait vider les placards de Bill, mais elle n'avait pas le courage de le faire maintenant. Après tout, elle aurait tout le mois de juillet pour s'atteler à cette tâche.

Les yeux fermés, elle laissa ses pensées dériver vers Chase et regretta de ne pas être avec lui, à Nashville.

Maintenant qu'elle savait que Charlotte n'allait pas rentrer, la maison lui paraissait plus vide que jamais.

17

Quand Amanda revint de Houston, exténuée après un week-end de travail, elle trouva l'attitude de son compagnon bizarre. En réalité, celui-ci avait l'intention de lui parler de Sandy, mais ce n'était pas si facile. Il décida de lui laisser le temps de récupérer.

Les premiers jours, elle ne fit aucune remarque sur son humeur maussade et se dit qu'il devait avoir des soucis au travail. De son côté, il tournait et tournait dans sa tête les mots qu'il voulait lui dire, tentant de trouver ceux qui lui feraient le moins de peine.

— Que se passe-t-il ? finit-elle par demander le vendredi soir, alors qu'ils s'apprêtaient à aller retrouver des amis. Tu as passé une mauvaise semaine au travail ?

— Non, j'ai juste été très occupé, répondit-il en évitant son regard.

— Je te trouve différent depuis quelques jours. Tu ne te sens pas bien ?

— Si, si, je vais très bien.

Cependant, il avait avoué à Sandy des choses qu'il n'avait jusque-là jamais reconnues en lui-même. Il ne se voyait pas passer le reste de sa vie avec Amanda, l'épouser et avoir des enfants avec elle. Leurs goûts étaient trop éloignés et les ambitions professionnelles de la jeune femme ne s'harmonisaient plus avec les siennes. Cela pouvait paraître vieux jeu, mais il avait envie d'une compagne qui soit un peu comme sa mère. Amanda, elle, pensait en termes d'investissements, d'argent, d'énergie ; elle était moins soucieuse des gens. Ce n'était pas une personne aimante et réconfortante, elle faisait plutôt penser à une machine à gagner de l'argent, cachée sous les traits d'une femme. Elle ne lui disait jamais qu'elle l'aimait, son seul sujet de conversation portait sur la meilleure façon de combiner leurs revenus. Michael ne supportait plus de l'entendre parler. Pour lui, tout était fini entre eux. Mais il lui restait à faire le plus dur : le lui dire.

Toute la semaine, Michael avait échangé des messages avec Sandy. Il avait préféré ne pas lui téléphoner tant qu'il n'avait pas eu d'explication franche avec sa compagne, mais il ne voyait pas de problème à lui envoyer des SMS. Subtilités de la technologie moderne...

En comparaison d'Amanda, si exigeante et si adulte, Sandy lui faisait l'impression d'un irrésistible petit elfe. Il la revoyait dans sa robe de coton rose et ses ballerines. On eût dit une adorable petite fille. Mais c'était aussi une femme, et il était submergé de désir pour elle. Chaque soir, quand il se couchait à côté d'Amanda, l'image de Sandy revenait le hanter.

En attendant, Amanda s'accrochait de plus en plus à son idée d'acheter une maison avec lui. Comme un chien à son os. Encore ce soir, elle avait mis le sujet sur le tapis.

— Qu'en penses-tu, Mike ? Tu ne crois pas que nous pourrions commencer à chercher une maison ce week-end ? J'ai regardé sur Internet ; j'en ai vu trois à Buckhead, à des prix très raisonnables. Nous devrions aller jeter un coup d'œil.

Buckhead était un des plus beaux quartiers de la ville, mais ce n'était pas là que Michael avait envie de vivre.

Ces résidences étaient habitées par des gens plus âgés qu'eux, et plus riches...

— Je ne me sens pas prêt pour ce genre d'achat, débita-t-il d'un trait.

— Comment ça ? s'exclama-t-elle, interloquée.

Elle venait juste de lui fournir l'occasion idéale de s'expliquer, mais le courage le fuyait.

— C'est un engagement important, Amanda. Imagine que l'un de nous perde son job ? Comment ferions-nous pour rembourser le prêt ?

Même s'il n'y avait pas eu Sandy, il aurait hésité à se lancer dans cette opération.

— Mon père dit qu'il nous aidera. Michael, tu as des doutes sur notre couple ? ajouta-t-elle d'un air soupçonneux.

Les réticences de Michael lui mettaient la puce à l'oreille. Lui qui avait toujours semblé si solide se mettait à louvoyer comme un cheval trop nerveux. Cela faisait au moins six mois qu'elle parlait d'acheter une maison, et elle ne l'avait jamais senti frileux jusqu'à présent.

— Écoute, Amanda, nous ne sommes pas pressés, nous n'avons que vingt-cinq ans. J'aime bien mon appartement, et le tien est bien aussi. Pourquoi aurions-nous besoin d'une maison ?

— C'est un bon investissement. Mon père dit que nous perdons de l'argent avec ces locations. Il nous aidera pour l'apport initial, et l'argent de l'assurance vie de ton père ne te rapporte rien. Il vaudrait mieux le placer dans cet achat.

Amanda avait tout calculé... Michael lui aussi avait pensé à acheter une maison avec cet héritage, mais il visait quelque chose de plus modeste, et qu'il achèterait seul. Même sa mère l'avait mis en garde contre l'idée d'acquérir un bien immobilier avec Amanda. Elle s'inquiétait de ce qui se passerait s'ils mettaient un terme à leur relation. La rupture serait alors plus compliquée, un peu comme dans un divorce.

— Nous sommes trop jeunes, dit-il d'une voix mal assurée.

Il pensait à Sandy, au week-end qu'ils avaient passé ensemble...

— Je ne suis pas trop jeune pour acheter une maison. Toi non plus. Tu as peur, c'est tout.

Elle ne disait cela que pour l'embarrasser, mais à sa grande surprise il abonda dans son sens.

— C'est exact. Tu gagnes plus d'argent que moi. Imagine que je n'arrive pas à payer ma part ?

Étant donné le genre de maison auquel elle s'intéressait, il allait devoir faire un sérieux effort financier. Amanda voulait une belle demeure, et son père l'encourageait en ce sens. Surtout, elle voulait garder Michael. Et ce dernier avait l'impression que le père d'Amanda l'achetait en même temps que la maison. Il avait la sensation d'étouffer.

— Allons au moins voir si quelque chose nous plaît, dit-elle d'une voix ferme.

— Je ne suis pas sûr d'en avoir les moyens.

Toutefois, il parlait à un mur, elle ne voulait pas l'entendre. Il abandonna la discussion et ils allèrent retrouver leurs amis au Strip.

Michael ne prononça plus un mot de la soirée et but un peu trop. Pas au point de tomber de son tabouret de bar, mais juste assez pour avoir l'air lointain et préoccupé. Néanmoins, Amanda pensait pouvoir le convaincre d'acheter une de ces maisons. Et si elle échouait, son père parviendrait à le décider. Elle avait hâte de faire les premières visites.

Alors que personne ne le regardait, Michael envoya un message à Sandy. Amanda bavardait avec ses amis sans faire attention à lui. Il dit à la jeune fille qu'il pensait à elle. Toute la semaine, elle avait répondu très rapidement à ses SMS, lui envoyant des petites remarques amusantes ou des émoticônes. Mais cette fois, il ne reçut aucune réponse. Et se sentit plus seul que jamais.

La seule femme avec qui il aurait voulu être était presque une enfant, et elle avait, elle aussi, un petit ami.

Sandy était en répétition avec le groupe quand Michael lui avait envoyé son SMS. Chase avait écrit de nouvelles chansons qu'il voulait tester. Elle chantait seulement en arrière-plan avec Delilah, mais elle était préoccupée et elle ne parvenait pas à se rappeler les paroles. Cela ne lui ressemblait pas. Assis sur le côté, Bobby Joe la regardait avec une moue narquoise. Sans dire un mot, juste en levant les yeux au ciel, il lui montrait qu'il la trouvait stupide et incompétente.

Chase vint la voir.

— C'est Bobby Joe qui te perturbe ?

Il avait vu le garçon sourire, méprisant, alors qu'elle refaisait la même erreur pour la quatrième fois.

— Non, répondit-elle, troublée. Je ne sais pas pourquoi je n'y arrive pas. Je suis bête, c'est tout.

Chase lui prit les épaules et la fit pivoter sur elle-même.

— Qu'est-ce que tu viens de dire, là ? Sandy, si ce petit crétin te fait croire cela, débarrasse-toi de lui tout de suite. Il finira chanteur dans un bar de West End Avenue, ou pire encore. Tandis que toi, un jour, tu deviendras une star. Alors ne me dis plus jamais que tu es bête, Sandy Johnson, si tu ne veux pas recevoir un coup de pied au derrière.

— T'as raison, désolée, Chase, dit-elle avec un petit sourire.

Il hocha la tête, l'air grave.

— Est-ce que cela a un rapport avec ton week-end à Atlanta ? demanda-t-il à voix basse.

Elle eut une brève hésitation, avant d'acquiescer d'un signe de tête. Chase était comme un père pour elle ; elle ne lui mentait jamais.

— Peut-être.

— Michael te pose des problèmes ?

Une ombre passa dans son regard.

— Non, il est très gentil. C'est juste que... tu sais... il est presque fiancé avec cette femme. Elle veut qu'ils achètent une maison, comme s'ils étaient mariés. Il me dit qu'il n'a pas envie de rester avec elle, mais il n'a encore rien fait pour se séparer.

— Cette Amanda n'a pas encore la bague au doigt, tu sais. Ce garçon est fou de toi, Sandy, j'ai bien vu comment il te regardait. S'il te dit qu'il va rompre, il le fera. Il t'a donné des nouvelles, depuis la semaine dernière ?

Le regard de la jeune fille s'éclaira.

— Oui, environ cinq fois par heure, répondit-elle en riant.

— C'est un bon début. Tu n'as pas couché avec lui ?

Elle fit un signe négatif. Elle n'aurait jamais fait cela, alors qu'elle n'avait pas rompu avec Bobby Joe. Elle avait des principes, et Michael la respectait justement pour cela.

— Bien. Continue dans cette voie, ma chérie. Tu vas le rendre fou, déclara-t-il avec un grand sourire.

Chase parlait en connaissance de cause. Il n'avait pas couché avec Stephanie, et il ne pensait qu'à une chose : lui faire l'amour, justement. Cela devenait une obsession.

La répétition reprit et, cette fois, Sandy chanta très bien. Ils arrêtèrent le travail vers minuit. Bobby Joe l'avait attendue en buvant bière sur bière. Quand ils quittèrent la maison de Chase pour regagner le cottage, il était imbibé d'alcool et s'affala lourdement sur le canapé.

— Tu as été super nulle ce soir, ma pauvre, dit-il d'un air supérieur.

Il adorait qu'elle ait des défaillances. Cela le rassurait. Sandy songea à ce que Chase lui avait dit un peu plus tôt. Bobby Joe n'arriverait à rien. C'était un joli garçon, mais un musicien médiocre.

— Il me semble que mon dernier essai était très bien, au contraire.

Chase lui avait d'ailleurs fait des compliments.

— Tu as de la chance que l'autre t'accepte sur scène. Il ne le fait que parce que tu es sa pupille. Si tu devais te débrouiller seule, tu ne serais jamais engagée dans un groupe.

— Pourquoi tu dis ça, Bobby ? demanda-t-elle en le regardant droit dans les yeux.

Il venait de se lever pour prendre une bière dans le réfrigérateur. Comme s'il n'avait pas déjà assez bu.

— Tout le monde le sait, Sandy. Tu es mignonne, mais question talent, il faut bien chercher.

— C'est quoi, ton but, là ? s'exclama-t-elle, outrée. Tu cherches à me blesser ?

— Non, pas du tout. C'est juste la vérité. La vérité fait toujours mal, répliqua-t-il en haussant les épaules.

Il porta la bouteille à ses lèvres et lui coula un regard en coin.

— Allez, viens, ma jolie, allons nous coucher. Je suis fatigué d'être resté sans bouger à t'écouter toute la soirée. J'ai besoin d'un peu d'action.

Et par-dessus le marché, il comptait sur elle pour assouvir ses envies sexuelles ! Soudain, ce fut plus qu'elle n'en pouvait supporter. Elle explosa :

— Tu crois vraiment que je vais coucher avec toi après tout ce que tu viens de me dire ?

— Quoi ? Qu'est-ce que j'ai dit ? Il faudra bien que tu le reconnaisses, que Chase ne te laisse chanter que parce qu'il a promis à ton père de s'occuper de toi.

— Je suis peut-être une mauvaise chanteuse, rétorqua-t-elle, les lèvres tremblantes. Mais je ne suis pas une fille de rien que tu as ramassée dans un bar. Tu ne peux pas m'insulter et venir ensuite te coucher dans mon lit. Sors de chez moi, Bobby.

Elle ne plaisantait pas, mais Bobby Joe ne se démonta pas pour autant.

— Tu te crois peut-être supérieure à moi, parce que Chase a de l'argent et que tu vis dans cette baraque ? Mais regarde les choses en face, mon chou. Tu n'es qu'une pauvre fille sortie du ruisseau, comme moi. Tu ne m'impressionnes pas.

— Non, je ne suis pas une pauvre fille. Contrairement à toi, je ne finirai pas dans la rue. J'y arriverai, et ce sera grâce à mon talent et à mon travail. Je bosse comme une folle, moi, pendant que tu restes assis là, à boire des bières. Tu es jaloux, c'est tout ! Et ça ne t'autorise pas à me traiter comme ça et à me dire des horreurs. Tu n'es qu'un tas d'ordures, Bobby, avec des saletés plein la tête. Maintenant, dehors.

— Assez, mon chou... Allez, viens te coucher.

Il se leva en chancelant et tenta de lui agripper le bras. Elle le repoussa et il retomba assis sur le canapé en riant, tandis qu'elle tremblait de rage.

— Tu as le choix, reprit-elle, les dents serrées. Soit j'appelle Chase, soit j'appelle la police, soit tu te tires tout de suite. À toi de voir. Tu n'es qu'un sale type ; tout est fini entre nous. Je n'ai pas besoin de quelqu'un qui me traite de cette manière. Je préfère être seule.

— Tu ne peux pas m'obliger à partir, ma petite, fit-il avec arrogance.

Sandy le toisa, implacable.

— Regarde-moi bien, Bobby. Tu t'attendais à quoi, vu que tu ne cesses de me dénigrer depuis que nous sortons ensemble ? J'en ai assez. Sors d'ici.

Tout en parlant, elle composa le 911 sur le clavier de son téléphone pour appeler la police. Bobby Joe se jeta sur elle, lui arracha l'appareil et coupa la communication.

— Ne fais pas l'idiote ! Viens te coucher !

Il était furieux.

Et complètement saoul. Le jeu n'était plus drôle du tout.

— C'est fini, je t'ai dit, Bobby. Rentre chez toi et restes-y. Tu verras avec Chase s'il accepte que tu continues à faire l'ouverture de son concert.

Bobby Joe sembla soudain paniqué. C'était elle qui lui avait procuré ce job.

— Allez, Sandy, arrête ça. Tu sais bien que je t'aime.

— Non, tu ne m'aimes pas. Tu me traites comme de la merde, au contraire. Trouve quelqu'un d'autre à humilier.

Il se leva et hésita un instant. Vacillant sur ses jambes, il fit mine de la prendre dans ses bras et de l'entraîner vers la chambre. Sandy le repoussa.

— Dehors, Bobby.

— Va te faire voir, Sandy ! hurla-t-il alors en sortant. Moi non plus, je n'ai pas besoin de toi !

Il fit claquer le battant de la porte derrière lui. Sandy resta quelques instants immobile, presque pétrifiée, puis elle alla s'allonger sur son lit. Elle avait bien fait, Bobby Joe ne lui manquerait pas. Il était affreux avec elle, et Chase avait raison, elle ne méritait pas cela. Ivre ou pas, il n'avait pas le droit de lui parler sur ce ton. Bien sûr, il n'avait jamais levé la main sur elle, mais il l'avait humiliée avec des mots, la rabaissant chaque fois qu'il en avait l'occasion. Non, vraiment, il ne lui manquerait pas.

Ce soir-là, Sandy ne pensa pas à regarder son téléphone. Les pensées tournaient dans sa tête, sans discontinuer. Elle finit par s'endormir, tout habillée, sans avoir vu le message de Michael. Et le lendemain matin, la première chose qu'elle fit, ce fut d'aller voir Chase.

Il était assis au bord de la piscine et lisait le *Sunday Paper*.

— J'ai rompu avec Bobby Joe hier soir, lâcha-t-elle sans préambule en s'asseyant à côté de lui.

Elle avait les traits un peu tirés, sans doute parce qu'elle n'avait pas beaucoup dormi.

— Ah. Et ça va ? Tu n'es pas triste ? demanda-t-il.

— Pas du tout. Il me traitait comme un chien. C'était de pire en pire. Il n'a été gentil qu'au début, quand il cherchait un job et voulait faire l'ouverture du concert.

Sandy haussa les épaules, et Chase sourit.

— Je suppose que je vais devoir auditionner un nouveau groupe. De toute façon, j'en avais assez, il joue toujours les mêmes trucs. Je vais dire à Charlie de lui transmettre le message.

Charlie était l'ancien batteur, mais c'était aussi lui qui engageait les groupes pour la première partie. Il continuait de gérer cela depuis son départ.

— Tu sais, Sandy, je suis content que tu aies rompu avec Bobby Joe. Il était temps de passer à autre chose.

Il ne prononça pas un mot au sujet de Michael, et Sandy non plus. La jeune fille plongea dans la piscine. Elle était libre à présent, mais Michael ne l'était pas... Pas encore...

Ce samedi-là, Michael et Amanda visitèrent trois maisons à Buckhead. Deux d'entre elles étaient immenses, avec du terrain et des dépendances ; la troisième avait cinq chambres. Le seul fait de regarder ces demeures familiales avec Amanda rendit Michael nerveux.

— Quand allez-vous vous marier ? demanda l'agent immobilier avec un fort accent d'Alabama. À moins que vous ne le soyez déjà ?

Amanda sourit, et Michael se demanda avec un pincement au cœur ce qu'elle allait répondre.

— Nous voulons juste regarder, répondit-elle, évasive, tout en regardant Michael avec un air de conspirateur.

Quand ils s'éloignèrent tous les deux en voiture, elle ne cacha pas son enthousiasme.

— Oh, mon Dieu, tu ne trouves pas cette maison magnifique, Michael ?

Elle semblait prête à emménager, avec ou sans son accord. Peut-être le traînerait-elle par les cheveux ?

— Tu es folle ? s'écria-t-il. Tu as vu le prix ? Tu sais combien je gagne ? Il est hors de question que j'investisse l'argent de mon père dans cette maison ou que je demande à ma mère de nous aider. Il faudrait que nous ayons quatre enfants pour remplir une maison pareille !

— C'est un superbe investissement, répliqua-t-elle calmement.

C'était devenu son mantra.

— Buckingham Palace aussi est un bel investissement ; ça ne me donne pas les moyens de l'acheter. Tu devrais épouser le prince Harry. Nous n'avons pas besoin d'une maison. Nous n'allons pas nous marier.

— Pas maintenant, je sais bien, mais cela finira par arriver un jour. N'est-ce pas ?

Elle se tourna vers lui et le regarda fixement.

Michael sentit son pouls s'accélérer. Il se gara sur le côté. Enfin, il lui parla clairement :

— Non, Amanda. Cela n'arrivera pas. Je ne peux

pas. Nous ne serions pas heureux ensemble. Nous ne désirons pas les mêmes choses dans la vie.

— Mais bien sûr que si, on désire les mêmes choses ! Tu as juste peur de te lancer dans l'achat d'un bien aussi important. Tout le monde a peur, la première fois.

— Je ne veux pas t'épouser, Amanda. Jamais. Il te faut quelqu'un qui te ressemble, et ce n'est pas moi. En fait, il te faudrait un homme comme ton père.

Ce dernier était empli d'ambition, il ne pensait qu'à l'argent, au pouvoir. Michael n'était pas comme cela. Il n'attachait pas d'importance aux valeurs superficielles.

Amanda l'observa longuement, les lèvres pincées.

— Ramène-moi chez moi, dit-elle sèchement.

Michael remit le moteur en route et démarra. Quand il s'aperçut qu'elle pleurait, il eut l'impression d'être un monstre et s'arrêta de nouveau, lui passant un bras sur les épaules.

— Je n'aurais pas dû insister pour la maison, lâcha-t-elle. Nous pouvons attendre, Mike. J'avais juste envie d'un nouveau projet, mais je ne suis pas pressée.

Elle ne voulait pas le perdre. Michael était beau et avait de l'avenir : il connaîtrait une belle réussite professionnelle, surtout si elle était là pour le soutenir.

— Oui, tu es trop pressée, et ce qui est évident pour toi ne l'est pas pour moi. Je me suis rendu compte il y a peu que je n'envisageais pas le mariage avec toi. J'ai essayé de te le dire, mais je ne savais pas comment aborder le sujet.

— Nous ne sommes pas obligés de nous marier tout de suite.

— Ce n'est pas une question de temps, répondit-il en secouant fermement la tête. Il te faut quelqu'un d'autre. Et à moi aussi.

Amanda eut l'air totalement paniquée.

— Il y a une autre femme dans ta vie ?

Il pouvait être honnête avec elle. Par bonheur, il n'avait rien fait avec Sandy.

— Non, il n'y a personne.

Pas encore, ajouta-t-il en lui-même.

Amanda n'avait pas besoin d'entendre ces derniers mots, et de toute façon la question n'était pas là. Ce qui importait, c'était qu'il ne voulait pas passer sa vie avec elle. Il n'était même pas sûr de l'aimer. Et il n'était pas sûr non plus qu'Amanda l'aime de son côté. Elle ne se souciait pas de ce genre de détails. Ce qu'elle désirait, c'était un style de vie. Le mariage était pour elle un investissement.

Il la raccompagna chez elle et s'arrêta devant son immeuble, sur Cheshire Bridge Road. Elle descendit lentement de la voiture, et le regarda par la vitre ouverte.

— Nous devrions prendre le temps de réfléchir, Mike. Tu as eu un accès de panique, c'est tout.

Mais il s'était déjà donné le temps de la réflexion. Trois ans. C'était suffisant pour savoir ce qu'il ne voulait pas. Il secoua la tête, ne sachant quoi lui répondre, et dit la première chose qui lui passa par la tête :

— Je t'apporterai tes affaires dans la semaine.

Sous le choc, Amanda suivit des yeux la voiture qui s'éloignait. Puis elle entra dans le bâtiment, courut à son appartement et se jeta sur son lit. Il fallait qu'elle appelle son père pour lui raconter ce qui s'était passé.

— J'ai toujours su que ce garçon n'était pas pour toi, dit calmement celui-ci. Pas de cran, pas d'ambition.

C'était injuste pour Mike, songea-t-elle. Son compagnon avait un bon job, il travaillait dur et était gentil avec elle.

— Bon débarras, ajouta son père avec brusquerie.

Amanda raccrocha tristement. Elle aimait Michael, et elle croyait qu'il l'aimait aussi. Mais elle s'était trompée en pensant qu'ils désiraient les mêmes choses. Michael avait peut-être raison. Il lui fallait un homme comme son père. Plus elle y pensait, et plus cela lui paraissait juste. Un homme qui n'aurait pas peur d'acheter une de ces magnifiques demeures dans Buckhead, et qui serait prêt à tout pour la lui offrir. Un battant, un gagneur. Amanda ne pensait pas à l'amour, mais à la réussite sociale. Oui, Michael n'était pas fait pour elle.

Sandy découvrit le message de Michael le samedi soir, lorsqu'elle récupéra son téléphone coincé entre les coussins du canapé, là où Bobby Joe l'avait jeté la veille. Elle lui écrivit qu'elle pensait aussi à lui et qu'elle espérait qu'il avait passé une bonne soirée. Michael ne répondit pas.

Assis dans son appartement, il pensait à Amanda, et à ce qui venait de se passer. Il se sentait vide et seul. Une relation de trois ans venait de se terminer, et tout s'était déroulé trop vite. Il avait besoin de temps pour réfléchir et faire son deuil. Il n'avait pas envie de raconter sa rupture à Sandy, comme s'il pouvait mettre fin à une relation et en commencer une autre cinq minutes plus tard. *Coucou, je suis libre à présent.*

Non, il devait un peu plus de respect que cela à Amanda. Donc, il ne répondit pas à Sandy.

En revanche, il entassa les affaires d'Amanda dans des cartons. Ses vêtements, ses livres, ses tenues de gym et de tennis, une sculpture qu'ils avaient achetée ensemble. Trois ans de souvenirs. Il lui fallut une heure pour tout rassembler, et encore une heure pour les empaqueter. Trois ans rangés dans deux cartons.

Puis il appela sa mère. Il était triste.

— Je suis désolée, mon chéri.

Stephanie était sincère. Elle n'avait jamais aimé Amanda, mais elle compatissait au chagrin de son fils, elle comprenait sa déception. Michael avait l'air très malheureux, et perdu.

— Je ne sais pas ce qui s'est passé, maman. Tout à coup, il a fallu que je le lui dise. Elle me poussait à acheter une maison, et moi, je n'en avais pas envie, mais elle insistait. J'ai failli avoir une crise d'urticaire en visitant ces bâtisses immenses pour gens fortunés.

Sa remarque fit sourire Stephanie.

— Un jour, tu trouveras la bonne personne, mon chéri.

Peu après, il reçut un coup de fil d'Amanda. Elle semblait aussi consternée que lui, mais elle n'essaya pas de discuter, ne le supplia pas de revenir sur sa décision. Au fond de son cœur, elle savait qu'il avait raison. Elle voulait juste qu'il lui rende les poêles et le four à micro-ondes qu'elle avait achetés.

En fin de compte, c'était tout ce qui restait de leur relation. Des poêles à frire, un four, deux cartons de vieilles affaires. Amanda ramenait la vie à son aspect matériel. Michael se demanda même s'il allait lui manquer.

Lorsqu'il raccrocha, il éprouva une sensation de nausée. Trois ans de sa vie venaient de passer à la poubelle, et il avait rabattu le couvercle. En fait, il aurait dû le faire depuis longtemps.

Malgré l'heure tardive, il alla courir dans l'espoir de se vider la tête. Le sport l'aida un peu à se sentir mieux. En revenant, il pensa à Sandy. Il était encore trop tôt pour l'appeler, même s'il en avait très envie.

Cette nuit-là, il rêva d'elle. Ils visitaient une grande maison ensemble, allaient peut-être l'acheter… Amanda était l'agent immobilier et elle les poussait à signer. Il se mettait alors à crier contre elle. Puis Sandy et lui partaient en riant, poursuivis par les insultes d'Amanda. Lorsqu'il s'éveilla, le sens de tout ça lui parut très clair.

Amanda cherchait vraiment à lui faire acheter une maison contre sa volonté. Et Sandy était la femme de ses rêves.

18

Michael laissa passer une semaine avant d'appeler Sandy. Celle-ci lui avait envoyé deux ou trois SMS auxquels il n'avait pas répondu, et il se sentait coupable. Dans quelques jours auraient lieu les célébrations du 4 Juillet. Il avait déposé les cartons chez Amanda et n'avait pas eu de nouvelles d'elle. Apparemment, elle était déjà passée à autre chose, sans regrets et sans sentiments superflus. Il était déçu, mais n'éprouvait pas de chagrin profond. Preuve qu'il ne s'était pas trompé en mettant fin à leur relation.

En revanche, il pensait beaucoup à Sandy. Celle-ci ne lui avait pas parlé de sa rupture avec Bobby Joe dans ses SMS... Ainsi, chacun croyait toujours que l'autre était en couple. Elle fut donc surprise d'entendre sa voix au téléphone, alors qu'elle faisait du shopping en ville avec une amie.

— Désolé de ne pas t'avoir répondu, Sandy. J'ai été très occupé, dit-il, un peu gêné.

— Pas de problème, je l'étais aussi.

Sandy trouvait l'attitude de Michael compréhensible et respectable, puisqu'il n'était pas libre. Quand ils s'étaient embrassés à l'aéroport, il lui avait dit qu'il devait prendre une décision. Sans doute avait-il décidé de rester avec Amanda.

— Comment vas-tu ?

— Très bien.

Les Braves étaient dans une période de chance et gagnaient tous leurs matchs. À Atlanta, les supporters jubilaient.

— Nous, on prépare un grand concert pour le 4 Juillet. Il y aura quatre groupes de musiciens, en plus de celui de Chase. Nous avons répété nuit et jour.

— Formidable. Et pour le reste ?

— Toujours pareil. Enfin, presque. J'ai rompu avec Bobby Joe. Il se comportait vraiment comme un crétin. Un soir, il a été tellement odieux que ça a précipité la fin. Chase vient d'engager un nouveau groupe pour faire l'ouverture du concert. Ça lui fera les pieds !

— Oui, c'est sûr, répondit Michael en souriant.

Il hésita une seconde, puis se jeta à l'eau.

— J'ai rompu avec Amanda. Mais là, il n'y aura pas de nouveau groupe en ouverture.

— Ah... Comment ça s'est passé, alors ?

— Moi, c'est à cause d'une maison que les choses se sont précipitées. Elle voulait absolument qu'on saute le pas et qu'on achète un truc immense. On aurait dit qu'elle essayait de me coincer avec ça. Il a fallu que je lui dise le fond de ma pensée. C'est mieux ainsi.

— Pourquoi tu ne m'as pas prévenue tout de suite que vous aviez rompu ? s'exclama Sandy, interloquée.

— J'ai pensé qu'il valait mieux attendre un peu, par respect pour elle et pour toi. Mais tu me manquais tellement que je n'ai pas pu tenir plus longtemps, et je t'ai appelée aujourd'hui.

Ils gardèrent le silence un moment. Les choses étaient changées. Ils étaient libres désormais, et Sandy songeait à ce que cela signifiait. Michael aussi.

Elle prit son courage à deux mains.

— Aimerais-tu venir pour le concert du 4 Juillet ?

demanda-t-elle, le cœur battant. Tu pourrais dormir chez Chase, il a une chambre d'amis.

Surtout, il ne fallait pas qu'il croie qu'elle l'invitait à partager son lit. Elle n'avait pas oublié les conseils de Chase.

Michael réfléchit rapidement, et sa réponse ne se fit pas attendre.

— J'adorerais venir, Sandy. Tu es sûre que Chase sera d'accord ?

— Oui, naturellement, répondit-elle, tout heureuse.

Ils décidèrent qu'il viendrait deux jours avant le concert et qu'ils passeraient le week-end ensemble. Tout Nashville serait en fête pour le 4 Juillet, il y aurait des barbecues, des pique-niques, une parade, et leur concert, ainsi qu'un autre, la veille, à Opryland.

— Prépare-toi à faire la fête ! annonça-t-elle.

Un jour avant l'arrivée de Michael, Sandy s'en fut trouver Chase, l'air de rien.

— Je pourrai utiliser ta chambre d'amis ce week-end ? s'enquit-elle.

— Bien sûr, pas de problème. Qui vient ? Quelqu'un que je connais ?

De temps à autre, Sandy invitait une de ses copines, mais celles-ci dormaient toujours dans le cottage. Pourquoi pas cette fois-ci ?

— Michael Adams, dit-elle avec une nonchalance étudiée.

— Michael Adams, le fils de Stevie ? s'exclama-t-il, les yeux écarquillés.

Sandy acquiesça.

— Il vient avec sa petite amie ?

— Non, ils ont rompu.

— Dis donc... mais c'est très intéressant, ça. Surtout

que tu viens aussi de rompre avec Bobby Joe... Bon, je serai très content de voir Michael, ajouta-t-il avec un clin d'œil complice.

Le soir, Chase annonça la nouvelle à Stephanie.

— J'ai un invité ce week-end, dit-il d'un ton innocent.

La répétition l'avait fatigué, mais il était enthousiaste à l'idée de jouer pour le 4 Juillet. En fait, il n'était jamais aussi heureux que lorsqu'il montait sur scène, et il disait volontiers qu'il était né une guitare dans les mains.

— Quelqu'un de spécial? interrogea Stephanie, curieuse.

Une vedette? Chase les connaissait toutes, et beaucoup venaient à Nashville pour le concert.

— Je crois. Un jeune homme du nom de Michael Adams, qui vient d'Atlanta.

— Mon Michael? Mais comment est-ce possible?

Elle avait parlé à son fils deux jours plus tôt, et il ne lui avait rien dit. Tout à coup, elle fut soulagée de ne pas avoir décidé de se rendre elle aussi à Nashville pour la fête nationale. Elle aurait eu du mal à expliquer à Michael cette seconde visite à « Laura ».

— Sandy l'a invité. Il dormira dans ma chambre d'amis, bien sagement.

— Par exemple! C'est une très bonne nouvelle. Je me demande s'il va me le dire.

Il le ferait tôt ou tard, mais certainement pas tout de suite.

— Eh bien, s'il t'en parle, aie l'air surprise. Je ne voudrais pas qu'il pense que je joue les informateurs.

— Si, si. Je veux que tu me racontes tout!

— On verra, je te raconterai peut-être. C'est vraiment dommage que tu ne viennes pas, toi, dit-il avec une pointe de tristesse.

— Je sais, oui.

Pour la journée du 4, elle allait à un barbecue chez Brad et Alyson. Chase l'avait invitée chez lui, bien sûr, mais elle n'était pas encore prête à y retourner. Il fallait qu'elle prenne tout d'abord quelques décisions concernant sa vie.

— Nous allons voir ce qui se passe entre ces deux-là, reprit-elle. La vie est bizarre, tu ne trouves pas ? C'est une question de destin, en fin de compte. Tu ouvres la bonne porte au bon moment, et tu as le courage de la franchir... ou pas. C'est extraordinaire. En un clin d'œil, tout peut changer.

La semaine précédente, Michael était lié à Amanda, presque sur le point de faire un mariage que Stephanie désapprouvait totalement, car il le rendrait malheureux. Et maintenant, il partait dans une direction fort différente, avec une chanteuse de country à la voix d'ange. Un peu comme quand elle avait pris la route de Las Vegas, au lieu de retourner vers San Francisco. Tout ce qu'il fallait, c'était assez de courage pour franchir le pas. Elle en avait eu, et son fils aussi !

19

Le barbecue chez Brad et Alyson, à Ross, fut la quintessence de tout ce que Stephanie redoutait, dans sa nouvelle vie de veuve à San Francisco. Elle se retrouva au milieu des gens que Bill et elle avaient fréquentés et se sentit complètement étrangère à leur monde. Tout ce qu'ils lui disaient ne faisait que renforcer son impression de malaise. Ils étaient *désolés* pour cette immense *perte*, et répétaient ces mots comme un mantra. Puis ils lui demandaient comment elle « allait » : on eût dit qu'elle suivait un traitement lourd, qu'elle était en phase terminale d'une grave maladie. Le veuvage était la fin d'une vie, et pour eux il était inconcevable qu'il puisse y avoir une autre existence après cela. La pitié se lisait dans tous les regards : c'était comme une lame affûtée qui lui transperçait le cœur. Bill lui manquait terriblement, et elle ne comprenait même pas pourquoi... D'autant que s'il avait été là, cette réception lui aurait déplu, il aurait regretté d'être venu, lui aurait répété toute la soirée que ces fêtes du 4 Juillet étaient insupportables. D'ordinaire, Stephanie aimait s'attarder avec ses amies, mais ils partaient toujours avant les autres, car Bill avait une réunion le lendemain matin, ou bien un golf si c'était pendant le week-end.

La fête avait lieu dans le jardin impeccablement entretenu de Brad et Alyson. Tous les voisins étaient là. Stephanie connaissait la plupart d'entre eux, mais même ceux qu'elle voyait pour la première fois étaient désolés quand leurs amis leur expliquaient à voix basse que Bill était mort cinq mois plus tôt sur une piste de ski. Bien qu'elle ne portât pas de vêtements de deuil, ils la regardaient comme si elle était vêtue de crêpe noir, avec un mélange d'effroi et de pitié. *Pauvre Stephanie*, semblaient dire leurs yeux quand ils se posaient sur elle.

Cependant, tout en s'apitoyant sur son sort, les épouses la considéraient avec un brin de suspicion, car elle était subitement devenue dangereuse. Et les maris, leur donnant raison sans le vouloir, manifestaient un peu trop de sollicitude et avaient des manières familières. Impossible pour Stephanie de redevenir une personne normale, parmi eux !

Alyson, très nerveuse, surveillait le travail des traiteurs et allait de temps à autre jeter un coup d'œil aux enfants. Brad, qui avait bu plus que de raison, était fort jovial. Stephanie, elle, avait accepté deux verres de margarita, mais elle se sentait toujours aussi sobre.

Posant un bras sur son épaule, Brad lui demanda comment elle se portait et pourquoi ils ne la voyaient pas plus souvent. Il n'écouta pas la réponse. Stephanie eut le sentiment que, si elle lui avait lu les pages jaunes de l'annuaire, il aurait continué de sourire d'un air attentif. Il ajouta qu'elle était superbe… Jean et Fred étaient là aussi. Jean flirtait avec plusieurs hommes. Et Fred s'endormit dans un fauteuil.

Pendant le repas, la conversation lui sembla creuse. Les gens n'écoutaient pas les réponses aux questions qui étaient posées. La quinzième fois qu'on s'enquit de ses enfants, Stephanie eut envie de répondre que Michael était en prison, que Louise se prostituait à New York et que Charlotte s'était fait tabasser par des voyous en

Europe. Elle tint sa langue, mais de toute façon personne n'aurait prêté attention à ce qu'elle disait.

Les nerfs à vif, elle regarda les feux d'artifice au-dessus du Golden Gate Bridge. Le spectacle était joli, mais cela ne suffit pas à dissiper l'ennui de la soirée. Elle ne pouvait même pas appeler Chase pour lui confier sa tristesse, puisqu'il était sur scène à Nashville. Elle regretta amèrement de ne pas y être allée.

À dessein, elle n'avait pas pris sa voiture. Elle appela donc un taxi pour rentrer. Elle savait que la plupart des invités reprendraient le volant légèrement ivres, comme d'habitude. Elle quitta la réception discrètement, ne disant au revoir qu'à Alyson. Impossible d'affronter les autres, dans son rôle de « pauvre veuve ». Son amie lui demanda avec gentillesse si elle avait passé un bon moment, tout en laissant sous-entendre que c'était impossible puisqu'elle n'avait plus de mari…

C'était la première invitation qu'elle acceptait depuis la mort de Bill, et elle avait trouvé cela insupportable. Carrément déprimant.

Le taxi s'arrêta devant la maison dont l'aspect sombre et silencieux lui était devenu familier. Elle n'avait personne à qui raconter sa soirée, mais de toute façon elle n'en avait pas envie. Comme elle n'avait pas sommeil, elle revêtit un jean et un sweater et s'attaqua à la corvée qu'elle reportait depuis plusieurs jours. Ouvrant le placard de Bill, elle déposa ses vestes et ses pantalons sur le lit. Michael était plus grand et plus mince que son père, et il n'y avait rien dans ses affaires qu'il avait envie de garder. Elle donnerait donc tout.

Elle alla chercher dans le garage les cartons qu'elle avait préparés à cet effet et les remonta dans la chambre. À quatre heures du matin, tous les costumes, les vêtements de sport, les chemises, les cravates, et même le smoking de Bill étaient pliés et rangés dans les cartons, qu'elle ferma soigneusement avec du papier collant. Elle ne sentait même pas les larmes qui roulaient sur ses joues. Tous les tiroirs et les placards étaient vides désormais. Il ne restait plus rien de lui dans la maison, à l'exception des photos dans les cadres argentés disséminés un peu partout. Bill n'était plus qu'un fantôme. Il avait disparu.

Trop fatiguée pour se changer, elle s'allongea tout habillée sur son lit. Le lendemain matin, elle fit le tour de la maison comme si elle la voyait pour la première fois. Elle déplaça quelques chaises et une table, poussa son bureau de l'autre côté de la pièce, et constata avec étonnement que c'était plus joli ainsi. Encouragée, elle changea de place certains tableaux du salon et en enleva un autre qu'elle n'aimait pas. Une scène de chasse à courre qu'ils avaient achetée à Londres, où l'on voyait une meute de chiens déchiqueter un renard. Cette toile allait finir à la cave, elle ne voulait plus la voir. Puis elle ressortit des coupes en argent et une statue que Bill détestait. Au fur et à mesure qu'elle procédait à ces petites modifications, la maison prenait une allure plus féminine.

Dans l'après-midi, elle transporta certains de ses vêtements à elle dans le placard de Bill. Elle avait un peu le sentiment d'agir en traître, comme si elle l'enterrait une seconde fois. Mais elle ne voulait pas vivre dans un sanctuaire. Cette maison était la sienne à présent, du moins tant qu'elle décidait d'y rester. De toute façon, s'il avait été à sa place, Bill aurait sûrement agi comme elle.

Jean l'appela alors qu'elle remontait du garage, et elle se rendit compte tout à coup qu'elle n'avait pas eu de nouvelles de Chase, ce qui était inhabituel. Dans un sens, c'était mieux ainsi ; elle avait besoin d'être seule et tranquille pour faire ces rangements.

— La soirée était géniale, n'est-ce pas ? s'exclama Jean d'un ton enjoué.

Stephanie hésita un long moment, puis opta pour la franchise.

— Pour moi, c'était horrible. J'ai eu l'impression d'être une sorte de bête curieuse. *Pauvre Stephanie, je suis désolé... comment vas-tu ? Et les enfants, comment ont-ils réagi ?* Comme si je n'avais plus d'autre identité que celle de veuve ou que je sortais d'un hôpital psychiatrique. Et pourquoi Alyson était-elle aussi angoissée ? Elle donnait l'impression d'être en manque de Xanax.

— Tu sais comment est Brad. Il veut que tout soit parfait, et cela la met sur les nerfs. Mais j'ai trouvé que la soirée était très réussie. Je suis désolée que ça ne t'ait pas plu, Steph. Mais c'était la première fois que tu sortais, ça ira mieux la prochaine fois.

Stephanie leva les yeux au ciel. Rien que l'idée de passer une autre soirée comme celle-ci lui donnait envie de hurler. Ce dîner avait été un vrai cauchemar, comme si elle avait été enterrée vivante avec Bill. À Nashville, en revanche, où personne ne la connaissait, elle s'était sentie elle-même. Il fallait qu'elle se fasse de nouveaux amis...

— Hier soir, en rentrant, j'ai vidé tous ses placards, expliqua-t-elle. Pendant la soirée, j'ai eu tout à coup l'impression d'étouffer. Ils croient tous que je ne suis plus rien sans Bill : j'ai perdu mon identité. Et c'est aussi ce que je ressens. Je n'ai pas de travail, pas de carrière, plus d'enfants à la maison, plus de mari. Il ne reste rien de moi. Pendant des années, j'ai été au service des autres. Maintenant j'ai besoin de faire quelque chose de ma vie. Sinon, je n'existe pas.

— Mais si, répliqua Jean, compréhensive. Tu étais une excellente épouse, et tu es toujours une très bonne mère. Tu n'avais pas le temps d'être toi-même quand ils étaient tous là, puisque tu t'occupais d'eux. Ce serait la même chose pour Alyson si Brad disparaissait. Les bonnes épouses sont trop occupées à prendre soin des autres pour se mettre en valeur. Il faut être une garce, comme moi.

Stephanie se mit à rire. Jean avait une personnalité affirmée et vivait pour elle-même. Stephanie n'avait pas su le faire. Discrète, modeste, elle avait toujours fait ce que Bill voulait. Et lui n'avait jamais pensé une seconde à ce dont elle avait besoin.

— J'avais probablement peur de faire valoir mes envies, dit-elle.

C'était aussi le cas d'Alyson. Elle craignait tant de contrarier Brad qu'elle avait cessé d'être elle-même pour devenir la personne qu'il voulait qu'elle soit.

— Pourquoi agissons-nous comme cela ? Qu'est-ce qui cloche chez nous ? poursuivit Stephanie. Ensuite ils meurent, ou bien ils nous quittent, et nous ne sommes plus qu'une coquille vide. Je ne veux plus vivre de cette manière. Je veux être moi. Il me reste donc à découvrir qui je suis en réalité.

— Tu trouveras, assura Jean. Je suis fière de toi, Steph. Tu as grandi, depuis la mort de Bill.

Son voyage à travers le pays avait été une sorte de rite de passage, ainsi que son séjour à Nashville avec Chase. Elle avait eu le courage d'explorer d'autres univers. Stephanie eut l'étrange sentiment que si Bill avait ressuscité à cet instant, elle n'aurait plus voulu être mariée avec lui, en dépit de sa solitude. Elle aimait trop la femme qu'elle était en train de devenir. Plus personne ne l'empêcherait d'être elle-même.

Chase appela Stephanie un peu plus tard dans l'après-midi. Il s'excusa de ne pas avoir téléphoné plus tôt, mais après le concert ils avaient fait le tour de tous les bars où l'on pouvait écouter de la musique afin de faire découvrir la vie nocturne de Nashville à Michael. Puis ils avaient recommencé dans la journée. Il y avait eu un grand bal dans la ville. Et ce soir, ils l'emmenaient au Grand Ole Opry.

— Ne le laisse pas t'épuiser, recommanda Stephanie.

— Pas de risque. C'est le genre de vie qui me plaît. Et il connaît un peu la country, je suis agréablement surpris.

— Il adorait ça quand il était plus jeune. Comment est-ce que ça se passe avec Sandy ?

Stephanie était impatiente de savoir. Elle était si soulagée qu'il ait rompu avec Amanda.

— Ils s'entendent comme larrons en foire. Il est tellement gentil avec elle, ça fait plaisir à voir. Elle n'a jamais connu d'hommes comme lui. À part moi, bien sûr ! dit-il en riant. Les gars qu'elle rencontre ici sont un peu bruts de décoffrage. Ou alors ils lui font du charme afin de pouvoir m'approcher. Michael est un type bien, tu sais.

De toute évidence, les deux jeunes gens étaient très attirés l'un vers l'autre. Ils s'embrassaient et se tenaient la main... quand ils croyaient que personne ne les regardait.

— Nous assistons au début d'une belle histoire d'amour, lâcha Chase, tout heureux.

Le fils de Stephanie était adorable, un vrai gentleman. La veille, il avait souhaité bonne nuit à Sandy dans le jardin, et ce matin il avait pris son petit déjeuner avec Chase, dans la cuisine.

Stephanie était ravie. Ces nouvelles lui remontèrent le moral, et elle poursuivit ses rangements dans la maison. À dix heures du soir, elle dîna seule dans la cuisine et envoya un message à Alyson pour la remercier de son invitation. Que faisaient Chase et les autres, en ce moment ? Comme elle aurait aimé être avec eux !

Michael apprécia grandement tous les concerts qu'il eut l'occasion de voir. Il fit même la connaissance de Randy Travis, Tim McGraw, Carrie Underwood et Alan Jackson. Cet univers était complètement nouveau pour lui, comme il l'était pour Stephanie. Derek, le fils de Chase, était également venu pour la soirée, et Michael avait été heureux de le rencontrer et de discuter avec lui.

Autant l'avouer toutefois : la présence de Sandy éclipsait tout le reste pour Michael. Elle le fascinait, il avait été envoûté par son solo dans le concert de Chase. Sa voix puissante montait dans les notes les plus hautes, comme celle d'une chanteuse de gospel. Elle avait d'ailleurs enthousiasmé le public.

Et quand elle n'était pas sur scène, ils parlaient beaucoup et passaient des moments merveilleux ensemble. Leur relation était totalement différente de tout ce qu'il avait connu avec Amanda. Sandy était légère comme une brise d'été lui effleurant la joue. Dès qu'il l'embrassait, ils basculaient tous deux dans la passion. Ils parvinrent toutefois, quoique non sans mal, à rester raisonnables pendant tout le week-end. Mais chaque fois qu'il la touchait, son corps s'enflammait.

Chase était impressionné de les voir se comporter avec tant de retenue. Il appela d'ailleurs Stephanie pour la féliciter.

— Ton fils est vraiment un gentil garçon, Stevie. J'étais plus fou que lui quand j'étais jeune.

Stephanie était fière de son fils, même si elle était un peu inquiète pour Sandy. Celle-ci n'avait que dix-huit ans, et Michael avait sept ans de plus qu'elle. Elle avait une longue carrière devant elle, et beaucoup de choses à faire avant de se caser avec un garçon. Chase était aussi de cet avis.

— Oui, ce serait dommage qu'elle renonce à sa carrière pour se marier et avoir des enfants. C'est la seule chose qui me fait peur. Il ne faut pas qu'elle gâche ses chances de réussite.

— Michael ne la poussera pas à s'arrêter de chanter. De toute façon, il n'a pas envie non plus de se caser.

— Il en aura sans doute envie avant elle. De plus, ce n'est pas rassurant de savoir que la femme qu'on aime est exposée à tant de tentations et de beaux gars. Heureusement qu'elle a la tête sur les épaules.

— Oui, heureusement. Michael aussi, du reste.

Le lundi soir, Michael déclara son amour à Sandy et reçut en retour le même aveu. Cela leur était tombé dessus comme un coup de foudre. Il lui promit de revenir dans deux semaines, lorsque l'équipe des Braves irait jouer à l'extérieur. Sandy flottait sur un petit nuage tellement elle était heureuse.

Pendant les deux semaines suivantes, elle travailla avec plus d'ardeur que jamais. Elle voulait prouver à Chase qu'elle ne laisserait pas son histoire d'amour détruire sa carrière. Chase fut très impressionné, et le dit à Michael quand celui-ci revint à Nashville.

— Tu lui fais du bien, mon garçon. Continue comme ça, déclara-t-il tranquillement.

Les deux hommes buvaient un verre de vin au bord de la piscine, pendant que Sandy s'habillait pour aller dîner.

— Une vie sentimentale ratée peut vraiment gâcher une carrière, dans le domaine de la création. Il y a des artistes qui sont parfois trop bouleversés pour travailler. Personnellement, j'écris davantage quand je suis déprimé. Mais une relation épanouissante peut aussi apporter l'inspiration et l'énergie.

En attendant, Sandy était aux anges.

Elle émergea du cottage quelques minutes plus tard, et les deux jeunes gens partirent dîner. Chase resta assis près de la piscine, songeur. Stevie lui manquait beaucoup.

Deux jours plus tard, il reçut un coup de fil de son agent. Une bonne nouvelle... Il appela aussitôt Stephanie. Celle-ci venait à peine de se lever, mais elle s'affairait déjà dans la cuisine, réorganisant l'aménagement des placards.

— Que fais-tu ce week-end, Stevie ?

— Je vais nettoyer le garage. Je veux me débarrasser des vieux outils qui ne servent à rien. Pourquoi ?

Elle s'était fixé pour mission de ranger la maison de la cave au grenier.

— Tu as besoin d'aide ?

Stephanie crut qu'il lui proposait d'engager quelqu'un pour l'aider. Cela ne l'aurait pas étonnée.

— Non, ce n'est pas la peine. J'ai tout mon temps, je travaille à mon rythme. Mais merci tout de même.

Elle devenait de plus en plus indépendante, et Chase ne l'en admirait que davantage.

— Dommage, répondit-il. J'aurais pu venir te donner un coup de main.

Il y eut un long silence à l'autre bout de la ligne. Puis :

— Tu es sérieux, Chase ?

— Absolument. J'ai rendez-vous avec une maison de disques de Los Angeles la semaine prochaine. J'ai pensé m'arrêter d'abord à San Francisco pour y passer le week-end. Ensuite, nous pourrions aller à L.A. ensemble.

— Oh, mon Dieu ! s'exclama-t-elle, enchantée. Tu arrives quand ?

— Ça dépend. Tu me veux quand ?

— Tout de suite ! répondit-elle en riant.

— J'arrive demain, alors. Je ne peux pas faire plus vite. Cela nous laissera quatre jours à San Francisco, avant de partir à L.A. Charlotte revient quand ?

— Dans deux semaines. Jusque-là, je suis libre comme l'air.

— Je resterai donc deux semaines, décida-t-il, aussi heureux qu'elle.

C'était la meilleure nouvelle qui soit pour Stephanie... Elle en parla au Dr Zeller l'après-midi même. Ces rendez-vous avec la thérapeute lui faisaient du bien. Celle-ci lui donnait toujours un sujet sur lequel réfléchir.

Cette fois, elle lui demanda pourquoi elle n'avait pas quitté Bill après son infidélité, ou même avant.

— Je n'ai pas l'impression que votre vie avec lui vous satisfaisait vraiment. Il était toujours occupé, rarement à la maison. Et même quand il avait du temps libre, il partait jouer au golf avec ses clients et ses amis, plutôt que de rester avec vous. Il n'était jamais là pour ses enfants, et la plupart du temps vous deviez jouer le rôle de père et de mère. Que vous apportait-il, exactement ? Le sexe ne semblait pas tenir une grande place dans votre vie. Qu'est-ce qui vous retenait ?

— L'attachement, je suppose. Et le devoir surtout. La responsabilité. Les enfants. Je voulais être une bonne épouse. Ne pas priver les enfants de leur père.

— Vingt-six ans de devoir et de dévouement. Stephanie, vous m'impressionnez...

Le Dr Zeller la regarda intensément.

— Ne pensez-vous pas qu'il y avait d'autres raisons ?

— Et vous ? Pourquoi pensez-vous que je suis restée ? rétorqua Stephanie.

— Par peur, peut-être ?

— Peur de Bill ? Comme si je craignais qu'il ne me batte si je le quittais ?

Cette idée lui parut ridicule. Bill n'avait jamais levé la main sur elle, n'avait jamais eu le moindre geste menaçant. Ce n'était pas un homme violent. À vrai dire, il était plutôt lointain, indifférent.

— Peur d'être seule, rectifia tranquillement le Dr Zeller.

Cette suggestion fit à Stephanie l'effet d'un coup de poing en pleine poitrine.

— Peur de ne jamais retrouver quelqu'un d'autre, poursuivit la thérapeute. Peur de vous aventurer dans le monde. Avec Bill, vous étiez en sécurité, vous saviez à quoi vous attendre. Ce qui vous faisait peur, c'était l'inconnu. Vous manquiez de confiance en vous.

La thérapeute était consciente que Stephanie avait changé. Sans cela, elle ne serait pas partie à Las Vegas, dans le Grand Canyon, ou à Nashville ; elle n'aurait pas traversé le pays seule, d'est en ouest.

Stephanie resta un long moment immobile dans son fauteuil, les larmes aux yeux, puis elle hocha la tête.

— Je crois que vous avez raison, admit-elle à mi-voix.

— Moi aussi, répondit le Dr Zeller en souriant. Vous vous débrouillez parfaitement, Stephanie. Prenez du bon temps, avec votre chanteur de country. Il me semble que c'est quelqu'un de bien. Et surtout, continuez de vaincre vos peurs. Vous êtes sur la bonne voie.

Elle savait que Stephanie n'avait pas eu de relations sexuelles avec Chase. Elles en avaient parlé, et Stephanie lui avait confié qu'elle ne se sentait pas prête. La thérapeute avait confiance : chaque chose en son temps, et si cela ne se faisait pas avec Chase, ce serait avec quelqu'un d'autre, plus tard… Stephanie était une jolie femme, et elle avait plus de courage qu'elle ne le croyait. Peu à peu, elle ouvrait des portes anciennes et découvrait des secrets cachés.

Stephanie quitta le cabinet et rentra chez elle, pensive. Elle avait encore franchi un cap. Elle comprenait maintenant qu'elle n'était pas restée avec Bill pour toutes les nobles raisons qu'elle invoquait toujours, mais plutôt par peur de le quitter. C'était une découverte importante pour sa vie future.

À condition toutefois qu'elle décide d'avoir une nouvelle vie. L'alternative était de s'enterrer vivante. Mais cela, elle ne le voulait pas.

Elle avait fait trop de progrès pour faire marche arrière.

20

Le jour suivant, heureuse comme une enfant, Stephanie attendait Chase à l'aéroport de San Francisco. Contrairement à ses habitudes, il avait pris un vol commercial. En revanche, le jet privé qui devait les conduire à Los Angeles était déjà réservé. Stephanie trépignait d'impatience. À l'instant où il apparut, se dirigeant vers elle de sa longue démarche souple, il plongea son regard dans le sien, et leurs yeux ne se quittèrent plus. Sans se soucier d'être vu, il la prit dans ses bras et l'embrassa longuement. Elle lui avait terriblement manqué.

— Je suis tellement contente, dit-elle en s'abandonnant contre lui.

Elle aurait aimé rester blottie là éternellement, mais ils durent sortir du terminal pour aller récupérer les bagages. Chase posa son bras sur ses épaules et l'entraîna avec lui. Entre eux, tout était naturel : ils s'étaient parlé si souvent par téléphone qu'ils avaient l'impression de n'avoir jamais été séparés.

Chase avait retenu une chambre au Ritz-Carlton. Il craignait de mettre Stephanie mal à l'aise en séjournant dans la maison où elle avait vécu avec Bill, et ce, même s'il dormait dans la chambre d'amis... Cette solution lui paraissait plus raisonnable, et Stephanie était de son avis. Malgré les changements qu'elle avait effectués dans la maison, celle-ci était toujours marquée par la présence de Bill. Leur vie de couple imprégnait les lieux. Elle était contente que Chase ait pensé à prendre une chambre d'hôtel. Ça ne les empêcherait pas, de toute façon, de passer la majeure partie du temps ensemble. Ensuite, ils iraient à l'hôtel Beverly Hills de Los Angeles, où Chase avait réservé un bungalow de deux chambres près de la piscine.

Stephanie avait songé à présenter Chase à son amie Jean, puis elle y avait finalement renoncé. Ils avaient besoin de temps pour eux. D'autant que Chase aurait pas mal de travail à Los Angeles. Ces quatre jours à San Francisco devaient donc être consacrés au plaisir et à la relaxation. Elle lui avait promis de l'emmener à Napa Valley, et partout où il aurait envie d'aller.

Ils avaient de la chance : il faisait enfin beau, le brouillard d'été s'était dissipé. Stephanie lui avait bien recommandé d'apporter une veste et des pulls, car il faisait souvent très frais en cette saison.

— Est-ce que tu as faim ? demanda-t-elle quand ils furent dans la voiture. Est-ce que tu veux manger quelque chose, ou est-ce que tu préfères aller directement à l'hôtel pour te reposer ?

Chase demeura un instant silencieux, à la dévorer des yeux. Il portait un jean, un sweater bleu marine avec un col en V, et des bottes de cow-boy. Il était sexy en diable, pour employer une des expressions favorites de Jean. Stephanie le dévisagea en souriant.

— Je suggère de déposer mes bagages à l'hôtel. Ensuite, nous aviserons. Y a-t-il une plage où nous pourrions nous promener ? J'aimerais aussi voir le Golden Gate Bridge. Mais ce que j'ai le plus envie de voir, c'est toi. Je suis venu pour cela. Tu passes avant le pont.

En fait, il connaissait déjà le Golden Gate Bridge, mais il avait envie de le revoir avec elle. Elle mit le moteur en route. Il ne leur fallut que vingt minutes pour gagner le centre-ville en passant devant le stade de Candlestick Park. Ils entrèrent dans le quartier de la finance et elle le conduisit à son hôtel.

Stephanie confia son véhicule au voiturier et suivit Chase dans le hall. Le directeur de l'hôtel les mena jusqu'à la suite qu'il avait réservée. Un buffet y était dressé avec du champagne, des fruits, des gâteaux et un plateau de fromages. Chase était une célébrité : sa présence dans l'hôtel était fort appréciée par la direction.

Alors qu'ils s'installaient tous les deux dans le luxueux canapé, il expliqua à Stephanie que Michael venait de nouveau passer le week-end à Nashville.

— Ils sont adorables, tous les deux, dit-il.

Stephanie avait hâte de les voir ensemble.

Elle lui proposa de faire le tour de la ville en voiture, puis de se promener à pied jusqu'au Golden Gate Bridge. Chase voulut toutefois commander un café avant de partir. Tout en le sirotant et en discutant de choses et d'autres avec Stevie, il se penchait régulièrement vers elle pour déposer de légers baisers sur ses lèvres. Ceux-ci se firent de plus en plus passionnés. Il voulait sentir son corps contre le sien.

— Je t'aime, Chase.

Il l'embrassa de nouveau, commença à lui ôter ses vêtements, et, sans y réfléchir à deux fois, ils se dirigèrent vers le lit.

— Moi aussi, je t'aime, Stevie.

Ils firent l'amour.

C'était pour eux la chose la plus naturelle du monde.

— Tu es une très belle femme, murmura-t-il en faisant glisser une main sur son corps. À quoi penses-tu ?

Il craignait qu'elle n'ait des regrets.

— Je suis la femme la plus heureuse du monde. Quand je pense que si je n'étais pas allée au Grand Canyon je ne t'aurais jamais rencontré !

Ils habitaient chacun à un bout du pays, et ils étaient venus là, dans ce paysage magique, pour se trouver. Comme s'ils étaient vraiment destinés l'un à l'autre.

— C'était mon jour de chance, dit-il en s'écartant doucement.

Il alla dans la salle de bains et emplit la baignoire. Quelques minutes plus tard, ils se glissèrent dans l'eau chaude, face à face, et se sourirent.

— Merci d'être venu jusqu'ici, dit-elle.

Il lui prit un pied et le sortit de l'eau pour l'embrasser.

— Je devenais fou, loin de toi. Même si je n'avais pas eu ce rendez-vous à Los Angeles, je n'aurais pas pu tenir plus longtemps.

Le regard soudain grave, il posa la question qui inquiétait Stephanie depuis des semaines :

— Comment allons-nous résoudre ce problème ? Je ne veux plus rester loin de toi, Stevie. Crois-tu que tu pourrais venir passer quelque temps à Nashville avec moi ? Nous trouverons un moyen pour revenir ici quand tu le voudras.

Elle n'avait plus d'enfants à charge. Elle ne travaillait pas. Elle était libre. Peu de choses la retenaient, finalement. Tout ce qu'elle possédait ici appartenait à sa vie passée. Ses seules amies étaient Jean et Alyson. Et pourtant, pour des raisons qu'elle ne parvenait pas à définir, elle se sentait rattachée à San Francisco. Elle aurait eu l'impression de s'enfuir en quittant cette maison.

— Tu pourrais venir t'installer quelque temps à Nashville, une fois que ta fille sera retournée à l'université, suggéra-t-il.

Il savait que Charlotte allait passer le mois d'août avec sa mère avant de reprendre ses études à l'université de New York.

— Nous trouverons une solution, dit-elle à mi-voix.

Elle était décidée à essayer, mais elle ne voulait pas

reproduire le schéma de son ancienne vie. Pendant vingt-six ans, toute son existence avait tourné autour de Bill et des enfants. Elle n'avait pas envie de se fixer à présent sur quelqu'un d'autre. Il devait y avoir une place pour elle dans l'univers de Chase, elle voulait s'investir dans quelque chose de concret. Ne pas se contenter d'être la compagne de.

— Qu'est-ce que je pourrais faire à Nashville ? pensa-t-elle tout haut, tandis qu'ils s'habillaient.

Chase avait sorti une chemise blanche de sa valise et était en train de l'enfiler. Stephanie, elle, ne put que remettre les vêtements dans lesquels elle était allée le chercher à l'aéroport.

Il se tourna vers elle. Il savait que ce sujet lui tenait à cœur, et il s'efforça de ne pas se laisser distraire par son désir pour elle.

— Tu pourras faire tout ce que tu voudras, Stevie. Qu'est-ce qui te tente ? Aimerais-tu t'occuper des relations publiques pour moi ? J'ai toujours besoin d'aide, dans ce domaine.

Chase était certain qu'elle ferait très bien l'affaire. Elle lui avait déjà donné plusieurs bonnes idées, notamment pour ses rapports avec la presse. La société à laquelle il faisait appel pour cette tâche ne lui donnait pas entière satisfaction, et il envisageait d'en changer. Stephanie pourrait très bien s'en charger.

L'idée ne déplut pas à Stephanie, mais elle craignait tout de même que le fait de travailler pour lui ne fausse leur relation.

— Tu pourrais aussi occuper un emploi bénévole, comme ici, ou bien faire quelque chose dans l'univers de la musique. Je te mettrai en contact avec des gens.

— Je ne vois pas quel genre de travail je pourrais avoir, si je ne vis pas sur place à plein temps.

Le problème serait exactement le même à San Francisco, si elle se rendait régulièrement à Nashville. Ce qu'elle refusait absolument, c'était de perdre son identité et de devenir une sorte de satellite tournant autour de Chase. Cela, elle l'avait fait trop longtemps. Bill ne l'avait jamais exigé, mais la situation s'était établie ainsi d'elle-même. En outre, Chase avait une personnalité beaucoup plus puissante que Bill.

— Tu veux d'autres enfants ? demanda-t-elle, soucieuse.

La question le fit éclater de rire.

— Sûrement pas ! J'en ai eu un alors que je n'étais moi-même qu'un gosse. Ce que je veux maintenant, c'est passer du temps avec toi. Pas changer des couches, ou devoir gérer un adolescent quand j'aurai la soixantaine !

Stephanie ne voulait pas non plus d'un bébé à son âge. Elle sourit en songeant à la réaction de ses enfants, si cela se produisait. Ils seraient furieux.

— Je suis d'accord. Essayons de ne pas commettre d'erreur, dit-elle.

— Oui, et laissons à nos enfants le soin de faire des bébés.

— Pas tout de suite, s'il te plaît.

Stephanie trouvait ses enfants pas assez mûrs pour avoir de telles responsabilités.

— Je ne suis pas prête à être grand-mère.

Elle semblait si jeune, en effet, qu'il était difficile de l'imaginer dans ce rôle.

— Au fait, Stevie, tu devrais peut-être prendre la pilule, suggéra-t-il, inquiet. Comment faisais-tu, avant ?

— Comme aujourd'hui, répondit-elle, un peu gênée. Nous faisions attention. Mais nous n'avions pas besoin d'une contraception régulière. Notre mariage battait de l'aile.

De toute évidence, ce serait différent avec Chase, et elle devrait sans doute suivre son conseil.

— J'en parlerai à mon médecin, dit-elle tandis qu'il mettait ses bottes.

Ils étaient prêts, mais Chase demeurait figé, incapable de détacher les yeux de Stevie, admirant sa beauté. Il était désespérément amoureux. Et le sentiment était réciproque. Maintenant qu'ils avaient fait l'amour, Stephanie se sentait réellement liée à lui.

C'était la raison pour laquelle elle avait préféré attendre de se sentir prête. Cette relation était trop importante pour être prise à la légère. Stephanie ne voulait pas d'une liaison passagère.

— J'ai l'impression que ce voyage sera notre lune de miel, dit-il en souriant, alors qu'ils quittaient l'hôtel.

Stephanie rit. Elle était totalement de son avis.

Ils descendirent en voiture jusqu'à la marina, où se trouvaient les yachts de plaisance, puis marchèrent le long de la plage en regardant les windsurfers qui rentraient. Le brouillard commençait de recouvrir le Golden Gate. Il faisait froid et ils enfilèrent leur pull-over. Chase lui prit la main, et elle le regarda en souriant, comme pour s'assurer que tout cela était bien réel.

— Tu es déjà allée à Alcatraz ? s'enquit-il en désignant l'île dont les contours flous apparaissaient au loin.

— Une seule fois, avec Michael, quand il était au collège. Leur professeur leur avait donné un devoir à faire.

L'île avait un aspect lugubre. Ils regagnèrent lentement la voiture. Stephanie lui fit ensuite visiter sa maison, mais celle-ci lui paraissait être celle de quelqu'un d'autre, à présent. Malgré tous les changements qu'elle y avait apportés, elle percevait encore la présence de Bill dans les meubles et les objets.

Ils grignotèrent un sandwich dans la cuisine, puis Chase lui dit de prendre un sac de voyage avec ses affaires. Il voulait qu'elle vienne dormir à l'hôtel avec lui... Elle acquiesça.

À cinq heures, ils se trouvaient dans le salon du Ritz, en train de prendre le thé. Stephanie avait l'impression de faire du tourisme dans sa propre ville. Chase avait demandé au concierge une réservation au Gary Danko, mais finalement ils décidèrent de ne pas sortir. Ils regardèrent un film, appelèrent le room service et dînèrent dans le salon de la suite, vêtus des peignoirs de bain en éponge de l'hôtel.

Ils refirent l'amour. Reprirent un bain dans l'immense baignoire. Ils riaient pour un rien, se racontant des anecdotes de leur enfance. Chase avait l'impression de la connaître depuis toujours : ils étaient si proches, de corps et d'esprit. Et pour Stephanie, Chase représentait tout ce qu'elle avait toujours désiré et qu'elle n'avait jamais eu. Bill était plus grave, beaucoup moins drôle. Avec Chase, elle devenait quelqu'un de différent, tout en restant elle-même.

Il était plus de deux heures du matin quand ils finirent par s'endormir. Lorsque Stephanie s'éveilla le lendemain, Chase lisait le journal dans le salon. Il sourit en la voyant entrer et elle s'assit à côté de lui sans prendre la peine de fermer son peignoir en éponge. Elle était parfaitement à l'aise avec lui. Chase posa son journal, l'embrassa, puis lui demanda ce qu'elle voulait faire.

— Nous pourrions aller à Napa et y déjeuner. Il y a des restaurants fantastiques et de très beaux vignobles.

L'idée plut à Chase. Cette fois, il prit le volant, et Stephanie lui indiqua le chemin. Elle alluma la radio. Une de ses chansons retentit dans l'habitacle et il se mit à chanter de sa voix forte et sexy. Stephanie l'accompagna.

— Tu as vraiment une superbe voix, dit-il quand la chanson fut terminée.

Il le lui avait déjà dit, mais elle n'osait pas trop chanter devant lui.

— Si un jour tu veux te joindre au groupe, tu n'as qu'un mot à dire.

Elle avait une excellente oreille et une puissance étonnante. C'était une voix parfaite pour la country.

Ils visitèrent le vignoble de Mondavi, déjeunèrent au Bouchon, puis prirent la direction du nord vers Calistoga, traversant d'innombrables vignobles en chemin. Au retour, ils s'arrêtèrent pour prendre un verre à l'auberge du Soleil. Assis sur la terrasse, ils contemplèrent la vue sur la vallée, puis ils rentrèrent à l'hôtel. Ils passèrent du temps dans le lit, à se câliner et à faire l'amour. Stephanie se rendit compte qu'elle manquait cruellement d'affection depuis très longtemps. Jusqu'ici, elle n'y avait jamais pensé. De toute façon, cela n'aurait rien changé. Bill et elle s'étaient éloignés depuis des années. En pensant à lui, elle comprit que ses sentiments avaient changé. Les liens qui l'unissaient à Bill disparaissaient tout doucement, remplacés par ses sentiments pour Chase. Ceux-ci étaient purs et très puissants, elle n'avait aucun doute sur ce qu'elle ressentait. Elle était amoureuse, et elle savait qu'il l'était aussi. L'échange était parfaitement équilibré, contrairement à ce qu'elle avait connu pendant son mariage, où elle avait toujours donné plus que son partenaire.

Le samedi, ils se rendirent à Stinson Beach, dans le comté de Marin, et parcoururent la plage sur toute sa longueur. Ils dînèrent dans un restaurant du coin et rentrèrent par la route en lacets qui longeait la falaise. Les lumières de la ville scintillaient au loin. Il n'y avait pas de brouillard ce soir-là, ce qui était rare en juillet. Du coup, la vue depuis le pont était fabuleuse.

Le dimanche, en fin de journée, tandis qu'ils quittaient l'hôtel pour prendre l'avion privé qu'il avait retenu, elle eut la certitude qu'un lien nouveau et profond s'était formé entre eux. Les quatre derniers jours avaient tout changé. Ils appartenaient l'un à l'autre, comme si rien n'avait existé auparavant. Chase était attentif et doux, lui prouvant son amour de mille et une façons.

Elle était tout excitée à la pensée de ce voyage à Los Angeles, du séjour à l'hôtel Beverly Hills fréquenté par des stars. Parfois, elle oubliait que Chase lui aussi était une star. Pour elle, il était simplement l'homme qu'elle aimait. Il faisait partie de sa vie privée, il n'était pas un personnage public. Toutefois, à l'instant où ils franchirent le seuil de l'hôtel, trois personnes se précipitèrent pour lui demander un autographe.

— J'oublie parfois qui tu es, dit-elle en souriant, alors que le directeur les emmenait au bungalow.

Celui-ci était le plus luxueux de l'hôtel et comprenait deux chambres supplémentaires, dont Chase et Stephanie n'avaient pas besoin. Mais Chase aimait avoir de l'espace. Il la prit dans ses bras pour franchir le seuil, afin de lui rappeler que ce voyage était leur lune de miel. Le directeur, ne sachant s'ils étaient jeunes mariés ou non, leur fit envoyer à tout hasard une bouteille de Cristal de la maison Roederer.

Ils avaient aussi eu droit au champagne dans le jet privé, et Stephanie s'habituait au luxe dont il la faisait profiter. Le jet était extravagant, et c'était une façon de voyager très confortable.

— Comment veux-tu que je retourne à une vie normale après tout ça ? fit-elle remarquer en montant dans la Ferrari qu'il avait louée.

Ils partirent dîner chez M. Chow, un de ses restaurants préférés à Los Angeles. À peine eurent-ils mis un pied hors de la voiture qu'ils se heurtèrent à un mur de paparazzis se pressant devant l'établissement dans l'espoir d'apercevoir des stars. Les flashs crépitèrent.

Chase lui passa un bras sur les épaules pour l'escorter jusqu'à l'entrée, écartant les photographes d'un discret geste de la main. Un instant déstabilisée, Stephanie sentit sa présence solide et protectrice.

— Notre photo va-t-elle paraître dans tous les tabloïds ?

Elle n'avait pas anticipé cela. À Nashville, les gens le remarquaient et lui demandaient des autographes, mais la presse ne leur avait prêté aucune attention. Ici, c'était différent.

— C'est possible, répondit-il. Cela t'ennuie ?

— Non, pas du tout. Je suis fière d'être avec toi. Mais si cela arrive, je devrai sans doute quelques explications aux enfants. Tu ne ressembles pas du tout à Laura Perkins.

Il éclata de rire. Mais Stephanie se promit de réfléchir à ce qu'elle dirait au cas où ses enfants lui poseraient des questions. Leur présence à Los Angeles pouvait s'expliquer par une multitude de raisons. Il était trop tôt pour leur révéler qu'elle sortait avec Chase et qu'elle était follement amoureuse. Ils seraient forcément bouleversés de l'apprendre.

Ils se couchèrent tôt ce soir-là, car Chase avait rendez-vous à neuf heures, le lendemain matin, avec la maison de disques. Il devait y retrouver son avocat et son agent artistique, afin de discuter de la promotion d'un nouvel album. Il n'invita pas Stephanie à l'accompagner. La réunion était très importante ; beaucoup d'argent était en jeu. Il lui promit de la retrouver au Polo Lounge pour déjeuner.

Vers midi, elle le vit apparaître, qui se frayait un chemin entre les fauteuils pour la rejoindre. Il était splendide.

— Comment ça s'est passé ? s'enquit-elle lorsqu'il se pencha pour l'embrasser.

— Très bien.

À une table voisine, deux femmes lancèrent un coup

d'œil vers eux et échangèrent des paroles à voix basse. On reconnaissait Chase partout, et Stephanie avait l'impression d'être devenue un personnage important juste parce qu'elle l'accompagnait. C'était une expérience grisante, et toute nouvelle pour elle. Une minute plus tard, une des deux femmes vint demander un autographe à Chase et lui dit quelles étaient ses chansons préférées. Stephanie fut étonnée de son amabilité et de sa patience. Ses fans n'hésitaient pas à l'aborder, même pendant les repas. La femme le remercia et s'éloigna avec un immense sourire.

Ils allèrent ensuite faire du shopping chez Maxfield. Chase acheta un jean et une veste en cuir noir pour la scène. Tout le monde le reconnut dans le magasin et se pressa autour d'eux. Stephanie admira un sac Balenciaga, qu'elle trouva un peu trop cher pour elle. Quand ils remontèrent en voiture, dix minutes plus tard, Chase lui tendit un paquet. Il contenait non seulement le sac, mais encore une écharpe en cachemire de la couleur de ses yeux.

— Chase ! Que fais-tu ? s'exclama-t-elle, à la fois gênée et touchée par sa générosité.

Personne ne l'avait jamais gâtée de cette façon. Ces deux objets étaient mieux choisis que tous les cadeaux de Noël offerts par Bill pendant leurs vingt-six années de mariage. Chase était un homme différent... Il l'étonnait sans cesse par sa gentillesse, sa générosité, ses manières élégantes et son bon goût.

— Je t'aime, c'est tout, répondit-il en l'embrassant.

C'est l'instant que choisirent deux paparazzis qui les suivaient depuis un moment dans Melrose pour déclencher leurs appareils photo. Les clichés apparaîtraient à coup sûr dans les magazines, ou sur YouTube. Stephanie s'assombrit quelque peu. Il n'y avait plus moyen de cacher leur relation désormais, mais elle savait aussi qu'il ne pouvait en aller autrement étant donné la popularité de Chase. Il fallait qu'elle s'y habitue.

Un peu plus tard dans l'après-midi, alors qu'ils retournaient à la piscine de l'hôtel, elle raconta l'incident à Jean, par téléphone.

— Que vais-je dire aux enfants, s'ils voient les photos ?

— Dois-je comprendre que c'est fait ? T'as sauté le pas ? demanda son amie.

— Ce n'est pas la question, Jean.

Stephanie ne tenait pas à discuter de sa vie sexuelle, fût-ce avec son amie la plus proche.

— Mais je ne voudrais pas que les enfants me fassent des problèmes pour ça.

— Tu sais qu'ils en feront. De plus, Chase est une grande vedette, Steph. Un jour ou l'autre, ça aurait fini par se savoir.

— Oui, je suppose. On ne peut pas rester cachés dans la chambre.

Elle n'en avait pas envie, de toute façon. Elle s'amusait trop, avec Chase.

— Tes enfants se feront une raison. Ils n'imaginent tout de même pas que tu vas rester seule toute ta vie ?

— Je crois que si.

En tout cas, ils ne s'attendaient sûrement pas à ce qu'elle sorte avec un chanteur de country. Michael lui-même ne se doutait de rien, alors qu'il sortait avec Sandy. Il faut dire que celle-ci avait promis à Chase qu'elle ne dirait rien.

Deux jours plus tard, cependant, la maîtrise de la situation leur échappa. Non seulement YouTube publia une vidéo dans laquelle on les voyait s'embrasser devant la porte d'une boutique d'antiquités, mais aussi une photo en couverture d'un tabloïd les montrait entrant à l'hôtel. Chase portait un débardeur qui laissait voir tous ses tatouages, et Stephanie était en short et en sandales. Ils se tenaient par la taille.

Louise appela sa mère alors que Chase et elle venaient juste de commander leur petit déjeuner, dans le patio attenant à la chambre.

— C'est quoi, cette histoire, maman ? s'écria-t-elle.

Elle semblait furibonde.

— De quoi parles-tu, chérie ? Pourquoi es-tu aussi énervée ? demanda Stephanie, encore mal réveillée.

Elle n'avait vu ni la vidéo ni le tabloïd.

— Tu as une aventure avec un chanteur de rock ? Tu t'es fait tatouer, toi aussi ? Espèce d'hypocrite !

— Je ne suis pas hypocrite, et je ne sais pas de quoi tu parles.

— Demande à ton petit ami de te montrer ce qui passe sur YouTube. Je suppose que tu sors avec lui, et que ce n'était pas une coucherie d'une nuit. Je me demande ce qui est le pire, dans ce cas précis. Comment peux-tu faire ça à papa ? ajouta-t-elle, la voix vibrante d'indignation.

— Je ne fais rien à papa, répliqua Stephanie, aussi calmement que possible étant donné les circonstances. Oui, je sors avec Chase Taylor. Je voulais t'en parler, mais je trouvais qu'il était encore trop tôt. C'est arrivé comme ça. Je ne m'y attendais pas, moi non plus.

— C'est dingue, maman. Ainsi, tu as fait ça en toute connaissance de cause. Tu n'as pas été kidnappée par des Martiens, ou prise en otage. Comment peux-tu manquer autant de respect à papa ?

— Je ne lui ai jamais manqué de respect. Il n'est plus là, Louise. Moi, je suis encore vivante, et Chase est un homme merveilleux. Je pense qu'il te plaira beaucoup.

— Je ne veux pas le connaître ! hurla Louise, hystérique. Et je ne comprends pas que tu te comportes comme une pute, à peine cinq mois après la mort de papa ! Qu'est-ce qui t'est passé par la tête ?

— Je t'interdis de me parler sur ce ton ! rétorqua Stephanie.

— Je suppose que tu étais avec lui, à Nashville ? Tu nous as menti. Je ne pourrai plus jamais avoir confiance en toi.

Louise sanglotait au téléphone, et Stephanie se mit à pleurer aussi.

— Je ne t'ai pas menti. Il ne s'était encore rien passé. C'est tout récent.

— Eh bien, si tu as le moindre respect pour papa, tu vas mettre fin sur-le-champ à cette liaison indécente.

Stephanie ferma les yeux.

— Il n'en est pas question. J'ai le droit de vivre, Louise. Ton père est mort, pas moi. Et je n'ai pas à m'excuser pour ça. Certainement pas vis-à-vis de toi, surtout après ce que je viens d'entendre. Ressaisis-toi.

— Tu te couvres de ridicule, maman. Tu nous fais honte. Je viens de parler avec Charlotte, elle ne veut même plus revenir à la maison, maintenant. Pour l'amour du ciel, maman, tu es sur YouTube ! L'année dernière, tu ne savais même pas ce que c'était.

Elle le savait, à présent. Leur photo était également en couverture du *Globe*. Chase écoutait et devinait ce qui se passait. Il lui prit la main pour la soutenir. Ils n'avaient pas été assez prudents, il aurait dû faire attention. Mais il était tellement heureux de se promener avec elle dans L.A. qu'il s'était détendu et ne s'était pas méfié des journalistes.

Louise continua de hurler pendant plusieurs minutes, puis raccrocha, toujours aussi hystérique. Stephanie regarda Chase tristement, tandis que le serveur déposait devant eux le plateau du petit déjeuner.

— Je suis désolé, ma chérie. Veux-tu rentrer à San Francisco aujourd'hui ?

— Non. Je suis bien ici, avec toi. Mes filles trouvent que je manque de respect à leur père. Elles auraient sans doute voulu m'enterrer avec lui. Louise est toujours dure avec moi, mais cette fois il faudra qu'elle se fasse une raison.

À vrai dire, il y avait peu de chances que cela arrive.

Alyson fut la deuxième personne à lui téléphoner. Une amie lui avait rapporté ce qu'elle avait vu dans le journal, et elle se faisait beaucoup de souci pour Stephanie.

— C'est vraiment toi ? interrogea-t-elle. Je ne peux pas y croire…

Elle avait déjà appelé Jean, qui n'avait paru ni surprise ni bouleversée, et avait conseillé à Alyson de se calmer. Mais cette dernière était persuadée que la photo était truquée. Stephanie la détrompa.

— Si, c'est bien moi, dit-elle, légèrement agacée. Désolée de ne pas t'en avoir parlé, mais nous voulions garder le secret.

— Eh bien, le monde entier est au courant, à présent, répliqua Alyson d'un ton pincé. Qu'en disent tes enfants ?

— Louise vient de m'appeler en me traitant de pute. Je n'ai pas encore eu les deux autres.

— Mais tu ne connais même pas ce type ! Tu ne crois pas que tu devrais cesser de le voir ?

— C'est un homme merveilleux, et je l'aime. Les enfants devront s'y habituer.

— Tu es sérieuse ? s'exclama Alyson, effarée.

De toute évidence, elle pensait que Stephanie avait perdu la tête.

— Oui, très sérieuse, confirma Stephanie.

Chase la regarda avec un petit sourire. Il était désolé de lui causer tant d'ennuis.

— Alyson, je te rappellerai.

Stephanie coupa la communication avant d'en avoir entendu davantage. Le point de vue d'Alyson était si étroit, son univers si étriqué... Elle était vraiment naïve, elle vivait dans un monde où les règles étaient dictées par son mari.

— Tu te sens bien ? demanda Chase avec sollicitude. Qui était-ce ? Ton autre fille ?

— Non, mon amie Alyson. Elle me prend pour une folle. Mais ne t'inquiète pas : Jean, elle, est une de tes plus grandes admiratrices.

Elle ne voulait qu'il pense que tout le monde chez elle le détestait. Cela n'aurait pas été une façon très chaleureuse de le faire entrer dans sa vie.

Deux minutes plus tard, elle reçut un appel de Michael. Celui-ci ne proféra pas d'insultes comme sa sœur, mais il paraissait inquiet.

— Tu vas bien, maman ?

— Très bien, mon chéri. Je suppose que tu es au courant, pour Chase et moi.

Michael au moins connaissait Chase et l'appréciait, songea-t-elle avec soulagement.

— Oui, Louise m'a appelé et j'ai vu la vidéo. Ce n'est pas si grave, dit-il pour la rassurer. Louise est bouleversée à cause de papa, voilà tout.

— Je sais, et je suis désolée que vous l'ayez appris de cette manière. Je n'étais pas encore prête à vous en parler. Je ne pouvais pas prévoir que ce serait diffusé sur YouTube.

— Chase est une grande vedette, maman. Vous ne pouviez pas vous cacher très longtemps.

— C'est ce que j'ai compris. Qu'en penses-tu ? Toi au moins, tu le connais.

— J'ai de la peine à cause de papa, avoua-t-il franchement. Mais je suis content pour toi. Chase est quelqu'un de bien. Votre relation est sérieuse ?

— Je crois.

— Parce que si c'est juste pour t'amuser, ça ne vaut pas la peine. Mais si c'est sérieux, tu as toute mon approbation. À supposer que cela compte pour toi...

— Bien sûr que cela compte. Je t'aime, mon chéri. Tu penses vraiment ce que tu viens de dire ?

— Oui. Et je savais que ce n'était plus pareil entre papa et toi, depuis qu'il était revenu. Si Chase te rend heureuse, tant mieux. Je serai content.

— Merci, mon chéri. Tu pourras peut-être aider ta sœur à se calmer un peu.

— Je connais Louise, ça lui passera. Elle a juste besoin de péter les plombs une bonne fois et de s'en prendre à tout le monde. Je crois qu'elle a monté la tête à Charlotte.

— Je l'appellerai.

— Dis à Chase qu'il a tout mon soutien. Et si je peux faire quelque chose, dis-le-moi.

Michael était un garçon adorable ; sa gentillesse compensait largement les réactions de ses sœurs. Stephanie rapporta leur conversation à Chase, puis elle appela Charlotte. Celle-ci était presque aussi hystérique que Louise, mais elle ne fut pas aussi grossière. Elle était plus jeune, et elle respectait sa mère.

— Je ne viendrai pas à la maison s'il est là ! annonça-t-elle, menaçante.

— Il n'y sera pas. Et tu rentreras à la date prévue. Il n'y aura plus de prolongations.

— Comment as-tu pu faire ça, maman ? C'est tellement injuste pour papa.

— Je ne suis plus mariée avec lui, Charlotte. Il est parti. Et Chase est un homme merveilleux.

— Tu trompes papa, dit Charlotte. Il ne t'aurait jamais fait ça.

Stephanie inspira profondément en entendant ces mots et fut tentée de déballer toute la vérité. C'était Bill qui l'avait trompée ; pas elle. Mais elle se contint, pour ne pas faire souffrir ses enfants davantage. Il était inutile d'accuser Bill à présent, juste pour se justifier.

— Nous ne savons pas ce que papa aurait fait dans des circonstances similaires. Peut-être aurait-il pris une petite amie depuis longtemps ; nous ne le saurons jamais.

— Mais toi, tu l'as fait, et ce n'est pas juste, ni pour lui ni pour nous. J'ai honte d'avoir une mère comme toi. Tu peux m'obliger à rentrer, mais tu ne m'obligeras pas à rencontrer cet homme. Je ne veux pas le voir !

Elle devenait aussi féroce que sa sœur. Son retour à la maison promettait d'être difficile. Elles allaient pro-bablement se quereller nuit et jour.

Après cela, une grande accalmie suivit. Finis, les coups de fil. Chase et elle discutèrent calmement tout en prenant leur petit déjeuner.

— Que puis-je faire pour t'aider ? Veux-tu que je les appelle pour leur dire à quel point je t'aime ?

— Je ne crois pas que ce soit une bonne idée, mon chéri. Louise et Charlotte défendent la mémoire de leur père, et moi je suis devenue la traînée du village. Le seul remède, c'est le temps. Elles finiront par se rendre compte que tu es un gars formidable. Mais cela ne se fera pas du jour au lendemain.

Toute la journée, Stephanie eut le cœur lourd. Ils décidèrent toutefois de passer la semaine à Los Angeles comme prévu. Elle ne devait pas céder. Une aube nou-velle venait de se lever pour elle. Bill avait cessé de régner sur sa vie, et elle ne le laisserait pas lui imposer sa loi depuis la tombe. Stephanie n'avait plus peur de lui, ni de ses enfants.

21

Le séjour de Chase et Stephanie à Los Angeles fut idyllique. Ils allèrent au restaurant, firent du shopping, passèrent une journée à Venice Beach, et dînèrent au Georgio Baldi à Santa Monica. Chase fut invité à quelques réceptions données par des stars de la musique. Bien sûr, Stephanie l'accompagnait, ravie. Tout était parfait. Ils s'efforcèrent d'éviter les journalistes, mais le magazine *People* publia malgré tout un article sur eux, et ils se retrouvèrent en sixième page du *New York Post*. Louise était folle de rage. Toute la semaine, elle envoya des e-mails à sa mère. Celle-ci resta calme comme l'œil du cyclone, tout comme Chase. Qu'auraient-ils pu faire d'autre ? Stephanie n'allait tout de même pas renoncer à Chase pour faire plaisir à sa fille. Celle-ci devrait s'adapter.

Ils reprirent le même jet privé pour retourner à San Francisco, descendirent au Ritz-Carlton, et y passèrent cinq jours. Puis Chase loua une maison à Stinson Beach, où ils purent se cacher sans voir personne. Les journées s'écoulaient, paresseuses. Ils passaient leur temps à faire l'amour, à se promener sur la plage et à regarder des films au creux du lit.

Stephanie joignit Alyson au téléphone. Son amie se montrant presque aussi agressive que ses filles, elle décida de la laisser de côté pour le moment et de ne plus l'appeler.

Toutes ces péripéties renforcèrent leur relation. Et Michael continuait de les soutenir. C'était une chance qu'il ait fait la connaissance de Chase avant les révélations médiatiques.

La situation redevint explosive lorsque Michael, au cours d'une conversation avec Louise, lui avoua qu'il sortait avec la pupille de Chase.

— Pour l'amour du ciel, Mike ! Tu as perdu la tête, toi aussi ? Et que fais-tu d'Amanda ?

— Nous avons rompu.

Louise n'aimait pas Amanda mais celle-ci, au moins, était d'une famille respectable. Ce n'était pas une vulgaire petite chanteuse de country élevée dans une caravane !

— Tu sors avec une gamine de l'Oklahoma de dix-huit ans ? Je t'en prie, dis-moi que ce n'est pas vrai, Michael ! J'ai l'impression que des Martiens ont pris le pouvoir dans la maison, depuis la mort de papa. Maman et toi, vous êtes devenus complètement cinglés. Qu'est-ce qui vous prend ? On dirait une mauvaise série pour la télévision ! En tout cas, n'amène pas cette fille chez moi.

— Je n'en avais pas l'intention, répliqua-t-il, glacial. Connaissant ta mauvaise langue, je ne m'y serais pas risqué. Sandy ne mérite pas d'être traitée ainsi, pas plus que maman. Chase Taylor est un gars formidable, je l'aime bien. Il est adorable avec maman, bien plus gentil que ne l'était papa. C'est tout ce qui devrait compter pour toi. Ces photos dans la presse, on s'en fiche.

— Ne parle pas de papa de cette façon. C'était un mari sensationnel ! s'écria Louise, hors d'elle.

— Non, c'est faux. Ils ont failli divorcer quand tu étais en classe de terminale. Tu le sais aussi bien que moi. Il n'était jamais à la maison, il n'avait jamais envie de rentrer. Alors ne me dis pas que c'était un bon mari. Et en fin de compte, c'est maman qui faisait toutes les corvées. Que tu le reconnaisses ou non, c'est la vérité.

— Je ne sais pas pourquoi ils se sont disputés, mais ça ne devait pas être très grave, puisque maman est restée avec lui, répliqua Louise, péremptoire.

— Elle est restée pour nous.

— Et parce qu'elle l'aimait.

— Oui, elle l'aimait, mais ça n'empêche : il n'était jamais là. Ni pour elle ni pour nous.

Michael voulait absolument rétablir la vérité, mais cela n'arrangea rien.

Louise continua d'accabler sa mère en lui écrivant des messages rageurs. Stephanie finit par cesser de lui répondre. Elle ne pouvait rien faire d'autre pour se protéger. Il fallait que Chase et elle laissent passer l'orage.

Leur dernier jour ensemble, ils firent un tour dans le parc, puis achetèrent des sashimis chez un traiteur et les mangèrent à l'hôtel. Ils étaient sereins. Pour eux, il était évident que leur relation était solide. Stephanie n'entendait pas laisser Louise et Charlotte lui gâcher la vie. Elle voulait absolument protéger le lien qui l'unissait à Chase.

Ce soir-là, blottis l'un contre l'autre après avoir fait l'amour, ils pensaient déjà à leurs prochaines retrouvailles. Stephanie avait promis à Chase de venir à Nashville dans un mois, dès que Charlotte aurait fait sa rentrée à l'université. Ce délai leur paraissait d'une longueur intolérable. De plus, Stephanie savait qu'elle devrait subir les récriminations de Charlotte. Elle espérait cependant parvenir à la calmer. Charlotte était plus facile que Louise.

— Tu n'imagines pas à quel point tu vas me manquer, dit-il d'un ton morne, en se tournant sur le côté pour la regarder.

Elle l'embrassa et se lova plus étroitement contre lui. Elle aimait sentir la chaleur de son corps et ne pouvait plus envisager de vivre sans lui.

Le lendemain, elle l'emmena à l'aéroport. Elle le quitta au dernier moment, juste avant qu'il ne franchisse le contrôle de sécurité. Elle se sentait un peu ridicule, avec son chapeau et ses lunettes de soleil. Mais elle était persuadée d'être la femme la plus heureuse du monde. Chase éprouvait les mêmes sentiments. Leur union avait dû être décidée au paradis, et l'enfer leur avait envoyé des diablotins, sous la forme de ses filles, pour se venger de leur bonheur.

Il lui promit de l'appeler dès qu'il serait arrivé à Nashville, et comme toujours il tint parole. Planté au milieu de la cuisine, le téléphone à la main, il regardait désespérément autour de lui. La femme qu'il aimait n'était pas là. Elle vivait à cinq mille kilomètres de lui, et il allait devoir passer tout un mois sans elle.

Le jour suivant le départ de Chase, Charlotte arriva de Paris. Elle débarqua de l'avion en ruminant sa colère. C'est à peine si elle dit bonjour à sa mère, qui était venue la chercher à l'aéroport. Dans la voiture, elle ne cessa de se plaindre d'avoir été obligée de rentrer. Elle avait envie d'être à Paris, ou à Rome, ou n'importe où en Europe, mais pas chez elle. La relation de sa mère avec une star de country était le prétexte idéal pour manifester sa rancœur. Elle était encouragée bien entendu par sa sœur aînée.

Elle était arrivée au milieu de l'après-midi, mais pour elle qui venait de Paris, il était déjà minuit. Cependant, comme elle était jeune et qu'elle avait dormi dans l'avion, elle ne manquait pas d'énergie. Stephanie avait préparé de quoi manger et l'invita à venir s'asseoir avec elle dans la cuisine. Charlotte braqua alors sur elle un regard étincelant de fureur.

— Où est-il ? lâcha-t-elle d'un ton agressif en repoussant son assiette.

Les hostilités étaient lancées.

— Si tu veux parler de Chase, il est à Nashville.

— Quand est-il parti ? Je suppose qu'il a voulu rester jusqu'à mon retour ?

Cela ne la regardait pas, mais Stephanie acquiesça d'un signe de tête.

— Il est parti hier. Il a un album à enregistrer.

Chase devait chanter en duo avec un autre artiste connu. Stephanie s'exprima avec naturel, comme si sa relation avec lui était parfaitement normale.

— Tu ne te sens pas ridicule de jouer les groupies, à ton âge, maman ? lança Charlotte d'un ton méprisant.

La remarque déplut à Stephanie. Louise n'exprimait généralement qu'une fureur mal contrôlée. Charlotte était plus jeune, et plus subtile. Elle donnait là libre cours à sa méchanceté.

— Je ne suis pas une groupie. Nous sommes ensemble, répliqua-t-elle sans détour.

— Tu veux dire que tu couches avec lui !

Elle prenait l'air moralisateur, propre à la jeunesse. Stephanie ne dit rien.

— Dans le lit de mon père, je suppose.

— Cela ne te regarde pas, Charlotte. Mais nous sommes allés à l'hôtel.

— C'est dégoûtant, maman. Tu n'as pas peur de ce que les gens vont dire de toi ? Mon père est mort il y a cinq minutes.

— Papa est mort il y a six mois, Charlotte. Et nul ne peut prédire ce qui va bientôt arriver, ou qui on va rencontrer. Je n'avais pas l'intention de fréquenter quelqu'un, avant de faire la connaissance de Chase. Et ce n'est pas parce que je sors avec lui que je n'aimais pas ton père. Je l'aimais quand il était en vie. Mais il est parti à présent, et c'est triste pour nous tous. Cette rencontre s'est faite par hasard. Six mois, c'est un délai respectable. Certaines personnes n'attendent pas aussi longtemps.

— Les gens corrects attendent au moins un an.

— Certains attendent, d'autres non. J'ai attendu cinq mois. Et tu n'accepterais pas la situation plus facilement si j'avais attendu six mois de plus. Pourquoi es-tu en colère, exactement, Charlotte ?

— Tu ne respectes pas la mémoire de papa ! s'écria Charlotte. Et regarde qui est cet homme, et à quoi il ressemble ! C'est un péquenaud, maman !

Chase était beaucoup de choses, mais certainement pas un péquenaud. C'était un homme raffiné, intelligent, talentueux, extrêmement beau, et qui avait fort bien réussi dans la vie. Il était simplement très différent de leur père, avec ses cheveux longs, ses tatouages et son jean déchiré.

— Il n'est pas comme papa, Charlotte, c'est tout. C'est quelqu'un de très sympa, il te plaira.

— Non, jamais de la vie ! répondit-elle d'un air buté. En plus, il paraît que Michael sort avec sa fille illégitime, ou quelque chose comme ça. Qu'est-ce que vous avez fait ? Vous êtes tous sortis ensemble ou quoi ?

— Michael est venu à Nashville pour assister à un concert de Chase. Sandy est sa pupille. Elle a perdu ses parents. Elle a deux ans de moins que toi, et elle est adorable. De toute façon, tu n'as jamais aimé Amanda, alors ne fais pas semblant d'être choquée.

Charlotte n'avait pas encore parlé avec Michael. Elle ne tenait ses renseignements que de Louise.

— Je trouve que ta sœur et toi me manquez singulièrement de respect, ainsi qu'à cet homme que vous ne connaissez même pas. Je comprends que vous soyez tristes d'avoir perdu votre père, et je le suis aussi. Mais j'ai le droit de vivre et c'est ce que je vais faire, que cela vous plaise ou non. Votre père aurait certainement fait la même chose, il ne serait pas resté enfermé ici, tout seul, jusqu'à la fin de ses jours.

Après tout, il avait même eu une aventure extraconjugale de son vivant, ajouta-t-elle en elle-même.

— Peut-être, mais il ne serait pas avec une star du rock couverte de tatouages.

— On ne sait jamais, répondit Stephanie en souriant. L'amour vous fait quelquefois des surprises.

— Tu veux dire que tu l'aimes ? s'écria Charlotte, aussi affolée que si sa mère avait commis un crime.

Stephanie soutint le regard de sa fille.

— Oui, je l'aime.

Charlotte se leva, sortit de la cuisine et monta dans sa chambre en tapant des pieds. Stephanie secoua la tête, puis entreprit de faire ses comptes et de régler quelques factures. Elle tressaillit lorsque Charlotte fit de nouveau irruption dans la cuisine.

— Qu'est-ce que tu as fait dans le salon ? Tout a changé de place ! C'est affreux !

Ce n'était pas affreux, mais différent. Les choses avaient changé. Et le plus grand changement, c'était que Stephanie était heureuse, ce qui choquait ses enfants.

— J'ai déplacé quelques objets, dit Stephanie. Je suis désolée que cela ne te plaise pas.

Il n'était pas question qu'elle remette les meubles à leur ancienne place. Charlotte sortit de la pièce sans répondre. Quelques minutes plus tard, un grand fracas résonna dans la maison. Stephanie se précipita dans le salon. En essayant de pousser les meubles, sa fille avait renversé une petite table, et un grand vase avait basculé sur le sol. Charlotte sanglotait, à genoux dans une flaque d'eau, au milieu des fleurs répandues sur le tapis.

— Oh, mon Dieu, qu'est-il arrivé ?

Stephanie courut vers elle et se coupa le pied en marchant sur un morceau de verre. Sa fille, incapable de réprimer ses sanglots, demeurait agenouillée, accablée.

— Je ne me rappelle pas comment c'était avant, lâcha-t-elle, hébétée.

Elle n'avait jamais fait attention à la disposition des meubles jusque-là. Tout ce qu'elle savait, c'est que c'était différent à présent.

— Tu as tout changé ! hurla-t-elle d'une voix hystérique.

Stephanie se pencha et voulut passer un bras sur ses épaules, mais elle s'écarta brusquement.

— Ne me touche pas ! Je te déteste !

Stephanie eut les larmes aux yeux. Tout cela était trop dur. Charlotte se releva et courut s'enfermer dans sa chambre. Elle ne remarqua même pas que Stephanie saignait, elle était trop bouleversée pour avoir conscience d'autre chose que d'elle-même. Stephanie entendit la porte de la chambre claquer, puis elle ramassa les débris qui jonchaient le sol. Soudain, elle se sentit coupable d'avoir changé les meubles de place. C'est juste qu'elle avait ressenti le besoin de le faire, pour elle. Ses enfants ne vivaient plus à la maison, alors qu'elle y passait toutes ses journées.

Elle jeta les morceaux de verre, mit les fleurs dans un autre vase, épongea l'eau et mit un pansement sur sa blessure. La coupure n'était pas très profonde.

Charlotte resta enfermée plusieurs heures dans sa chambre. Cette première journée avait été plutôt rude.

Dans la soirée, Stephanie appela Chase et parla un long moment avec lui. Puis elle téléphona à Jean.

Elle ne pouvait plus se tourner vers Alyson, celle-ci étant trop scandalisée par sa liaison avec Chase pour la conseiller ou la soutenir moralement. Alyson avait confié à Jean qu'elle trouvait sa conduite choquante, car Bill n'était mort que depuis cinq mois. Et puis, que faisait-elle avec un homme comme Chase Taylor ? Il lui fallait quelqu'un de conventionnel, dans le genre de Bill, de Brad, ou de Fred. Pas une star du rock.

« Et pourquoi pas ? avait rétorqué Jean, du tac au tac. Si tu trouves que Brad est merveilleux, tant mieux pour toi. Fred ne l'est pas. Et Steph n'était plus heureuse avec Bill depuis au moins dix ans. Elle semblait morte à l'intérieur. Maintenant, elle est vivante. Tu veux son bonheur ou son malheur ? Tu es son amie, oui ou non ? La meilleure chose qui pouvait lui arriver, c'était de rencontrer un type qui l'aime vraiment. Et c'est ce qui s'est passé. Cela me suffit. Je me moque de savoir d'où il vient, et combien de tatouages il a. Si tu aimes Stephanie, si tu veux qu'elle soit heureuse, cela devrait être suffisant. Ses enfants, au moins, ont une excuse pour lui faire des reproches, puisque Bill était leur père. Mais nous, nous sommes ses amies et nous n'avons aucune raison de la critiquer. Comment peux-tu avoir l'esprit aussi étroit ? Cet homme te déplaît parce qu'il a les cheveux longs et des tatouages ? On s'en fiche ! Je coucherais avec lui sans hésiter si je pouvais, et tu le ferais peut-être aussi, si tu n'étais pas mariée à saint Brad. »

Profondément offensée par cette sortie, Alyson n'avait plus adressé la parole à Jean pendant une semaine. Stephanie espérait que le temps apaiserait la situation. Mais Alyson ne comprenait vraiment pas le monde extérieur. Elle pensait que tous les hommes auraient dû être comme son mari. De plus, Brad lui avait dit qu'il n'approuvait pas l'attitude de Stephanie. D'une part elle faisait injure à la mémoire de Bill, d'autre part elle manquait de discernement en choisissant un homme comme Chase. Or Alyson se rangeait forcément à son avis et répétait comme un perroquet tout ce qu'il disait.

Heureusement, Jean, elle, était toujours là, exprimant la voix de la raison. Elle était en outre bien consciente des compromis et du courage qu'il fallait à Stephanie pour affronter ces critiques des êtres qui lui étaient le plus chers.

Stephanie lui raconta l'incident du vase brisé.

— J'aurais dû attendre pour changer les meubles de place, mais l'atmosphère était tellement déprimante !

— Tu as eu raison, Steph. Tu ne peux pas vivre dans un tombeau. En plus, ce ne sont pas tes enfants qui habitent là, c'est toi. Ils voudraient pouvoir passer quand ça leur chante, une ou deux fois par an, prendre du linge propre et un peu d'argent, et tout ça sans que rien ne change. Et toi, tu devrais rester enchaînée dans ta chambre à les attendre, ou dans ta cuisine à préparer les repas de Noël et de Thanksgiving... Eh bien, tu sais quoi ? La vie, ce n'est pas ça. Tu as parfaitement raison de vouloir changer de décor et refaire ta vie. Avec Bill, tu n'étais plus heureuse. Tu n'existais que pour lui et tes enfants, tu étais devenue leur esclave. Maintenant tu es libre, profites-en. Mes filles sont comme les tiennes, elles voudraient que rien ne change. L'année dernière, comme les rideaux de leurs chambres étaient en lambeaux, j'en ai acheté d'autres. Crois-le ou non, quand elles sont venues pour Noël, elles ont fait une crise et exigé que je remette les anciens « sur-le-champ ». Pour l'amour du ciel, elles ont vingt-huit et vingt-neuf ans ! C'est vraiment n'importe quoi !

Stephanie se sentait toujours mieux, quand elle parlait avec Jean. Celle-ci était si pragmatique, si sensée. Et elle ne se laissait pas marcher sur les pieds.

— Alors ? Tu as fait quoi ? Tu as remis les anciens rideaux ?

— Pas du tout. De toute façon, je les avais jetés. Mais même sans cela, je n'aurais rien changé. Dans la vie, il faut aller de l'avant. Tu ne peux pas rester assise tout le temps au même endroit. À moins que tu ne l'aies décidé, ce qui est aussi un choix. Mais tu ne peux pas rester là juste parce que quelqu'un te l'ordonne. Ou parce que le fait que tu avances gêne les autres. Les derniers événements vont être très positifs pour tes enfants, Steph. Cela va leur apprendre que, quel que soit l'amour que l'on avait pour quelqu'un, il faut continuer de vivre. Ils avancent bien, eux. Et donc, ils ne peuvent pas exiger que tu te fasses enterrer avec Bill. Tôt ou tard, il faudra qu'ils comprennent.

— Les filles ne sont pas près de comprendre, j'en ai bien peur. J'ai eu le cœur brisé en voyant Charlotte sangloter dans le salon tout à l'heure. En réalité, elle ne se rappelait même pas comment les meubles étaient disposés autrefois.

— C'est exactement à cela que je veux en venir. Bientôt, la nouvelle disposition lui paraîtra normale. Et la présence de Chase aussi. Au fait, quand vas-tu enfin me le présenter, cet oiseau rare ?

— Lors de sa prochaine visite, c'est promis. Mais d'abord... il veut que j'aille à Nashville lorsque Charlotte aura repris ses cours.

— Et alors ? questionna Jean, percevant une hésitation dans la voix de son amie.

— Eh bien, ici, à San Francisco, nous flottons entre deux mondes. Nous n'avons rien de spécial à faire. C'est comme des vacances. Mais à Nashville, Chase a une vie, des musiciens à gérer, des albums à enregistrer, des répétitions, des concerts, et mille autres choses. Il m'emmène avec lui, mais je dois suivre son rythme, ce n'est pas *notre* vie. C'est ce que je faisais avec Bill, et je ne veux pas recommencer. Je ne veux pas me perdre dans la vie de quelqu'un d'autre.

— Tu auras ce problème avec n'importe quel homme dont la carrière est importante. Bill était égocentrique, et tout devait s'adapter à lui. Chase en revanche fait des efforts pour tenir compte de ce que tu aimes, d'après ce que j'ai compris. Tu sais, parfois il faut accepter que l'autre ait une carrière qui prend beaucoup de place. Et peut-être que tu y trouveras ton compte.

— Chase m'a suggéré de m'occuper des relations publiques, admit Stephanie, pensive.

— Et donc ?

— Ce n'est pas un vrai job. C'est comme lorsque je l'aide à écrire ses paroles. Il pourrait très bien le faire sans moi.

— Alors, trouve-toi un vrai job à Nashville. De toute façon, où que tu sois, il faudra que tu tiennes compte de sa carrière. Sinon, cela ne pourra pas marcher. L'inverse serait vrai si tu avais une carrière plus prenante que la sienne. Le secret, c'est de trouver quelqu'un qui soit raisonnable. Qui ait tout à la fois le sens des réalités et du respect de chacun. Pas comme Brad, qui voit Alyson comme une espèce de drone qu'il peut diriger à sa guise. *Raisonnable* est le mot-clé. Fred serait un mari très correct s'il ne sautait pas sur toutes les bimbos qui passent à sa portée. C'est peut-être pour cela que je reste avec lui. Je l'aimais vraiment avant, ce n'était pas qu'une question d'argent.

Stephanie s'en était toujours doutée. Mais il y avait un tel éloignement entre eux, tant d'amertume, que leur mariage n'en était plus un. Aucun des deux ne faisait plus d'efforts. Fred se contentait de courir après les autres femmes et Jean dépensait son argent. Stephanie était triste que les choses aient tourné ainsi pour eux.

Mais Jean avait raison, elle serait obligée de s'adapter à la carrière d'un homme, puisqu'elle-même n'avait pas de vie professionnelle. Toutefois, elle ne voulait pas agir prématurément. Elle avait encore besoin de temps.

Les jours suivants, Charlotte contacta tous ses amis, et Stephanie ne la vit presque plus. Elle sortait dans la journée, allait chez ses copines le soir. Elle passa un week-end au lac Tahoe, alla camper deux jours dans le parc de Yosemite. Elle traversait la maison comme une tornade et ne prenait jamais un repas avec sa mère. Stephanie parvint à la retenir cinq minutes dans la cuisine, alors qu'elle attendait ses amis pour se rendre à un concert au Coliseum.

— Veux-tu que nous allions faire une manucure ensemble, demain ?

— Je ne peux pas. Je vais à Sonoma avec Heather. Ses parents ont acheté une nouvelle maison.

— Et le jour suivant ?

— Je n'ai pas le temps, maman.

Charlotte avait élevé un mur entre sa mère et elle. Officiellement, c'était à cause de Chase. En réalité, elle ne s'était pas remise de la mort de son père. Elle accablait sa mère de reproches, tout simplement parce qu'elle était vivante alors que Bill était mort.

— Je veux voir mes amis tant qu'ils sont là. C'est notre dernier été de vacances. L'année prochaine, tout le monde travaillera et personne ne reviendra. Moi non plus, d'ailleurs.

Stephanie ne dit rien. Mais la situation était claire. Charlotte voulait passer du temps avec ses amis, pas avec elle.

Deux jours plus tard, alors qu'elle cherchait quelque

chose dans un tiroir, sa fille entra brusquement dans sa chambre.

— Sais-tu où est passée ma raquette de tennis ? demanda-t-elle, agacée.

Elle avait découvert que Stephanie avait rangé les placards, et cela lui déplaisait. Puis elle avait remarqué que les affaires de Bill avaient disparu, ainsi que ses vieux équipements de sport et une paire d'haltères qui moisissaient au garage depuis des années.

— J'ai rangé les affaires de sport dans les placards de la cave, répondit Stephanie sans se retourner.

Charlotte se dirigea alors vers le dressing de son père. Elle ouvrit une porte, puis une autre, et une autre encore. Les affaires de Bill n'y étaient plus. Horrifiée, elle se tourna vers Stephanie.

— Qu'est-ce que tu as fait ? Où sont les vêtements de papa ? s'exclama-t-elle d'une voix étranglée.

À la voir, on aurait cru que Stephanie avait commis un sacrilège.

— Je les ai donnés, Charlotte. Il le fallait, murmura-t-elle, pâle comme une morte. Je ne pouvais pas les garder sous les yeux. Je vis ici, moi.

Sa fille tourna les talons et sortit sans un mot. Un instant plus tard, la porte d'entrée claqua. Quoi qu'elle fasse, Stephanie aurait toujours tort. Tout signe de vie, ou même de guérison, était considéré comme un crime. Cela ne faisait plus aucun doute à présent, ses filles voulaient l'enterrer avec leur père. Tant qu'elle refuserait de s'allonger dans un tombeau à côté de lui, elles la haïraient.

Elle en parla au Dr Zeller. La thérapeute tenta de lui expliquer que, dans une certaine mesure, la réaction de ses filles était normale. Cependant, leurs sentiments semblaient un peu exacerbés, et Chase était un prétexte tout trouvé leur permettant d'exprimer leur colère envers leur mère.

— Tout ce que je fais est mal, lâcha Stephanie, les larmes aux yeux. Je n'ai pas oublié leur père. Pas du tout. Je l'aimais. Mais il est parti, et il faut reconnaître que depuis dix ans nous n'étions plus heureux.

— Dans ce cas, pourquoi éprouvez-vous tant de culpabilité à vivre votre vie ?

Stephanie réfléchit quelques secondes avant de répondre.

— Peut-être parce qu'elles sont en colère contre moi.

— Ou bien peut-être pensez-vous que vous ne méritez pas une vie meilleure que celle que vous avez eue avec Bill ?

Stephanie resta muette un instant, puis hocha la tête et se moucha.

— Il ne se souciait jamais de ce que je pensais ou de ce que je désirais. Il ne me le demandait pas, et ce que je disais ne faisait aucune différence. À présent, les enfants me traitent de la même façon. Ils se moquent de savoir que j'aime Chase, qu'il m'aime, que c'est un gars formidable. Je suis censée rester là sans bouger et vivre comme si j'étais toujours mariée à leur père. Eh bien je ne veux pas de cela. C'est fini maintenant. Mais ils ne l'acceptent pas.

— C'est une réaction un peu normale de leur part. La plupart des jeunes ne tiennent pas compte des sentiments de leurs parents. Ceux-ci ne sont là que pour pourvoir à leurs besoins. Et leur colère après la mort de leur père est normale également. Mais il leur avait donné un mauvais exemple en vous traitant comme il le faisait, et vous voulez que cela change. Cela ne leur plaît pas, et c'est normal aussi. Les changements sont difficiles à admettre. Mais cet obstacle ne doit pas vous empêcher de mener votre vie comme vous l'entendez.

Vous avez le droit d'avoir une nouvelle relation. Avec le temps, ils finiront par s'habituer à cette situation, même si pour l'instant ils ruent dans les brancards.

Stephanie acquiesça d'un signe de tête.

— Oui, je ne vais pas me laisser faire. Mais il y a autre chose qui m'inquiète. La carrière de Chase est exceptionnelle, et je ne vois pas comment je peux me faire une place auprès de lui, sans perdre mon identité comme avec Bill. Chase a une personnalité hors du commun.

— Vous ne perdrez votre identité que si vous le voulez bien. Personne ne peut vous l'enlever. Et je ne pense pas que vous referez la même erreur. En outre, Bill et Chase semblent être des hommes très différents. Vous m'avez fait comprendre que Bill était autoritaire et indifférent, alors que Chase essaye toujours de tenir compte de vos désirs.

C'était la vérité.

Une fois de plus, Stephanie quitta le cabinet de la thérapeute avec plusieurs sujets de réflexion en tête.

Ce soir-là, elle eut de nouveau une violente dispute avec Charlotte. À propos de la voiture de Bill. Stephanie voulait la vendre, car personne ne s'en servait, et le fait de la voir chaque jour dans le garage la déprimait. Charlotte en revanche trouvait cela rassurant. Elle avait l'impression que son père allait revenir et reprendre le volant.

— Je ne la vendrai pas tout de suite, concéda Stephanie après deux heures d'une âpre discussion, au cours de laquelle elle s'entendit reprocher d'avoir vidé les placards, de coucher avec Chase, et d'avoir jeté une vieille paire d'haltères rouillés. Mais tôt ou tard, je m'en débarrasserai, Charlotte. Elle ne va pas rester là indéfiniment.

Il fallait voir les choses en face, Bill ne reviendrait

pas, ni pour conduire cette voiture ni pour autre chose. Mais sa fille n'était pas prête à l'admettre et voulait désespérément retrouver sa vie d'avant. Stephanie, à l'inverse, s'efforçait de couper le cordon qui les reliait à ce cocon familial. Et cette opposition était devenue une source incessante de conflits.

Quelques jours avant son départ, Charlotte accepta de dîner avec sa mère. Mais ce fut bien la seule fois. Aussi, lorsque Stephanie la conduisit à l'aéroport, elle avait l'impression qu'elles ne s'étaient quasiment pas vues. Mère et fille avaient très peu échangé, si ce n'est pour se disputer...

Alors qu'elles faisaient la queue pour l'enregistrement des bagages, Charlotte souriait. Peut-être la fin de l'été la projetait-elle vers l'avenir et lui faisait-elle oublier son amertume. Après avoir envisagé une colocation, elle avait finalement opté pour une nouvelle année en résidence universitaire, comme ses amies. C'était exaltant pour elle d'entamer cette dernière année d'études. Stephanie se prit à espérer que sa fille retrouve vite un peu de sérénité.

Elle l'embrassa avant qu'elle ne passe les contrôles de sécurité, puis Charlotte se retourna et lui fit un signe de la main en souriant.

— Bisous, maman ! s'écria-t-elle, à la grande stupéfaction de sa mère.

En un mois, elle n'avait pas eu une seule parole gentille. Peut-être traversait-elle simplement une période de deuil qui l'obligeait à exprimer sa colère. Leur relation s'améliorerait plus tard. Pendant un bref instant, Stephanie revit la petite fille qu'elle avait été. Puis elle disparut dans la salle d'embarquement, et Stephanie rentra chez elle. La maison avait retrouvé son calme habituel. Plus de cris, plus de portes qui claquaient. Personne pour la toiser d'un air accusateur ou lui dire qu'elle était un monstre, qu'elle avait un goût horrible et que ses shorts lui allaient affreusement mal. Stephanie éprouva un soupçon de tristesse : c'était la première fois de sa vie qu'elle avait été contente de voir sa fille partir. Cette maison n'était pas assez grande pour elles deux.

Chase l'appela une heure plus tard.

— Elle est partie ?

— Oui. Je dois avouer que c'est un soulagement.

En fait, elle redoutait déjà les fêtes de Thanksgiving et de Noël. Charlotte et Louise seraient là toutes les deux pour l'accuser de tous les maux.

— Personne n'a jamais dit qu'avoir des enfants était une sinécure, ajouta-t-elle avec un sourire penaud.

Elle s'assit dans la cuisine, savourant la paix et le silence qui régnaient autour d'elle. La solitude ne lui pesait pas du tout : elle se sentait tellement mieux, libérée de toute pression.

— En tout cas, tu es libre maintenant ! Quand ramènes-tu ta jolie petite fraise ? demanda Chase.

Son expression fit sourire Stephanie. Il chantait à Memphis le week-end suivant pour le Labor Day, et il voulait qu'elle l'accompagne.

— Cette fois, j'aimerais que tu restes très, très longtemps, Stevie. Tu crois que ce serait possible ?

C'était une chance qu'elle n'ait pas trouvé de job, finalement. Jean avait sans doute raison, c'était à la personne la plus libre professionnellement de s'adapter à l'autre.

— Tu peux venir demain ?

Stephanie était aussi pressée que lui, mais elle était fatiguée. Ce mois avec Charlotte, passé à supporter sans cesse ses accusations et ses crises de colère, l'avait épuisée. Dans un certain sens, elle avait perdu ses deux filles à la mort de Bill.

— Donne-moi un jour ou deux pour m'organiser. Je peux venir après-demain, c'est-à-dire mardi. Ça t'irait ?

— Fantastique. Je réserve le billet.

Il fallait qu'elle prenne la Delta Airlines et qu'elle change d'avion, mais il n'y avait pas de première classe sur cette ligne.

— Cela ne fait rien, dit-elle. Je voyagerai dans la soute s'il le faut, mais je serai là mardi.

— Tu m'as manqué, Stevie. Il me tarde de te voir.

— Moi aussi.

Pour la première fois depuis un mois, elle n'éprouva aucune culpabilité. Elle se détendait enfin. Elle avait envie de l'embrasser, d'être dans ses bras, de faire l'amour avec lui.

Elle appela Jean pour la prévenir de son départ. Puis elle laissa un message au Dr Zeller afin d'annuler leur rendez-vous, et prévint le foyer qu'elle ne serait pas disponible pendant quelque temps. Elle se dispensa d'appeler Alyson, car elle n'avait pas du tout envie d'écouter ses leçons de morale.

Enfin, elle monta préparer sa valise. Désormais, elle allait appliquer strictement la philosophie de Chase. Elle profiterait du moment présent et savourerait tout ce que la vie avait à lui offrir.

Carpe diem !

22

Chase l'attendait à l'aéroport. Dès qu'elle eut franchi le portillon, il la prit dans ses bras et la fit tournoyer si vite que la tête lui tourna. Les gens les regardaient et souriaient avant même d'avoir reconnu le chanteur.

— Oh, mon Dieu, je suis tellement heureux de te voir ! s'exclama-t-il, les bras passés autour de sa taille.

Dans la voiture, les chiens lui firent la fête. Chez Chase, elle découvrit deux énormes bouquets de fleurs qui avaient été commandés pour lui souhaiter la bienvenue. Une bouteille de champagne attendait au frais.

Il lui servit une coupe et la conduisit dans le studio d'enregistrement, où il lui fit écouter quelques-unes de ses nouvelles chansons. C'est alors que Sandy déboula dans la pièce et sauta à son cou. La jeune chanteuse était folle de joie de la voir. Tout l'opposé de ses filles... Stephanie l'embrassa, puis la contempla d'un air à la fois complice et maternel. Beaucoup de choses s'étaient passées depuis leur dernière rencontre.

— Comment ça va, avec Michael ?

D'après son fils, leur relation était au beau fixe. Sandy eut l'air un peu intimidée.

— Il est vraiment adorable, Stevie, et très respectueux. Pas comme Bobby Joe. Nous sommes très heureux.

Ces paroles lui firent plaisir. Sandy méritait de

connaître une relation harmonieuse. Elle était jeune, mais c'était déjà une femme, et elle avait vécu beaucoup de choses pour son âge. D'abord sur la route avec son père, puis aujourd'hui avec Chase : elle devait à présent gérer une carrière qui exigeait du temps et de la discipline. Et malgré cette pression, elle était douce et agréable. Stephanie comprenait pourquoi Michael l'aimait. Comme Chase, elle était honnête, travailleuse, brillante. Il y avait chez eux une réelle dignité, une profonde intégrité, une sorte de noblesse innée, que Michael avait perçues. Stephanie était heureuse qu'ils se soient découverts et qu'ils aient eu la sagesse et le courage de saisir ce que la vie leur offrait.

Lorsqu'elle vit son fils, au cours du week-end, l'étincelle qui luisait dans ses yeux lui confirma ce qu'elle pressentait. En l'espace de quelques semaines, il avait beaucoup mûri, et elle aimait la façon dont il se comportait avec Sandy. De toute évidence, ces deux-là étaient amoureux, tout comme Chase et elle. Il émanait d'eux une aura de bonheur, à mille lieues des tensions et des manipulations que Michael avait subies avec Amanda. Le jeune homme venait presque tous les week-ends, et sa présence allait être un bonus supplémentaire pour Stephanie.

Après une semaine bien remplie, Chase et Stephanie prirent un jet privé pour Memphis. Les autres musiciens suivraient dans le bus, mais Chase voulait arriver avant, afin d'avoir un peu de temps seul avec Stevie. Il lui parla de sa vie professionnelle et lui demanda conseil. Il trouvait qu'elle avait un certain sens des affaires, du bon sens, une façon pragmatique d'analyser les situations. Elle proposait souvent des solutions auxquelles il n'avait pas pensé. Ils se complétaient bien. Et en plus, elle savait écrire les paroles des chansons.

Stephanie buvait du petit-lait. Contrairement à Bill,

qui ne lui parlait pas de ce qu'il faisait car il la jugeait incapable de comprendre son métier, Chase se confiait sur tous les aspects de sa vie. Bill avait toujours laissé entendre qu'elle ne savait faire qu'une seule chose, c'est-à-dire s'occuper des enfants. Chase, lui, ne la mettait jamais à l'écart. Non seulement ils parlaient de tout, avaient une vraie intimité intellectuelle, mais aussi elle découvrait le sexe sous un tout nouveau jour : elle faisait l'amour comme elle ne l'avait encore jamais fait.

Bref, leurs sentiments s'intensifiaient de jour en jour. Stephanie se sentait parfaitement à l'aise dans son monde, et Chase aimait la taquiner à ce propos.

— Il ne te manque plus que mon nom tatoué avec un cœur sur la poitrine, et mes initiales sur tes fesses. Waouh ! C'est une idée géniale, non ?

Il la trouvait belle, élégante, chic, et ne se privait pas de lui le dire. Stephanie était aux anges. Parfois, elle se disait qu'elle avait dû mourir et monter au paradis.

De plus, elle adorait Nashville. Elle se déplaçait dans la camionnette Chevrolet vintage, et elle emmenait souvent les chiens avec elle. Les gens commençaient à la connaître, en ville.

Chase lui offrit une combinaison à sequins, un modèle ancien de chez Chanel qu'il avait trouvé sur eBay et qui lui allait à la perfection.

— Maintenant, tu as vraiment le look d'une femme de chanteur country, dit-il en observant la combinaison qui moulait son corps superbe. Et aussi un peu le look d'Elvis.

Cela fit rire Stephanie, qui porta la combinaison lors de leur séjour à Memphis. Des images furent publiées sur YouTube, et Louise lui envoya un message virulent. Stephanie s'en moquait. Elle était heureuse.

Le concert eut lieu au FedExForum et fut un

immense succès. Michael et Stephanie regardèrent Chase et Sandy depuis les coulisses.

— Tu as un look étonnant, maman, dit Michael d'un air très légèrement moqueur.

Mais il devait reconnaître qu'elle était superbe dans cette tenue. Rien à voir avec la mère en jean et en tongs qui s'occupait d'eux quand ils étaient petits. Stephanie était devenue une nouvelle personne, libre d'être elle-même. Elle évoluait de jour en jour. Et une complicité était née entre Michael et elle.

Son fils était heureux avec Sandy. Il arrivait qu'ils se chamaillent, parce que Sandy était stressée ou fatiguée, ou encore nerveuse avant un spectacle et après de longues nuits de répétition. Ou encore c'était Michael qui était épuisé par sa semaine à Atlanta. Mais les disputes se terminaient toujours par une plaisanterie ou un baiser. Stephanie adorait les voir ensemble.

— Quelle belle vie, n'est-ce pas, Mike ? dit-elle, alors qu'ils étaient toujours dans les coulisses. Ils ont tellement de talent, tous les deux ! J'aurais aimé avoir une voix comme Sandy, ajouta-t-elle, admirative.

— Tu pourrais prendre des leçons de chant pour t'amuser. Tu as une jolie voix, maman. Je me souviens, quand tu étais dans cette chorale, à Marin.

— Je me sentirais idiote, par rapport à Chase.

C'était compréhensible. Michael aussi était intimidé parfois par le talent de Sandy. Sa voix était exceptionnelle. D'ailleurs, les spectateurs étaient en délire ce soir-là.

Ils regagnèrent Nashville tard dans la nuit, et tout le monde dormit dans le bus.

La semaine suivante, Chase, Stephanie et Sandy prirent un avion privé pour aller assister à un match des Braves. La jeune fille en profiterait pour passer quelques jours avec Michael. Chase était un grand amateur de sport, et il promit à Michael de l'emmener au Super Bowl.

— Je te remercie d'être aussi gentil avec mon fils, dit Stephanie, dans l'avion qui les ramenait à Nashville.

C'était la fin du mois de septembre, et Stephanie avait l'impression d'être là depuis toujours. Elle n'avait pas encore décidé de la date de son retour. Chase rendait sa vie à Nashville si douce qu'elle ne voyait aucune raison de rentrer chez elle.

La tournée qu'il projetait pour le printemps comprenait une douzaine de grandes villes. Son manager estimait qu'il n'en avait plus fait depuis trop longtemps, et on lui offrait une fortune. Chase disait que ces tours de chant étaient épuisants, mais cela faisait partie du métier.

Une longue série de réunions l'attendait dans la semaine, et il espérait que Stephanie l'accompagnerait. Parfois, il la taquinait en disant qu'elle était devenue sa nouvelle associée. Elle allait partout avec lui.

— Je ne voudrais pas que tu te lasses de ma présence ou que tu te sentes obligé de m'emmener avec toi chaque fois.

— Je ne me lasse jamais de ta présence, Stevie.

Elle l'embrassa. Elle non plus ne se lassait jamais de lui. Mais au bout de six semaines, elle dut se rendre à l'évidence. Tout tournait autour de lui. Il n'était question que de son travail, de sa carrière, de ses enregistrements, de ses répétitions, de ses séances de photos, de ses projets, de ses tournées, de ses interviews. Il la faisait participer à tout, mais elle sentait qu'elle perdait de nouveau son identité propre. Elle n'était que l'ombre de Chase, rien d'autre. Elle ne lui apportait rien en dehors de sa présence et de son amour. Elle n'avait pas de vie à elle, rien pour s'affirmer.

Elle essaya de lui expliquer ce qu'elle ressentait, mais

il ne comprit pas ce qu'elle voulait dire. Il répétait simplement qu'elle était très importante pour lui, qu'aucune autre femme n'avait autant compté qu'elle dans sa vie. Mais elle, ce qu'elle voyait, c'est que c'était lui qui avait le talent et la carrière de chanteur, elle n'était là que pour lui tenir compagnie et lui donner son amour.

L'échange ne lui paraissait pas équilibré. L'aider à choisir sa chemise pour une séance de photo ou pour un concert, ou encore pour la couverture d'un CD, ne lui suffisait pas. Elle adorait cela, mais ce rôle ne la comblait pas.

Vers la mi-octobre, il vit qu'elle était préoccupée.

— Qu'est-ce qui ne va pas, ma chérie ?

Il se rendait bien compte que quelque chose la tracassait.

Stephanie avait été une épouse et une mère modèle pendant vingt-six ans. Et maintenant, elle était la petite amie d'une vedette de la chanson et portait des combinaisons à sequins. Qu'est-ce qui avait vraiment changé ?

— Je crois que j'ai besoin de rentrer quelque temps chez moi, pour essayer de comprendre qui je suis vraiment, lâcha-t-elle.

Bill était mort depuis huit mois, et elle se posait toujours la question. Aurait-elle la réponse un jour ? Des années auparavant, quand elle avait renoncé à une carrière pour épouser Bill, elle avait pris la mauvaise décision. Maintenant, à son âge, il était trop tard pour y remédier. Elle n'avait pas de talent particulier. Pas d'idée nouvelle, pas d'expérience. Sur le marché du travail, elle n'avait aucune valeur. Tout ce qu'elle pouvait faire, c'était suivre Chase partout et le considérer avec adoration. Cela ne lui semblait pas suffisant pour remplir sa vie.

— Tu as l'impression que je ne te respecte pas, Stevie ? demanda-t-il d'un air inquiet.

— Seigneur, non ! Pas du tout ! protesta-t-elle en secouant la tête. Mais je crois que je me perds en me glissant dans ta vie.

— Tu me donnes la force et l'inspiration, ce qui pour moi est un don énorme. Je ne serais rien sans toi, Stevie. Ou bien je ne serais plus que l'ombre de moi-même.

— Ce n'est pas vrai, et tu le sais.

— Si, c'est vrai.

Il avait écrit une demi-douzaine de chansons pour elle, et il les considérait comme les plus belles de son répertoire.

— Une personne créative a besoin de se sentir aimée. Je sais que tu m'aimes, Stevie. Pour moi, c'est une grande première. Jusqu'à ce que tu débarques dans ma vie, j'avançais péniblement, en boitillant.

Stephanie savait qu'elle était importante pour lui. Mais l'échange n'était pas équitable. Elle voulait apporter plus dans la balance, ne pas être seulement sa muse.

— Tu mérites mieux que cela, Chase.

— Que veux-tu dire ?

Il sentit son sang se glacer. Allait-elle le quitter ? Malgré son physique et son statut de vedette, il était tout aussi vulnérable que le premier venu. On ne pouvait jamais être sûr de rien.

— Je ne sais pas, Chase. Je me dis que je devrais rentrer quelque temps chez moi pour faire le point. Trouver comment contribuer à ta vie d'une manière plus importante. Je suis toujours restée sur le côté jusqu'ici, pour encourager les autres, comme une groupie sans grande personnalité. Or je veux être plus que cela, Chase. Je te le dois. Je veux me faire ma place dans le monde, et surtout dans le tien. J'ai besoin d'un peu de temps pour cela.

— Tu veux retourner chez toi ?

Elle acquiesça d'un hochement de tête, et il eut l'air soudain brisé.

— Combien de temps ? Une quinzaine de jours ? Davantage ?

— Je ne sais pas.

Elle ne voulait pas faire de promesses qu'elle ne pourrait pas tenir. Elle avait un long travail d'introspection à effectuer. En quelques mois, elle était passée du rôle de mère de famille à celui de petite amie d'une star. Mais qui était-elle vraiment ? Qu'avait-elle à offrir ? Il fallait absolument qu'elle trouve la réponse.

— Bon sang, Stevie, je vais être perdu sans toi. Tu ne peux pas m'abandonner maintenant.

— Si je ne le fais pas, tu finiras avec une idiote sur les bras, qui ne sera bonne qu'à t'aider à choisir tes chemises. Tu mérites mieux, et je veux devenir la compagne qu'il te faut.

— Pour moi, tu es déjà la compagne qu'il me faut. Parfois, nous nous compliquons la vie inutilement. On cherche ailleurs ce qu'on a déjà. On n'en a juste pas conscience.

— Alors, il faut que je sache où j'en suis.

Et pourtant, elle avait aussi peu envie de partir que lui de la voir s'éloigner. Elle n'avait jamais été aussi heureuse, mais au fond de son cœur elle savait qu'il manquait une pièce au puzzle. Elle voulait trouver la partie manquante, sinon elle sentirait toujours un vide en elle-même.

— Quand envisages-tu de partir ? demanda-t-il, triste mais résigné.

— Je ne sais pas. Dans deux semaines, sans doute. Juste avant Thanksgiving. De toute façon, les enfants viendront pour les vacances, et il faudra que je sois à la maison.

Elle aurait aimé l'inviter à San Francisco, mais elle

298

ne souhaitait pas l'exposer à l'hostilité de Charlotte et de Louise. Cependant, Michael avait invité Sandy, ce qu'elle trouvait très courageux.

Pendant les quinze jours suivants, elle fut consciente d'une tristesse sous-jacente dans leur relation. Tous deux appréhendaient la séparation. En plus, Jean, avec qui elle s'entretenait souvent au téléphone, lui faisait remarquer à tout bout de champ que Chase n'avait rien en commun avec Bill et qu'elle était folle de vouloir partir.

— Imagine que tu le perdes !

— Eh bien, cela voudrait dire que nous n'étions pas vraiment faits l'un pour l'autre, répondait doucement Stephanie, persuadée qu'elle devait suivre son idée.

— Pourquoi fais-tu cela, Steph ? Tu veux te détruire ?

Tout était possible. Peut-être même croyait-elle qu'elle ne méritait pas Chase ?

— Non, ce n'est pas cela. Je ne veux pas devenir comme Alyson, ou redevenir ce que j'étais moi-même : un robot tout juste bon à servir son maître.

C'était une rosserie pour Alyson, mais Jean ne protesta pas, même si elle trouvait Stephanie un peu dure envers leur amie commune.

— Ne te laisse pas emporter par la rancœur, tu as été une mère de famille remarquable. Mais tu ne pensais jamais à toi, et Bill non plus. Ce n'est pas le cas de Chase, Steph. Il t'aime. Cela n'a rien à voir avec ton mariage.

— Le problème vient peut-être de moi, et pas des gens dont je partage la vie. C'est moi qui agis comme ça. Je fais tout pour aplanir les difficultés, pour que mes proches se sentent le mieux possible, et finalement je ne sais plus qui je suis. Je m'oublie. J'ai été épouse et mère à plein temps, et maintenant je suis petite amie à plein temps.

Jean ne comprenait pas : Stephanie mettait en danger sa relation avec un homme qui l'aimait, alors qu'elle avait accepté d'être malheureuse avec Bill pendant des années.

— Tu doutes trop de toi, Steph. Cet homme t'aime. Tu devrais lui faire confiance et profiter de ce que tu as.

— J'espère que j'en viendrai à cette conclusion. Mais j'ai encore du chemin à faire.

— Prends garde à ne pas le perdre, je t'assure. Des gars comme lui, on n'en rencontre qu'un dans sa vie. Et encore.

C'était vrai, mais Stephanie avait l'impression de devoir le mériter. Ce n'était pas encore le cas. Cela ne le serait peut-être jamais.

Chase lui aussi tenta encore une fois de la dissuader de partir.

— Tu vas rester plantée dans cette grande maison vide, et tout ça pour comprendre quoi ? Tu n'as pas besoin d'avoir une vie professionnelle pour m'impressionner, Stevie. Je ne te demande pas de ne vivre que pour moi, d'oublier qui tu es. Je t'aime telle que tu es. Et tu peux faire ce qui te plaît ici, entrer à la faculté de médecine, si ça te chante. Mais par pitié, comprends que je t'aime et que j'ai besoin de toi. Et que tu n'as pas à être différente pour me plaire !

La veille de son départ, quand ils firent l'amour, ils ne purent retenir leurs larmes.

— J'ai peur d'être dépendante de toi, avoua-t-elle, blottie entre ses bras. Imagine que tu meures ou que tu me quittes. Que deviendrais-je ? J'aurais tout perdu, je ne serais plus rien.

— Alors, tu préfères me quitter ? Tu trouves que c'est une décision sensée ?

— Je dois être un peu folle, c'est vrai, reconnut-elle

avec un sourire triste. Laisse-moi juste un peu de temps pour m'éclaircir les idées, murmura-t-elle alors qu'ils s'endormaient dans les bras l'un de l'autre.

— Tu peux prendre tout le temps que tu voudras... à condition de revenir, Stevie. C'est tout ce que je te demande... Reviens... vite...

Le lendemain, à l'aéroport de Nashville, la séparation fut douloureuse. Stephanie était là depuis deux mois et Chase faisait partie d'elle à présent. Son cœur se brisa quand il l'embrassa. Chase sortit de l'aéroport les larmes aux yeux. Elle-même pleurait en franchissant les contrôles de sécurité. Elle se sentait stupide, et un peu folle, oui.

Tandis que l'avion s'élevait dans les airs, elle vit Nashville s'éloigner et rapetisser. Elle songea à Chase, à Frank et George, à Sandy.

C'était sa maison qu'elle quittait, et elle ne savait pas quand elle les reverrait tous. Si elle les revoyait un jour.

23

À San Francisco, Stephanie fut aussi malheureuse que Chase l'avait prédit. Il faisait un temps abominable, et il plut sans discontinuer pendant deux semaines. La maison était déprimante. Un peu partout, des signes de la présence de Bill subsistaient. Impossible de le chasser de sa tête. Aussi passait-elle des heures à arpenter la plage, essayant de comprendre ce qui n'avait pas fonctionné dans leur couple. Était-ce sa faute à elle ? Ou bien celle de Bill ? S'étaient-ils lassés l'un de l'autre ?

Un jour, alors qu'elle contemplait la mer couverte d'une épaisse couche de brouillard, un drôle de petit chien approcha et s'assit sur le sable, les yeux fixés sur elle.

Il avait un toupet sur la tête, une queue en panache, un corps mince et sans poils avec des taches rondes, et un museau pointu. Un peu comme si quelqu'un s'était amusé à assembler au hasard les caractéristiques de différentes races de chiens. De petite taille, il tenait à la fois du teckel nain et du chihuahua, avec une touche de york. Il la regardait avec insistance, semblant attendre quelque chose.

— Arrête de me regarder comme ça, dit-elle. Je ne sais même pas où je vais moi-même.

Le chien pencha la tête de côté et aboya en agitant la queue. Ses flancs n'étaient pas recouverts de pelage, et elle se demanda si ses problèmes de peau étaient dus à une alimentation déficiente. Ses oreilles, le toupet sur sa tête et le bout de sa queue étaient blonds, comme délavés par l'eau de Javel.

— On ne t'a jamais dit que tu avais l'air ridicule ?

Le chien aboya de nouveau et la suivit quand elle se leva et reprit sa marche le long de la plage. Il n'avait pas de collier. Apparemment il était perdu, mais elle ne voulait pas le ramener chez elle, car quelqu'un pouvait très bien être à sa recherche. Le regard qu'il lui lança quand elle remonta dans sa voiture lui brisa le cœur. Il resta là, gémissant doucement.

En proie à une culpabilité folle, Stephanie en parla à Chase lorsqu'il l'appela le soir. Cela faisait deux semaines qu'elle était rentrée à San Francisco, et elle n'avait toujours pas trouvé de réponse aux questions qu'elle se posait. La tristesse qui perçait dans la voix de Chase la bouleversa.

— Tu devrais le recueillir, lui dit-il. Il est trop petit pour se débrouiller seul, il risque de se faire écraser.

— J'ai eu peur que quelqu'un soit à sa recherche et ne le retrouve pas. Je retournerai à la plage demain et je verrai s'il est toujours là.

Elle allait chaque jour faire de longues promenades, mais cela ne servait qu'à la déprimer davantage. Chase lui manquait terriblement. Elle évitait d'appeler Jean, qui lui répétait sans cesse qu'elle était folle d'avoir quitté Nashville.

Avant de raccrocher, Chase lui conseilla de conduire le chien dans un refuge de la SPA ou bien de le garder et de coller des affichettes avec son numéro de téléphone. Puis il lui dit une fois de plus qu'il l'aimait.

Le jour suivant, elle retourna à la plage. Elle avait emporté des affichettes et un pistolet agrafeur pour les placarder un peu partout. Pendant une heure, elle marcha sous la pluie, mais elle ne vit pas le chien. Il avait dû lui arriver quelque chose, songea-t-elle, submergée par la culpabilité. Non seulement elle avait abandonné l'homme qu'elle aimait à Nashville, mais elle venait aussi de laisser tomber un chien.

Tout en s'adressant à mi-voix d'amers reproches, elle regagna sa voiture. C'était la seule sur le parking, en dehors d'une épave sans vitres et sans roues. Alors qu'elle ouvrait sa portière, elle vit soudain le chien surgir de la vieille voiture rouillée. Il sauta autour d'elle en aboyant. Les poils de sa tête étaient plaqués par la pluie, elle n'avait jamais vu d'animal plus laid ni plus pathétique. Elle se pencha pour le caresser, attendrie.

— Salut, toi. Je te cherchais. Tu es dans un drôle d'état.

Elle crut presque l'entendre répondre qu'elle ne valait guère mieux que lui. Pendant quelques secondes, elle resta plantée là, sous la pluie, à se demander ce qu'elle devait faire. Le chien lui lança un coup d'œil, puis bondit dans la voiture par la portière ouverte, s'installa sur le siège avant et aboya comme pour l'inviter à faire de même. Stephanie prit les affichettes dans la boîte à gants, les fixa sur les poteaux électriques du parking, puis retourna à sa voiture.

— D'accord, tu as gagné.

Tranquillisé par ces mots, le chien se pelotonna sur le siège et s'endormit.

En chemin, elle s'arrêta au supermarché, acheta des croquettes, un collier et une laisse. Puis elle appela la SPA et leur donna une description du chien. Le refuge n'avait pas reçu d'avis de recherche, mais l'homme sembla dresser l'oreille lorsqu'elle le décrivit comme un mélange de teckel, de chihuahua et de york, avec les couleurs d'un appaloosa.

— D'après votre description, madame, c'est un chien

de race très rare, qu'on appelle « chien chinois à crête ». Ils ont un corps sans poils, une peau tachetée et une touffe blonde sur la tête. Ils ressemblent un peu aux chihuahuas mais en plus grand. C'est cela ?

— Exactement.

— Ce sont des chiens très chers. Quelqu'un va sûrement nous appeler pour le récupérer.

En attendant, Stephanie lui installa un coin dans la cuisine. Il dormait beaucoup et faisait la fête dès qu'elle entrait dans la pièce.

— Je croyais que c'était un bâtard, avoua-t-elle à Chase, au téléphone. Mais c'est une race très rare, un chien chinois à crête. Je n'ai jamais rien vu d'aussi ridicule, mais il est adorable.

Elle lui envoya une photo par téléphone, et Chase la rappela aussitôt en riant.

— Tu plaisantes ? Ce n'est pas un chien ! On dirait qu'il porte une perruque. Nous pourrions lui trouver un job à Vegas, tu ne crois pas ?

Au bout d'une semaine, toutefois, personne n'avait réclamé le petit animal. Stephanie avait même déposé une annonce dans un centre d'adoption, sans plus de succès. Assise dans la cuisine, elle le regarda en secouant la tête. Elle aurait pu le confier à la SPA, mais il était tellement mignon qu'elle n'avait plus envie de s'en séparer.

— Apparemment, toi et moi, c'est pour la vie, mon garçon. Mais il faut que tu arrêtes de porter cette perruque qui te donne l'air idiot.

Il jappa, comme pour approuver.

— Tu as besoin d'une bonne coupe de cheveux et d'un pull pour cacher ta peau nue.

Le matin même, elle se rendit dans une boutique où

elle acheta un tricot rouge, ainsi qu'une laisse et un collier de la même couleur.

— Oh, un chien chinois ! s'exclama le vendeur. J'ai toujours eu envie d'en avoir un, mais ils sont trop chers et de santé très délicate.

Celui-ci n'était pas si fragile que cela, puisqu'il avait survécu à plusieurs jours d'errance sur la plage. Le vétérinaire chez qui elle l'emmena estima qu'il avait environ un an. Il était en très bonne santé, bien qu'un peu petit pour la race. Il lui administra ses vaccins et demanda son nom à Stephanie. Celle-ci demeura un instant perplexe.

— Je ne sais pas, il ne me l'a pas dit.

Le chien aboya. Avec son pull rouge, il ressemblait encore plus à un chihuahua.

— Pedro. Pedro Gonzales, annonça-t-elle le plus sérieusement du monde, comme si elle venait juste de s'en souvenir.

De toute façon, aucun nom chinois ne lui était venu à l'esprit. Le vétérinaire créa donc un dossier au nom de Pedro Gonzales Adams : désormais, Stephanie avait un chien. À peine sortie du cabinet, elle appela Chase.

— Je le garde. Personne ne l'a réclamé. Il s'appelle Pedro.

— J'aimerais que tu sois aussi enthousiaste à l'idée de me garder, moi. Mais bon, je ne suis pas jaloux ; il me tarde de faire sa connaissance.

— D'après le vétérinaire, il a un an et il est en bonne santé. C'est bien un chien chinois à crête. Il a vraiment l'air bizarre.

— Tu sais quoi, Stevie ? Mon vétérinaire dit que j'ai quarante-huit ans, que je suis en parfaite santé, et écoute-moi bien… si tu aimes tant que ça les perruques blondes, je veux bien en porter une pour te plaire.

Ironie mise à part, il était content qu'elle ait de la compagnie. Elle lui avait semblé très déprimée ces derniers temps, et il n'avait pas trop le moral non plus. Cependant, il s'efforçait d'être patient.

Les enfants de Stephanie allaient arriver dans quelques jours, pour Thanksgiving. Chase, lui, partait passer les fêtes à Memphis chez son fils, et Sandy accompagnait Michael à San Francisco. Les filles faisaient tout un tintamarre à ce sujet, mais Stephanie soutenait son fils.

— Maman, c'est notre premier Thanksgiving sans papa. Il ne peut pas l'amener à la maison ! avait protesté Charlotte.

— Si, il le peut, rétorqua Stephanie. Cela nous fera du bien, d'avoir une invitée.

Elle ne voulait pas qu'ils passent la journée à pleurer. De plus, elle leur réservait une surprise avec Pedro. Malgré tout, elle envisageait le week-end avec appréhension. Les filles savaient qu'elle avait quitté Nashville trois semaines plus tôt ; elles espéraient sans doute que sa relation avec Chase était tombée à l'eau. Elle-même ne savait pas où elle en était. Chase et elle se téléphonaient plusieurs fois par jour, et ils étaient amoureux. Mais Stephanie ne voyait pas encore comment faire partie de sa vie sans renoncer à la sienne. Chase était si malheureux qu'il écrivait des chansons pour elle tous les soirs. Il lui disait que la création était la seule façon pour lui d'évacuer sa tristesse, et elle se sentait encore plus coupable.

Les filles arrivèrent le mercredi après-midi. Michael et Sandy devaient atterrir deux heures plus tard. Charlotte se rendit directement à la cuisine pour boire un verre d'eau. Assis au milieu de la pièce, dans son sweater rouge, Pedro la regarda d'un air interrogateur.

— Oh, mon Dieu, qu'est-ce que c'est ? s'écria-t-elle en riant. On dirait un rat avec une perruque !

— Pedro, ne l'écoute pas, dit Stephanie. Les filles, je vous présente Pedro. C'est un chien chinois à crête, une race très rare.

— Où l'as-tu trouvé ? interrogea Louise, amusée.

Il était tellement drôle, avec son sweater.

— Nous nous sommes rencontrés sur la plage.

Stephanie le prit dans ses bras, et il lui lécha le visage. C'était un chien affectueux, bien élevé, qui ne la quittait jamais. Elle ne comprenait pas comment ses précédents propriétaires avaient pu le perdre. Elle avait envoyé les documents pour obtenir sa licence et commandé une médaille d'identité. Elle lui avait même fait injecter une puce électronique avec son nom, son adresse et son numéro de téléphone, au cas où il se perdrait de nouveau. En fait, elle était amoureuse de ce drôle de petit animal. Ses deux filles furent immédiatement séduites, elles aussi.

Faut-il y voir un lien de cause à effet ? Quoi qu'il en soit, Charlotte et Louise se montrèrent un peu plus agréables. Louise fut la première à lui demander, d'un ton plein d'espoir :

— Alors, c'est fini, avec ton chanteur de rock ?

— Non, ce n'est pas fini. Nous sommes toujours très amoureux. Je veux juste prendre du recul pour réfléchir.

— C'est un milieu bizarre, quand même, la country. Il a l'air un peu brut de décoffrage sur YouTube.

— Il ne l'est absolument pas, répliqua sèchement Stephanie. Il a les cheveux longs et des tatouages, mais c'est un vrai gentleman, quelqu'un de bien. Le problème, c'est moi.

Louise était toute prête à dire du mal de Chase et de Sandy, qu'elle ne connaissait pas encore.

— En tout cas, j'espère bien que vous serez aimables avec Sandy.

Il était peu probable qu'elles le soient, et elle trouvait

Michael très courageux de venir avec elle. Mais il tenait à passer Thanksgiving en famille. Stephanie imagina la scène, si elle avait invité Chase. Les filles auraient été odieuses, et elle ne pouvait pas lui imposer cela.

Louise et Charlotte montèrent dans leurs chambres. Peu après, Michael et Sandy arrivèrent. La jeune fille sauta au cou de Stephanie, comme d'habitude. À cet instant, Pedro surgit de la cuisine, et Michael éclata de rire en le voyant.

— C'est quoi, ce truc ?

— Il s'appelle Pedro, et il habite ici.

Michael prit le chien dans ses bras.

— Je n'ai jamais vu un chien aussi ridicule. Tu es sûre que ce n'est pas un hamster ?

Stephanie lui donna tous les détails sur la race. Michael le reposa sur le sol, et Pedro se mit à décrire des cercles autour d'eux en aboyant, comme les jouets mécaniques que les vendeurs de rue montrent aux enfants. Stephanie ne l'avait jamais vu faire cela, mais c'était probablement un tour qu'on lui avait appris.

— Comment va Chase ? demanda-t-elle à Sandy, alors qu'ils montaient dans la chambre de Michael.

La mine de la jeune fille s'assombrit.

— Il est triste, tu sais. Il passe toutes ses nuits à écrire des chansons sur toi.

— Il me manque, à moi aussi, avoua Stephanie.

Sandy déposa ses bagages dans la chambre. Elle portait un jean, un pull blanc décolleté et une veste de cuir, et elle n'était presque pas maquillée. Avec ses cheveux défaits, elle ressemblait à n'importe quelle fille de son âge. Elle réservait le maquillage et les vêtements sexy à ses passages sur scène.

Un instant plus tard, Charlotte entra dans la chambre de son frère. Les deux filles se dévisagèrent, un peu comme deux chiens qui se jaugent. Charlotte était curieuse et détendue, et Sandy, un peu nerveuse, prit la main de Michael.

Stephanie leur avait préparé la chambre. Il aurait été idiot de faire semblant de croire qu'ils ne couchaient pas ensemble. Bill, pourtant, n'aurait jamais rien autorisé de tel. Mais les règles avaient changé. C'était Stephanie qui prenait les décisions à présent. Michael l'avait remerciée, ajoutant qu'il n'aurait jamais pu emmener Sandy à la maison si son père avait été vivant. Stephanie était plus tolérante. Elle avait l'esprit pratique, alors que Bill était puritain.

Quand Louise entra à son tour, elle toisa Sandy, lui serra la main et ressortit sans un mot. Michael et sa mère ne s'attendaient pas à autre chose de sa part.

Ils dînèrent ensemble ce soir-là, après quoi les enfants sortirent voir leurs amis qui étaient là pour Thanksgiving. Sandy remercia Stephanie et lui confia que sa présence lui manquait à Nashville.

— Tu me manques aussi, avoua Stephanie.

Le lendemain, Charlotte et Sandy aidèrent Stephanie à mettre la table pour le repas de Thanksgiving, mais Louise regagna sa chambre. Elle n'avait pas adressé la parole à Sandy de la journée. À la grande surprise de Stephanie, Charlotte et Sandy semblèrent toutefois très bien s'entendre ; elles découvrirent qu'elles aimaient la même musique. Sandy fut enthousiaste quand elle s'aperçut qu'il y avait un piano dans la maison. Elle s'assit pour jouer et se mit à chanter. Charlotte alla l'écouter.

— Tu sais chanter ? lui demanda Sandy.

— Un peu, répondit-elle timidement.

Sandy joua une chanson qui leur plaisait à toutes les deux, et elles chantèrent ensemble. Au bout d'un moment, Michael se joignit à elles, et Stephanie également. Sandy était heureuse, et ils passèrent un bon moment.

Vers dix-huit heures, ils s'attablèrent pour le dîner. Stephanie avait appelé Chase à Memphis et lui avait dit à quel point la présence de Sandy lui faisait plaisir. Chase lui parut triste et fatigué, mais il fut aussi gentil que d'habitude. Il ne lui reprochait jamais la torture qu'elle lui infligeait par son absence. Il espérait qu'en la laissant libre de faire ce qu'elle voulait, elle reviendrait vers lui.

Stephanie récita le bénédicité avant le repas, y incluant une pensée pour Bill. Les filles eurent les larmes aux yeux. Puis la conversation s'anima peu à peu. Louise restait très réservée, ouvrant à peine la bouche, mais Charlotte et Sandy parlaient ensemble. Michael veillait sur sa compagne. Visiblement, le courant passait bien entre Charlotte et elle. La conversation s'orienta sur Pedro. Le petit animal dormait sur le dos en ronflant doucement. Tout le monde s'accorda à dire que c'était le chien le plus bizarre de la Création, mais qu'il était adorable.

Au grand soulagement de Stephanie, personne ne fit allusion à Chase jusqu'à la fin du repas. Mais alors qu'elle découpait les tartes et servait la crème fouettée, Louise ne put se contenir davantage.

— Sandy, que mangez-vous d'habitude pour Thanksgiving, Chase et toi ? Du maïs grillé et des côtelettes de porc ?

Stephanie écarquilla les yeux, et Michael sembla sur le point de tordre le cou de sa sœur.

— Non, on mange de la dinde, répliqua Sandy sans s'émouvoir. Nous utilisons même une fourchette et un couteau.

Tout en restant d'une parfaite politesse, elle avait remis Louise à sa place.

Cette dernière reçut le message et se renfrogna.

— Ta remarque était déplacée, dit Stephanie alors qu'elles débarrassaient la table. Pourquoi es-tu si mal élevée avec une invitée ?

— Pourquoi Michael l'a-t-il amenée ici, alors que papa vient de mourir ? C'est comme si tu avais invité Chase.

— Tu peux être sûre que c'est ce que je ferai l'année prochaine, rétorqua Stephanie d'un ton sec.

Louise parut sur le point de hurler. À ce moment, Michael entra dans la cuisine.

— Louise, si jamais tu oses encore faire ce genre de remarques, je t'étrangle.

— Ce n'est pas la peine de me menacer. Tu n'aurais pas dû venir avec elle, c'est tout.

— Pourquoi ? Parce que tu n'es pas capable de contrôler tes paroles ? Maman te laisse peut-être lui parler sur ce ton, mais ne crois pas que tu peux te comporter ainsi avec Sandy et moi.

— Oh, pauvre petite chose, elle a besoin de toi pour la défendre ?

Stephanie détestait l'amertume et la méchanceté qui perçaient dans le ton de sa fille. Mais alors, une voix claire et assurée résonna derrière eux.

— Non, je n'ai pas besoin de Michael pour me défendre, lança Sandy avec un accent du Sud très marqué. Je pourrais te donner un coup de pied au derrière, Louise, mais je suppose que ce serait mal élevé de se comporter ainsi chez ta mère. Tu ne crois pas que nous pourrions faire un effort pour elle et rester polies ?

Charlotte éclata de rire, et Michael sourit.

— Ne fais pas attention à ma sœur, Sandy, dit Charlotte. Elle est tout le temps mal élevée avec nous. C'est sa façon d'être.

Tout le monde se détendit, sauf Louise, qui tourna les talons et monta dans sa chambre.

— Je suis désolée, Sandy, dit Stephanie en prenant la jeune fille dans ses bras.

— Et moi, je suis désolée de lui avoir parlé sur ce ton. Mais si je ne l'avais pas fait, elle m'aurait provoquée pendant tout le week-end. Et je sais que cela aurait mis Michael mal à l'aise.

— J'aimerais bien te voir lui flanquer un coup de pied, remarqua Charlotte en souriant. Elle ne s'est pas privée de m'en donner, quand nous étions petites.

— Je crois qu'elle est juste triste que votre papa soit mort et qu'elle ne sait pas l'exprimer autrement. Et aussi, la relation de Chase avec Stephanie la gêne.

— Cela me gêne aussi, admit Charlotte. Nous n'avons pas envie que maman ait quelqu'un dans sa vie.

— Chase te plairait. C'est un type génial. Il adore Michael... et aussi ta maman. Il a écrit une chanson sur elle, qui a beaucoup de succès.

Charlotte aimait bien Sandy, et elle était toute prête à croire que Chase était quelqu'un de bien. Après cela, elles se mirent au piano et chantèrent en duo. La jolie voix de Charlotte s'accordait bien à celle, plus puissante, de Sandy. Stephanie les écouta tout en finissant de ranger la cuisine.

— Eh bien, je crois que tu as gagné Charlotte à ta cause, dit Michael.

Elle acquiesça, mais il restait Louise, et c'était une autre histoire. Sa fille aînée n'était pas près de désarmer.

Le soir, Louise sortit sans leur dire au revoir pour aller rejoindre ses amis. Charlotte décida de rester à la maison et invita quelques copines. Elles passèrent des heures à jouer du piano et à chanter avec Sandy. Stephanie monta dans sa chambre avec Pedro. Elle écoutait la musique en pensant à Chase lorsqu'elle reçut un appel de Jean.

— Nous sommes dans une sacrée merde, Steph ! s'exclama celle-ci lorsqu'elle décrocha.

— Que se passe-t-il ?

— Alyson a découvert tout à l'heure que Brad avait eu une liaison avec leur dernière fille au pair. Tu sais, celle qui les avait quittés du jour au lendemain ? Eh bien, c'est fini entre eux, mais elle a eu un enfant de lui ! Le gamin a le même âge que Henry.

Henry était leur petit dernier.

— Ce n'est pas possible ! Comment a-t-elle su ?

— Figure-toi qu'elle a débarqué chez eux ce soir avec le gosse, en accusant Brad d'être un sale menteur. Apparemment, il a arrêté il y a quelques mois de lui verser la pension qu'il lui avait promise. La pauvre Alyson est dans tous ses états. En plus, ses parents sont venus pour Thanksgiving, et la fille a tout déballé devant eux, en plein repas.

— Mon Dieu !

— Et ce n'est pas tout, Steph : il aurait aussi une liaison avec la nouvelle fille au pair… Je ne sais pas ce qui va se passer, mais Alyson veut le tuer. De toute évidence, saint Brad n'est pas aussi saint que ça. J'ai toujours su que c'était un sale type. Maintenant, elle en a la preuve.

— Oh, mon Dieu ! Que va-t-elle faire ?

— Elle dit qu'elle veut divorcer, et elle le fera. Je ne vois pas comment il pourrait nier qu'il l'a trompée. Pas avec ce petit de deux ans pour prouver son infidélité.

— Pauvre Alyson. Elle qui l'aimait tant.

— À mon avis, c'est fini, tout ça. Elle l'a obligé à quitter la maison sur-le-champ. Il a bien essayé de résister, mais quand elle a appelé la police il est parti sans demander son reste.

— Qu'est-il arrivé à la fille, avec son gamin ?

— Elle est partie avec lui. Alyson dit que l'enfant est

le portrait craché de Brad. Et la fille au pair lui a dit qu'elle avait demandé un test ADN pour prouver qu'il était le père. Alyson se retrouve seule avec les gosses : car elle a aussi viré la fille au pair actuelle, puisqu'il couchait avec elle également.

Toute cette histoire était sordide, mais Stephanie ne doutait pas de sa véracité. D'ailleurs, Brad s'était montré un peu trop familier avec elle, depuis la mort de Bill.

— Tu devrais l'appeler, poursuivit Jean. Elle ne cesse de pleurer.

Stephanie téléphona à Alyson et entendit la même histoire, avec un peu plus de détails. Alyson sanglotait, hystérique, criant qu'elle ne voulait plus jamais revoir Brad. C'était peu vraisemblable, puisqu'ils avaient trois enfants ensemble. Mais elle était décidée à déposer une demande de divorce dès le lundi matin.

— Je suis désolée, Alyson, dit Stephanie, sincèrement triste pour son amie.

— Moi aussi, répondit Alyson en pleurant. Je n'ai pas été gentille avec toi. Mais je me faisais du souci pour toi, et j'étais choquée que tu sortes avec Chase si peu de temps après la mort de Bill. Brad me disait que c'était terrible... et regarde ce qu'il a fait... Quel salaud ! Comment a-t-il pu me faire ça ? Je le déteste !

Alyson était tombée abruptement de son petit nuage de naïveté, pour découvrir la perversité et la trahison de son mari.

— Je suis sûre que tu sais ce que tu fais avec Chase, Steph. Je t'aime, et je ne veux pas qu'il t'arrive quelque chose de mal.

Elle pleura encore un moment, puis elles raccrochèrent. Stephanie demeura allongée sur son lit, pensive. Elle songea au moment où elle avait découvert la liaison de Bill, à ce qu'elle avait éprouvé. Elle aurait dû divorcer à ce moment-là. C'est aussi ce que devrait faire Alyson. Sa relation avec Brad était définitivement brisée. On ne pouvait pas réparer ce genre de fracture.

Le lendemain matin, Stephanie tomba sur Louise dans la cuisine, qui buvait son café d'un air maussade.

— Maman... je suis désolée pour ce que j'ai dit à Sandy, hier soir. Je ne sais pas ce que j'ai, mais je suis tout le temps en colère, j'en veux à tout le monde. Je t'en veux d'être avec Chase. J'en veux à papa parce qu'il est mort. Et à Michael parce qu'il est avec Sandy. Et j'en veux presque à Charlotte parce qu'elle est née après moi, ajouta-t-elle avec un sourire. Elle était tellement énervante quand elle était petite ! Elle l'est encore, la plupart du temps.

— C'est bien que tu l'admettes, dit Stephanie en l'embrassant sur la joue. J'en ai voulu aussi à papa pendant quelque temps, mais cela ne m'a pas aidée à surmonter sa mort. Je vais mieux, à présent.

— Tu n'étais pas vraiment heureuse avec lui, n'est-ce pas ?

— Je l'ai été, répondit prudemment Stephanie. Nous avons longtemps été heureux ensemble. Puis je suppose que nous avons négligé notre relation. Il était trop accaparé par son travail, moi j'étais débordée avec vous, et nous nous sommes éloignés. À un certain moment, nous aurions dû divorcer, mais nous ne l'avons pas fait. Nous avons continué, chacun de notre côté. Je crois que j'avais trop peur pour demander le divorce. Et puis je l'aimais. Mais ce n'était pas une vie.

— Pourquoi les choses se sont-elles passées ainsi ?

— Je te l'ai dit. Nous avons laissé la situation se dégrader, nous étions submergés, trop paresseux pour réagir. Une relation s'entretient tous les jours, nous ne l'avons pas fait.

— Est-ce que papa t'a trompée ?

Stephanie, surprise, hésita un long moment avant de répondre. Quelqu'un avait-il parlé à sa fille ?

— Quelle différence cela fait-il ? S'il a eu une maîtresse, c'est sans doute parce que notre mariage n'était plus satisfaisant. Les gens ne trompent pas leur conjoint quand ça va bien. Ou alors, c'est qu'ils sont idiots. Et ton père était loin d'être stupide.

— Meg Dawson m'a dit un jour que papa avait une liaison. J'avais seize ans, et je n'ai pas voulu la croire.

Meg était la fille aînée de Jean, elle avait cinq ans de plus que Louise. Elle avait dû surprendre une conversation entre ses parents.

— C'est possible, dit Stephanie d'un ton neutre.

— Cela m'aiderait si je savais la vérité. Je t'ai fait beaucoup de reproches, maman. J'ai peut-être eu tort. Papa était peut-être fautif.

— Inutile de te mettre en colère contre ton père, dit Stephanie en souriant. Il n'est plus là, à présent.

Louise la fixa avec tant d'insistance qu'elle finit par céder.

— Oui, il m'a trompée, dit-elle en hochant la tête. Mais je suis restée tout de même. Il voulait épouser cette femme, mais elle a changé d'avis et alors il est revenu vers moi.

Stephanie ne fit pas d'autre commentaire sur l'égoïsme de Bill ou la souffrance qu'il lui avait infligée. Elle se contenta d'énoncer les faits et de laisser Louise tirer elle-même ses conclusions.

— Tu es restée à cause de nous ?

— En partie, mais aussi pour moi. Je pense que j'ai eu peur de partir et de vivre seule, avec trois enfants. Alors je suis restée. Mais je ne lui ai jamais pardonné cette trahison. J'ai vécu avec. Les compromis de ce genre finissent souvent mal. Nous nous sommes éloignés considérablement, après cela.

— Michael et Charlotte sont au courant ?

— Non, je n'en ai pas parlé. Vous n'aviez pas besoin de savoir. J'espère que je ne commets pas d'erreur en te le révélant aujourd'hui. Peu importe ce qui s'est passé entre nous. Votre père vous aimait vraiment.

— Il t'aimait aussi, maman. Il me l'a répété très souvent. Encore un mois avant sa mort, il me disait que tu étais quelqu'un de bien, qu'il ne te méritait pas, et qu'il t'aimait. Je suppose qu'il ne savait pas comment te le prouver.

Stephanie resta muette un instant, très émue.

— Merci de me le dire, Louise.

À cet instant, Michael entra dans la cuisine avec Sandy. Louise passa un bras sur les épaules de sa mère.

— Merci, maman, de m'avoir dit la vérité.

— À quel sujet ? lança Michael depuis le seuil.

— Désolée d'avoir été aussi grossière hier soir, dit Louise en se tournant vers Sandy. Je fais des sorties de ce genre, de temps en temps. Les autres m'ignorent, tu n'as qu'à faire comme eux. Il y en a une comme moi dans toutes les familles, ajouta-t-elle en souriant. Du moins, je l'espère...

— Waouh ! Qu'est-ce qui t'arrive, Louise ? lança Michael, sidéré.

— Maman a mis de la marijuana dans mes corn flakes. Ça aide.

Ils s'assirent tous autour de la table et bavardèrent gaiement tout en prenant leur petit déjeuner. Louise échangea un regard appuyé avec sa mère, par-dessus la table. Quelque chose d'important s'était produit ce matin. Stephanie n'aurait su dire quoi exactement, mais il y avait un changement.

Dans la soirée, Stephanie rendit visite à Alyson. Son amie ne cessait de pleurer. Brad avait voulu la voir dans l'après-midi, mais elle ne l'avait pas laissé entrer.

Quel hypocrite, ce Brad ! songea Stephanie en rentrant chez elle. Mais au moins, cette pauvre Alyson ne vivrait pas dans le mensonge, en faisant semblant de lui avoir pardonné.

Stephanie comprit alors pourquoi son mariage avec Bill avait été un échec. Ils avaient fait semblant. Elle, de lui pardonner ; et lui, de l'aimer. Tout ça était faux. En dépit de ce qu'il avait dit à Louise, il ne l'aimait plus. Et elle non plus. Leur relation était bel et bien morte.

Cette pensée lui vint à l'esprit tandis qu'elle traversait le pont. C'est alors qu'elle se sentit libre... Elle pouvait bien l'admettre en son for intérieur, à présent. Elle avait cessé d'aimer son mari sept ans avant sa mort, et peut-être même avant cela.

24

Après le départ des enfants, entre Thanksgiving et Noël, Stephanie réfléchit beaucoup. Elle faisait de longues balades avec Pedro. De l'avis de tous ses proches, c'était un excellent compagnon, et le chien le plus ridicule de la terre. Sa conversation avec Louise, le lendemain de Thanksgiving, avait libéré Stephanie. Elle pouvait enfin admettre en elle-même, sans se sentir pour autant monstrueuse, qu'elle n'aimait plus Bill depuis des années. C'était juste la vérité, elle ne l'aimait plus. Mais elle était restée avec lui, s'était trahie elle-même, parce qu'elle n'avait pas eu le cran de le quitter.

Au lieu de reconnaître tout ça, elle s'était cachée derrière de nobles raisons.

Elle rendit plusieurs fois visite à Alyson. Celle-ci avait déposé une demande de divorce et n'adressait plus la parole à Brad. Elle n'avait de contact avec lui que par l'intermédiaire des avocats. L'histoire d'amour du siècle n'était qu'une imposture. Brad n'était certainement pas le premier homme, ni le dernier, à tromper sa femme avec la jeune fille au pair. Mais tout ce en quoi Alyson avait cru n'était qu'une accumulation de mensonges. Son mariage n'était qu'une mascarade.

Il lui faudrait des années pour comprendre pourquoi elle avait accepté cela.

Stephanie et Jean parlaient beaucoup ; elles se sentaient désolées pour elle. Jean lui rappelait souvent qu'elle n'avait jamais eu confiance en Brad, ni en aucun autre homme. D'après elle, ils se transformaient tous à la première occasion en menteurs et en hypocrites. Son père avait trompé sa mère, ses frères trompaient leur femme. Bill, Fred et Brad les avaient trompées, elles.

Malgré cela, Stephanie continuait d'avoir confiance en Chase. C'était un homme bien.

Celui-ci avait été submergé de travail entre les fêtes. Son disque de Noël venait de sortir et il devait en assurer la promotion. Il le lui avait envoyé et elle avait pleuré en l'écoutant. Ils ne savaient toujours pas quand ils se reverraient, ni s'ils se reverraient, mais ils se disaient chaque jour qu'ils s'aimaient. Stephanie était consciente de lui faire beaucoup de peine en maintenant cet éloignement.

Elle n'avait pas avancé du tout sur les réponses qu'elle se posait. Elle n'avait même pas essayé de trouver un job, et les quelques heures qu'elle effectuait au foyer étaient loin de suffire à l'occuper.

En outre, elle était toujours partagée entre son ancienne vie et la nouvelle. Elle fit un arbre de Noël avec toutes les anciennes décorations, tout en écoutant le disque de Chase, qui était en tête des ventes dans le pays. Puis elle décida de donner la réception de Noël comme elle l'avait fait chaque année avec Bill. Celle-ci eut lieu deux semaines avant le 24 décembre. L'ambiance fut déprimante, et elle se repentit amèrement d'avoir eu cette idée. Tous les hommes présents lui glissèrent des allusions. Ils ne demandaient pas mieux que de tromper leur femme avec elle. Cela lui donna la nausée.

Chase ne lui demandait plus quand elle reviendrait. Ils évitaient le sujet, afin de ne pas prononcer de paroles définitives. Cela faisait six semaines qu'elle était revenue à San Francisco, et cela leur paraissait une éternité. Ils craignaient tous deux que leur histoire ne soit terminée et préféraient ne pas connaître la réponse.

Les enfants allaient venir pour Noël, mais cette fois Sandy n'accompagnerait pas Michael. Il fallait qu'elle reste à Nashville avec Chase, pour le concert de Noël. Michael irait donc la retrouver à Las Vegas, où ils donnaient un autre grand concert pour le nouvel an.

Le matin de l'arrivée des enfants, Stephanie reçut un colis de Chase. Il contenait un très joli bracelet en or, sur lequel étaient gravés les mots *Carpe diem*. « Savoure le moment présent. » À l'intérieur, il y avait les initiales de Chase, et la date. Stephanie mit le bracelet en pleurant. Elle avait aussi un cadeau pour lui, qu'elle allait envoyer le matin même. Une longue chaîne en or et une médaille avec un ange pour veiller sur lui. Au dos de la médaille, elle avait également fait graver ses initiales et la date. Les enfants ne remarquèrent pas son nouveau bracelet, mais elle ne le quitta plus.

Sans surprise, ce premier dîner de Noël sans Bill fut une épreuve. Tout le monde pleura en pensant à lui, même Stephanie. Mais le fait d'être réunis les réconfortait. Louise n'avait pas été d'aussi bonne humeur depuis longtemps, et elle passa la plus grande partie de son temps avec sa mère. Pour le réveillon du nouvel an, Charlotte avait prévu un séjour de ski à Tahoe avec ses amis, Louise retournait à New York, et Michael se rendait à Las Vegas, pour voir Sandy et Chase. Stephanie allait donc passer le réveillon à la maison, seule avec Pedro.

— De quoi voulez-vous vous punir ? demanda le Dr Zeller quand elle l'informa de ce projet.

— Je ne me punis pas. Je n'aime pas les réveillons, et de toute façon je n'ai personne avec qui sortir.

Jean et Fred étaient partis passer les fêtes à Mexico, et Alyson restait chez elle.

— C'est faux, rectifia la thérapeute. Vous avez Chase.

— Il ne m'a pas invitée. Il donne un concert à Vegas ce soir-là.

— Vous savez très bien que vous pourriez y aller. Il n'attend que ça.

— Je ne suis pas prête.

— Serait-il possible que vous soyez en train de vous punir d'être restée mariée à un homme que vous n'aimiez plus ? Et de ne pas avoir eu assez d'estime pour vous-même pour le quitter ? Vous ne trouvez pas que vous vous êtes suffisamment punie comme ça ?

Stephanie ne répondit pas. Les larmes lui montèrent aux yeux, tandis que la dernière pièce du puzzle se mettait en place. Elle avait du mal à respirer. La vérité était dure à entendre, mais elle ne pouvait la nier. Elle n'aimait plus son mari depuis des années, et maintenant elle s'imposait une pénitence en se privant de l'homme qu'elle aimait. C'était terrifiant.

Cette pensée la poursuivit pendant tout le trajet du retour.

Les enfants partirent le lendemain, l'avant-veille du nouvel an. Michael lui proposa de l'accompagner à Las Vegas.

— Chase adorerait que tu viennes, maman. Sandy m'a dit qu'il avait beaucoup souffert de ton absence, pour Noël.

Stephanie secoua la tête, retenant ses larmes.

— Je veux rester ici.

Ce n'était pas vraiment ce qu'elle souhaitait, mais elle ne voyait pas ce qu'elle pouvait faire d'autre.

Elle passa la nuit seule avec Pedro, dans la grande maison vide. Mais avant de se coucher, elle retira son alliance et la déposa dans son coffret à bijoux, sur la coiffeuse.

Cette partie de sa vie était derrière elle.

Le lendemain, il faisait un temps superbe. Stephanie emmena Pedro faire une longue promenade. Chase ne lui avait pas donné de nouvelles depuis deux jours. Le concert du nouvel an était très important et devait absorber tout son temps...

L'après-midi, en rentrant de promenade, elle ouvrit une bouteille de champagne et s'en servit un verre. Elle prévoyait de se coucher bien avant minuit. Jean l'appela de Mexico pour prendre de ses nouvelles, et elle lui assura qu'elle allait très bien.

Alors qu'elle jouait dans le jardin avec le chien, celui-ci heurta son bracelet du bout de son museau. Elle adorait ce cadeau de Chase. Ce dernier lui avait envoyé un message pour la remercier de la médaille. Il disait qu'il l'adorait aussi, et qu'il avait besoin d'un ange dans sa vie.

Elle souleva le poignet et lut de nouveau les mots gravés sur le bijou. *Carpe diem.* Cueille le jour. C'était le principe de Chase, dans la vie. C'était aussi ainsi que leur histoire avait commencé, la raison pour laquelle elle était allée au Grand Canyon et l'avait rencontré.

Tous deux avaient saisi au vol les opportunités qui se présentaient.

Soudain, elle sut ce qu'elle devait faire. Il était inutile de se punir plus longtemps. Elle avait le droit de vivre cet amour. Et Chase aussi.

Saisissant Pedro dans ses bras, elle monta l'escalier en courant. Il était quatre heures. À cinq heures et demie, elle pouvait être à l'aéroport. Elle ouvrit son ordinateur et réserva une place sur le vol de dix-huit heures trente pour Vegas. Puis elle entassa à la hâte des vêtements et des affaires de toilette dans une valise, sans oublier d'y rajouter la combinaison à sequins. À cinq heures, elle sortait de chez elle et sautait dans la voiture. Elle s'arrêta dans une boutique pour acheter un sac de voyage pour Pedro. Celui-ci portait son sweater rouge, et elle lui prit également un minuscule bonnet de père Noël. Elle arriva à l'aéroport à six heures moins vingt-cinq. Prit son avion sans encombre.

À peine eut-elle atterri à Vegas qu'elle reçut un appel de Jean. Son amie avait l'air un peu ivre.

— On dirait que tu as couru, Steph. Où es-tu ?

— À l'aéroport... de Las Vegas.

— Super ! s'exclama Jean, radieuse. File vite !

Jean était si contente qu'elle embrassa Fred sur la joue après avoir raccroché.

— Pourquoi m'embrasses-tu ? demanda celui-ci, interloqué.

— Parce que tu es mignon et que j'adore tes cartes de crédit. Bonne année, ajouta-t-elle.

Fred se mit à rire.

— Je t'aime, Jean, même si tu me coûtes très cher.

Ils commandèrent à dîner, et il la complimenta sur sa tenue. Jean l'informa que la robe pouvait en effet être belle, puisqu'elle venait de chez Lanvin. Ils passèrent un moment très agréable au restaurant.

Pendant ce temps, Stephanie était arrivée au Wynn, l'hôtel où étaient descendus Michael, Sandy et Chase, et avait appelé le concierge. Il était neuf heures du soir.

— Il me faut un billet pour le spectacle de Chase Taylor, dit-elle, désespérée.

— Il m'en reste deux pour le show de demain, à vingt heures, répondit aimablement l'homme.

— Non, il me le faut pour ce soir, et le plus près possible de la scène !

— Désolé, je ne peux pas...

Le concierge marqua une pause, et reprit :

— J'ai une invitation que quelqu'un voudrait revendre pour cinq cents dollars.

— C'est dégoûtant, fit remarquer Stephanie. Une invitation est un cadeau, on ne devrait pas pouvoir la revendre. Mais je prends. Mettez-le sur ma note.

— Bien, madame.

Une heure plus tard, après avoir pris un bain et s'être remaquillée, elle enfila la combinaison à sequins. Pedro était en train de manger des tranches de dinde rôtie. La chambre semblait lui plaire, et il avait dormi dans l'avion. À la dernière minute, au moment de sortir, elle le prit avec elle. Elle jeta un pull sur son bras pour le cacher et arriva au théâtre à vingt-trois heures. C'était la salle où elle avait vu Chase sur scène pour la première fois. Un employé lui désigna son siège au premier rang. Il ne remarqua pas Pedro, qui s'installa sur ses genoux et se rendormit, avec son sweater rouge et son bonnet de père Noël.

Le concert commença un quart d'heure plus tard. Un nouveau groupe avait remplacé Bobby Joe en ouverture, et leur musique était de bien meilleure qualité. Stephanie ne voyait son fils nulle part et supposa qu'il se trouvait derrière la scène. À minuit moins vingt, Chase fit son entrée, magnifique dans son pantalon et sa chemise de cuir noir. Il était plus beau que jamais...

Dans la salle plongée dans une totale obscurité, il démarra son set avec une des chansons qu'il avait écrites pour elle. Les spectateurs tombèrent immédiatement sous le charme. Les fans étaient surexcités. Il faut dire qu'ils devaient avoir bu à cause du réveillon, et Chase était au mieux de sa forme. Sa présence sur scène était électrique. De plus en plus de gens se pressaient devant la scène pour le voir de plus près. Stephanie quitta elle aussi discrètement son siège avec Pedro. Soudain, comme s'il avait senti sa présence, Chase baissa la tête et la vit dans sa combinaison scintillante, avec Pedro dans les bras. Elle crut qu'il allait s'arrêter de chanter, puis il reprit, en soutenant son regard. La chanson se termina au moment où le douzième coup de minuit résonnait.

Stephanie souleva Pedro à bout de bras pour le lui montrer, et il éclata de rire. Puis il annonça à son public que la chanson suivante était dédiée à la femme qu'il aimait. Apparemment, c'en était une qu'elle n'avait encore jamais entendue et elle écouta religieusement tandis que Chase chantait en ne la quittant pas un instant des yeux. Le regard qu'elle fixait sur lui était débordant d'amour.

Les applaudissements crépitèrent. Quelques secondes plus tard, un des employés de la salle lui tapota l'épaule en chuchotant :

— M. Taylor aimerait que vous passiez derrière la scène.

Stephanie suivit le garçon dans les coulisses, où Michael attendait Sandy. Il ouvrit de grands yeux en voyant sa mère.

— Maman ! Je suis si content de te voir, s'exclama-t-il en lui entourant les épaules de son bras. Mais... Pedro, tu crois vraiment que c'était nécessaire ?

— Je lui avais promis de passer le réveillon avec lui, répondit-elle à mi-voix.

Ils regardèrent la fin du concert ensemble, Michael ne quittant pas Sandy du regard, Stephanie écoutant Chase les yeux mi-clos.

Il y eut quatre rappels. Enfin, le rideau retomba et Chase la rejoignit.

— Je n'avais jamais vu un chien aussi laid, Stevie.

Un sourire éclatant barrait son visage.

— Je t'aime, Stevie. Je t'aime, c'est tout.

— Je t'aime, Chase. Je suis désolée d'avoir mis si longtemps à le comprendre.

— Tu te sens bien, maintenant ?

Il voulait savoir, être sûr d'elle. Ces deux derniers mois avaient été les plus difficiles de sa vie.

— Parfaitement bien. Je ne t'amène rien de nouveau. Seulement moi, et mon amour, si tu en veux toujours. Et Pedro, bien entendu.

— Je ne désire rien de plus, dit-il en la prenant dans ses bras.

Il posa le chien sur le sol et embrassa Stephanie de toutes ses forces. Il avait été si terrifié à l'idée de l'avoir perdue.

— Par contre, pour Pedro, il faudra que je réfléchisse. Ou plutôt que j'en discute avec Frank et George.

— Tu n'as qu'à leur dire que c'est une formule non négociable.

Elle fit un petit clin d'œil espiègle.

— Seigneur, je t'aime, répéta-t-il en l'entraînant vers sa loge.

Il sourit en voyant le bracelet à son poignet. Pedro les suivait, comme s'il savait parfaitement que sa place était avec eux.

— Tu m'as fait une peur bleue, tu sais, Stevie.

— Je me suis fait peur à moi-même. Mais ça va mieux, maintenant. J'ai retrouvé ma route. Et grâce au ciel, tu veux bien encore de moi.

— Il n'en a jamais été autrement, lâcha-t-il en la saisissant dans ses bras.

Michael et Sandy les regardaient de loin, mais eux ne voyaient rien de ce qui les entourait. Ils disparurent dans la loge avec Pedro.

Une nouvelle année commençait. Une nouvelle vie. Un monde nouveau.

Carpe diem. Cueille l'instant.

C'est ce qu'ils avaient fait.

Vous avez aimé ce livre ?
Vous souhaitez en savoir plus sur Danielle STEEL ?
Devenez, gratuitement et sans engagement, membre du
CLUB DES AMIS DE DANIELLE STEEL
et recevez une photo en couleur dédicacée.

Pour cela il suffit de vous inscrire sur le site
www.danielle-steel.fr
ou de nous renvoyer ce bon accompagné
d'une enveloppe timbrée à vos nom et adresse au
Club des Amis de Danielle Steel
– 12, avenue d'Italie – 75627 PARIS CEDEX 13

Monsieur – Madame – Mademoiselle
NOM :
PRÉNOM :
ADRESSE :

CODE POSTAL :
VILLE :
Pays :

E-mail :
Téléphone :
Date de naissance :
Profession :

La liste de tous les romans de Danielle Steel publiés aux Presses de la Cité se trouve au début de cet ouvrage. Si un ou plusieurs titres vous manquent, commandez-les à votre libraire. Au cas où celui-ci ne pourrait obtenir le ou les livres que vous désirez, si vous résidez en France métropolitaine, écrivez-nous pour le ou les acquérir par l'intermédiaire du Club.

Composition et mise en pages
Nord Compo à Villeneuve-d'Ascq

Imprimé chez Marquis imrpimeur inc.
Dépôt légal : janvier 2017